Poche
micro

D0718390

Windows
XP

2e édition

FIRST
> Interactive

Jean-François Sehan

Poche Micro Windows XP, 2e édition

© Éditions First Interactive, Paris, 2006

27, rue Cassette
75006 Paris – France
Tél. 01 45 49 60 00
Fax 01 45 49 60 01
E-mail : firstinfo@efirst.com
Internet : www.efirst.com

ISBN : 2-84427-852-3
Dépôt légal : 2e trimestre 2006
Imprimé en France

Mise en page : pbi1@mac.com

Table des matières

Premiers pas avec Windows XP

Explorer l'ordinateur avec Windows XP

Loisirs et multimédia

Exploiter les richesses d'Internet

Personnaliser, entretenir et sécuriser Windows XP

Présentation

Pendant de nombreuses années, Microsoft a proposé deux systèmes d'exploitation parallèles : une version grand public avec les séries 9x (95, 98 et Me) et une version professionnelle avec les séries NT et 2000.

De cette union est né eXPérience. La version XP de Windows est incontestablement une expérience réussie, puisqu'elle associe :

- la stabilité des versions professionnelles ;
- les facilités et les outils des versions grand public.

Ce système est fiable et ergonomique, et si vous ne comptiez pas encore parmi ses utilisateurs, vous vous féliciterez bientôt de l'avoir adopté ! Car autant le passage de la version 98 à la version Me était sujet à controverses, autant la version XP s'impose comme *la* solution, que ce soit pour remplacer les séries 9x, mais aussi pour les séries NT et 2000.

Depuis sa sortie en novembre 2001, Windows XP a évolué avec les « Service Pack » 1 et 2. Ces mises à jour ont permis non seulement d'optimiser la fiabilité du d'exploitation, mais aussi de renforcer la protection contre les attaques extérieures lorsque que vous naviguez sur Internet.

Ce livre devait donc, lui aussi, suivre cette évolution. C'est la raison pour laquelle nous vous proposons cette seconde édition avec les mises à jour indispensables.

Avec le temps, force est de constater que certaines applications se révèlent aujourd'hui moins efficaces. C'est le cas, par exemple, de Windows Messenger, fourni en standard avec Windows XP, face à son concurrent direct MSN Messenger. Il nous semblait donc logique de parler aussi de ce dernier puisqu'il est actuellement le plus utilisé des logiciels de messagerie instantanée.

À qui est destiné ce « Poche Micro » ?

Ce livre à pour but de vous faire découvrir le fonctionnement de votre micro-ordinateur au travers du système d'exploitation Windows XP. Si ce dernier simplifie les tâches courantes des utilisateurs, un ordinateur reste cependant une machine complexe qu'il est nécessaire de maîtriser pour l'utiliser efficacement.

Cet ouvrage s'adresse aussi bien aux utilisateurs débutants qu'aux initiés. Si vous n'avez jamais utilisé Windows, le premier chapitre vous est destiné. Il regroupe les notions et les termes à connaître. Au fil des chapitres, vous découvrirez toutes les possibilités que peut vous apporter votre ordinateur, que ce soit en termes de communication, de multimédia ou de bureautique.

Dans un souci pédagogique, toutes les actions à réaliser sont décrites étape par étape, et, quand cela est nécessaire, complétées par des copies d'écran. De plus, des paragraphes spécifiques vous fournissent des informations sur les termes employés, des conseils d'utilisation ou des astuces pour aller plus loin.

Contenu de ce « Poche Micro »

Ce livre est divisé en 5 parties contenant chacune entre 2 et 7 chapitres.

Partie I - Premiers pas avec Windows XP

Cette première partie présente l'essentiel de ce qu'il est nécessaire de connaître pour utiliser dès maintenant Windows XP.

Le *chapitre 1* s'adresse aux débutants et leur fait découvrir les éléments indispensables à connaître : Bureau, barre des tâches, fenêtres, boîtes de dialogue, *etc.*

Le *chapitre 2* traite de la barre des tâches, point central d'accès aux applications et aux outils de Windows XP.

Le *chapitre 3* vous propose des exemples d'applications pour créer, sauvegarder et imprimer des documents. C'est un chapitre important puisqu'un ordinateur est essentiellement destiné à gérer des documents.

Cette partie s'achève avec le *chapitre 4*, sur l'aide en ligne à laquelle il est souvent nécessaire de recourir, que ce soit pour Windows XP ou pour vos applications.

Partie II - Explorer l'ordinateur avec Windows XP

Toutes les informations d'un ordinateur sont enregistrées dans des fichiers et des dossiers stockés sur des disques (documents, programmes, *etc.*). La deuxième partie de ce livre est consacrée à la gestion de ces fichiers.

Le *chapitre 5* présente les éléments qui composent l'ordinateur. Le *chapitre 6*, suite logique, vous explique comment les utiliser avec le Poste de travail.

Le *chapitre 7* est consacré à la recherche des fichiers parmi les ressources de l'ordinateur. Le *chapitre 8* vous permettra de retrouver les fichiers supprimés.

Le *chapitre 9*, dernier de cette partie, vous apprendra à conserver durablement vos précieux documents sur disquettes ou sur CD-ROM.

Partie III - Loisirs et multimédia

Le multimédia est probablement le domaine le plus attirant de l'informatique. Cette partie y est entièrement consacrée.

Le *chapitre 10* vous dévoilera toutes les possibilités en matière de photographie et d'image, que se soit pour le transfert du contenu d'un appareil photo ou la numérisation au moyen d'un scanner, ou pour l'archivage, la consultation et l'impression.

Le *chapitre 11* se charge quant à lui de la partie musique et vidéo. Il traite de toutes les sources disponibles (fichiers audio ou vidéo, CD audio, DVD vidéo, *etc.*), ainsi que de la réalisation de fichiers MP3 et de compilations musicales sur CD-R. Il aborde aussi le montage de vos vidéos amateurs avec l'application Windows Movie Maker.

Partie IV – Exploiter les richesses d'Internet

Après une introduction sur la connexion à Internet, le *chapitre 12* vous permettra de découvrir les plaisirs de la navigation sur le Web. Il aborde la gestion des pages, leur recherche, leur mémorisation et l'exploitation des éléments qui les composent (textes, images, *etc.*).

Le *chapitre 13* présente l'accès *via* Internet aux médias télévisuels, radiophoniques ou cinématographiques. Il aborde aussi le téléchargement de musiques, les blogs (journaux d'internautes) et la validation de votre version de Windows XP.

Le *chapitre 14* se consacre à la communication avec la messagerie instantanée pour converser immédiatement avec vos proches ou vos collègues de travail, et ce, vocalement ou par vidéo avec une webcam.

Le *chapitre 15* s'intéresse plus particulièrement au carnet d'adresses pour conserver les coordonnées de tous vos contacts. Le *chapitre 16* traite de la messagerie classique, et le *chapitre 17* aux groupes de discussion.

Pour clore cette partie, le *chapitre 18* vous fait découvrir les fonctions qui lient Windows XP et Internet, comme la navigation à partir de la barre des tâches ou l'ajout de page Web sur le Bureau.

Partie V - Personnaliser, entretenir et sécuriser Windows XP

Cette dernière partie est consacrée à la configuration de Windows XP et à l'entretien de votre ordinateur.

Le *chapitre 19* vous apprend à modifier les paramètres du Bureau (taille d'écran, nombre de couleurs, *etc.*) et le *chapitre 20* ceux du menu Démarrer (réorganisation, ajout de raccourcis, *etc.*).

Le *chapitre 21* est dédié aux configurations logicielles et matérielles (ajout d'un périphérique, suppression d'une application, réglage de la souris, *etc.*).

Le *chapitre 22* vous présente le moyen d'entretenir les disques et de restaurer Windows XP en cas de panne.

Le dernier chapitre de ce « Poche Micro » traite d'un sujet sensible : la sécurité. Vous y trouverez des solutions pour combattre les virus, éliminer les programmes espions ou naviguer sur Internet en toute sérénité.

Annexe

Cette dernière partie répertorie les principaux raccourcis clavier de Windows XP, d'Internet Explorer et d'Outlook Express, et propose une liste de sites et de groupes de discussion.

Conventions de ce « Poche Micro »

Ce livre est agrémenté de paragraphes spécifiques fournissant des informations complémentaires :

Note Informations complémentaires en relation avec le sujet traité.

Conseil Recommandations sur l'utilisation d'une étape.

Astuce Solutions pour aller plus loin sur le sujet traité.

Définition Explicitations et clarifications relatives à un terme technique.

Attention ! Mises en garde à lire attentivement pour éviter les fausses manœuvres.

Anecdote Fait divers, généralement historique, sur le sujet traité.

Bonne lecture !

Partie

1

Premiers
pas avec
Windows XP

Faire connaissance avec Windows XP

Dès que vous aurez allumé votre PC, vous pourrez partir à la découverte de l'environnement de Windows XP.

Ce chapitre décrit rapidement le fonctionnement de la souris, des menus, des icônes, et définit les termes employés pour les éléments qui composent les fenêtres et les boîtes de dialogue. Ces informations vous seront nécessaires lors de l'utilisation des applications ou pour comprendre la terminologie des aides en ligne.

Dans ce chapitre

- Utiliser la souris
- Connaître les éléments du Bureau
- Connaître les éléments des fenêtres

- Connaître les éléments des boîtes de dialogue
- Utiliser les raccourcis clavier

Utiliser la souris

L'utilisation de la souris est très simple. Vous verrez qu'après quelques heures, on la maîtrise très bien. Pour déplacer le curseur à l'écran, posez votre main sur la souris, avec l'index et le majeur sur les deux boutons, puis déplacez-la.

Tout au long de ce livre, nous utilisons différents termes pour désigner les manipulations de la souris.

- **Pointer.** Déplacer le curseur de souris sur un élément à l'écran (une icône, par exemple). En fonction de l'élément pointé, le curseur peut prend des formes différentes.

- **Cliquer.** Pointer un élément, puis appuyer un bref instant sur le bouton gauche de la souris. Ceci a pour effet de sélectionner l'élément pointé (il est en surbrillance quand il est sélectionné).

- **Double-cliquer.** Pointer un élément, puis appuyer rapidement deux fois sur le bouton gauche de la souris. Ceci a pour effet, par exemple, d'exécuter le programme correspondant à une icône, ou de sélectionner un mot dans un traitement de texte.

- **Cliquer avec le bouton droit**. Pointer un élément, puis appuyer un bref instant sur le bouton droit de la souris. Ceci a pour effet d'afficher une zone (appelé menu contextuel) contenant des commandes applicables à l'élément sur lequel vous avez cliqué.

- **Faire glisser** (ou glisser-déposer). Pointer un élément, appuyer sur le bouton de gauche sans le relâcher, déplacer la souris sur un second élément ou une zone de destination, puis relâcher le bouton. Cela a pour effet de déplacer le premier élément vers le second. Cette manipulation peut aussi s'effectuer dans certains cas avec le bouton de droite.

- **Roulette.** Cet accessoire, placé entre les deux boutons de certaines souris (figure 1-1), permet de faire défiler les pages d'un traitement de texte ou d'un site Internet à la place des traditionnelles barres de défilement (voir plus loin dans ce chapitre).

Figure 1-1 Souris avec roulette.

Note Si vous êtes gaucher, vous pouvez inverser le rôle des boutons droit et gauche. Consultez pour cela le chapitre 21.

Découvrir le Bureau

Après le démarrage, le Bureau de Windows s'affiche (figure 1-2). Sur ce Bureau sont placées des icônes (des dessins) qui correspondent à des outils à votre disposition. Le nombre d'icônes varie en fonction de l'installation de Windows et des programmes déjà installés sur votre PC.

Icônes du Bureau

Ces icônes correspondent à celles installées par défaut par Windows et celles des programmes que vous avez installés. Elles permettent de lancer des applications (traitement de texte, tableur, *etc.*) ou des outils Windows (Poste de travail, Corbeille, *etc.*).

Pour utiliser une icône du Bureau, il suffit de la double-cliquer (deux clics rapides avec le bouton gauche de la souris). Après ce double clic, l'application ou l'outil choisi s'ouvre dans une fenêtre.

Figure 1-2 Bureau de Windows.

Menu démarrer

Vous vous doutez bien que les quelques icônes du Bureau ne suffiront pas pour utiliser Windows et les applications. Les autres icônes sont regroupées dans le menu démarrer pour ne pas encombrer le Bureau.

Les icônes sont en réalité des liens vers les programmes. Cette technique permet d'ajouter des liens vers les mêmes programmes à des endroits différents (le Bureau et le menu démarrer, par exemple). De plus, la suppression de ces icônes ne supprime pas le programme lui-même.

1. Cliquez le bouton **démarrer** en bas à gauche de l'écran.

2. Le menu qui s'ouvre affiche deux colonnes :

   La colonne de gauche affiche la liste des dernières applications utilisées avec, au tout début, l'accès à Internet (Internet Explorer) et à la messagerie (Outlook ou Outlook Express). Le lien « Tous les programmes » permet d'accéder à toutes les applications installées sur votre ordinateur.

La colonne de droite affiche les outils de Windows ainsi que les dossiers qui contiennent vos documents.

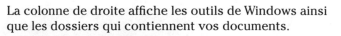

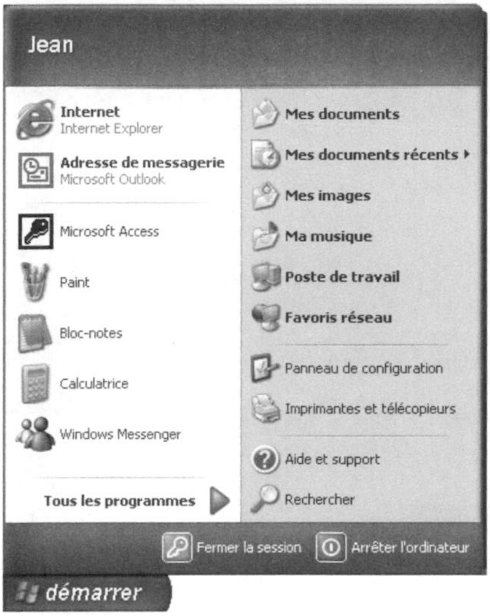

Figure 1-3 Menu démarrer.

3. Pour accéder aux autres icônes :

    Cliquez le bouton **démarrer**.
    Cliquez **Tous les programmes**.

4. Cliquez l'icône de l'application à ouvrir.

Si l'icône de l'application n'est pas disponible dans le premier menu, c'est qu'elle se trouve peut-être dans un dossier, signalée par l'icône ▥ et suivie d'une flèche. Cliquez alors ce dossier pour ouvrir un nouveau menu (figure 1-4).

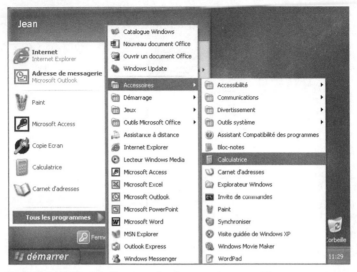

Figure 1-4 Exécution d'une application avec le menu démarrer.

Barre des tâches

Dès qu'une application est ouverte, un nouveau bouton apparaît dans la barre des tâches. Cette barre permet donc de voir les applications en cours d'exécution, mais aussi de passer de l'une à l'autre.

Cliquez dans la barre des tâches le bouton de l'application à placer au premier plan.

La fenêtre de l'application choisie s'affiche au-dessus des autres fenêtres.

Figure 1-5 Barre des tâches.

Zone de notification

La barre des tâches affiche aussi l'heure et éventuellement la date, ainsi que des petites icônes pour les programmes exécutés par Windows lui-même (son, imprimante, modem, connexion Internet, antivirus, *etc.*). La zone contenant ces éléments est appelée Zone de notification.

Note Pour afficher la date, pointez l'heure dans la barre des tâches. Après une seconde, une petite zone, appelée info-bulle, affiche la date (figure 1-6).

Figure 1-6 Zone de notification de la barre des tâches et info-bulle de la date.

Découvrir les éléments des fenêtres

Toutes les fenêtres des applications sont constituées de divers éléments que vous devez connaître. Découvrez-les à partir de la figure 1-7.

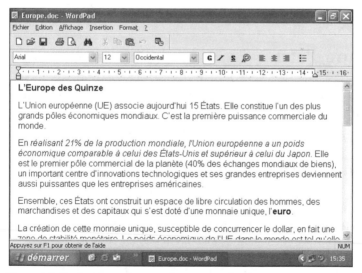

Figure 1-7 Fenêtre type d'une application Windows.

Barre de titre

Située en haut des fenêtres, elle indique le nom de l'application et éventuellement le nom du document.

```
Contact site Web - WordPad
```

Barre de menus

Elle regroupe toutes les fonctions de l'application. Pour accéder à une commande, cliquez le nom du menu puis cliquez la commande dans la liste qui s'ouvre.

```
Fichier  Edition  Affichage  Insertion  Format  ?
```

Barres d'outils

Elles regroupent les commandes les plus utilisées pour vous épargner de chercher dans les menus. Chaque bouton contient un dessin qui représente la commande à exécuter.

Barre d'état

Située en bas des fenêtres, elle donne des indications sur les opérations effectuées par l'application ou des renseignements sur le document.

```
Appuyez sur F1 pour obtenir de l'aide                                    NUM
```

Barres de défilement

Si la fenêtre de l'application ne permet pas de voir l'intégralité du document, des barres de défilement apparaissent, soit à la verticale (des éléments sont cachés en haut et en bas), soit à l'horizontale (des éléments sont cachés à droite et à gauche – voir figure 1-8).

Les barres de défilement s'utilisent de trois façons :

• Pour déplacer le document lentement, cliquez les flèches aux extrémités.

- Pour vous déplacer à l'endroit de votre choix, cliquez et faites glisser le curseur.
- Pour vous déplacer rapidement, cliquez les parties claires (en dehors des flèches et du curseur).

Figure 1-8 Barre de défilement horizontale.

Modifier une fenêtre

Agrandir, réduire ou fermer une fenêtre

Les boutons en haut à droite permettent de réduire ■, restaurer ▣, agrandir ▢ ou fermer ▨ une fenêtre. Quand elle est réduite, elle reste accessible par son bouton dans la barre des tâches (figure 1-9).

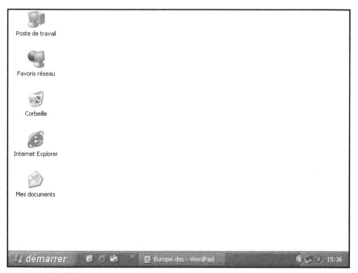

Figure 1-9 Fenêtre réduite.

Quand elle est agrandie, elle occupe toute la surface de l'écran et masque donc toutes les autres fenêtres (figure 1-7). Quand elle est restaurée, la fenêtre de l'application retrouve sa taille normale (figure 1-10). Quand elle est fermée, l'application se termine. Si vous avez des documents non enregistrés, vous êtes invité à effectuer une sauvegarde.

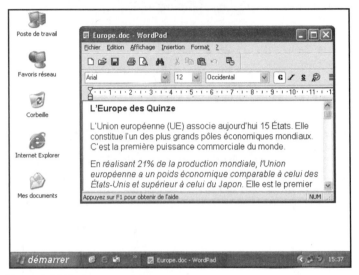

Figure 1-10 Fenêtre restaurée.

Astuce Pour agrandir ou restaurer rapidement une fenêtre, double-cliquez sa barre de titre.

Déplacer une fenêtre

En faisant glisser la barre de titre, vous pouvez déplacer la fenêtre sur toute la surface de l'écran. Vous ne pouvez donc pas déplacer une fenêtre agrandie.

Redimensionner

Quand une fenêtre n'est pas agrandie, vous pouvez modifier sa taille de trois façons :

•   Pointez le bord gauche ou droit de la fenêtre. Le curseur prend la forme ↔. Cliquez et faites glisser pour modifier la largeur de la fenêtre.

- Pointez le bord en haut ou en bas de la fenêtre. Le curseur prend la forme ↕. Cliquez et faites glisser pour modifier la hauteur de la fenêtre.
- Pointez un des quatre coins de la fenêtre. Le curseur prend la forme ↖ ou ↗. Cliquez et faites glisser pour modifier la hauteur et la largeur en même temps.

Boîte de dialogue

Une boîte de dialogue est une fenêtre qui donne accès aux paramètres et aux options d'une application. Elle n'est ni redimensionnable ni réductible. Tant qu'elle est ouverte, il est impossible d'accéder à la fenêtre principale de l'application qui l'a ouverte.

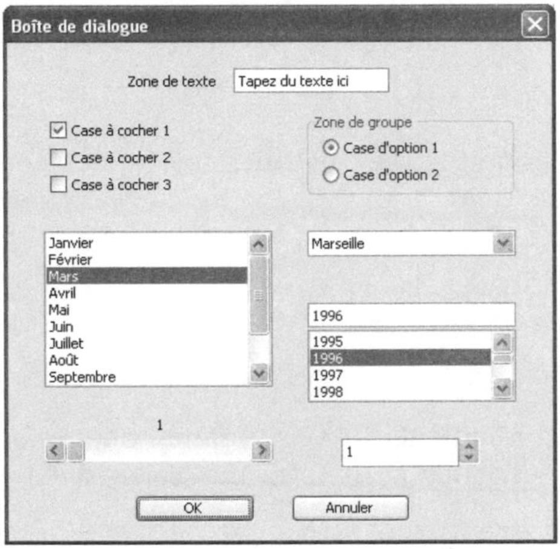

Figure 1-11 Boîte de dialogue pour la saisie de paramètres.

Une boîte de dialogue est composée de divers éléments permettant d'effectuer des choix sous des formes différentes.

Cases d'options

Les cases d'options sont toujours en groupes de deux au minimum. Au moins une des cases est cochée. En cochant une nouvelle case, vous décochez automatiquement celle précédemment sélectionnée.

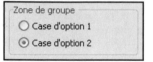

Cases à cocher

Les cases à cocher sont indépendantes les unes des autres. Vous pouvez cocher ou décocher une case sans modifier le contenu des autres cases.

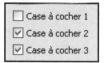

Zones de texte

Les zones de texte permettent de saisir des textes, des nombres, des mots de passe, *etc.*

Zones de liste

Les zones de liste permettent de sélectionner une valeur parmi celles proposées. Vous ne pouvez pas saisir d'autres valeurs.

Listes déroulantes

Les listes déroulantes n'affichent qu'une seule valeur. Pour choisir cette dernière, cliquez la flèche en regard pour afficher la liste de celles disponibles. Certaines listes déroulantes dites « modifiables » permettent de saisir des valeurs autres que celles proposées.

Listes combinées

Les listes combinées associent une zone de texte et une zone de liste. Vous pouvez saisir une donnée ou la choisir directement dans la liste en dessous.

Compteurs

Les compteurs permettent de saisir des nombres. Tapez directement le nombre dans la zone de texte associée ou cliquez les flèches en regard pour augmenter ou diminuer la valeur.

Barres de défilement

Les barres de défilement peuvent aussi être proposées pour saisir des valeurs. Utilisez-les comme vu plus haut dans ce chapitre pour modifier le nombre associé.

Onglets

Si les paramètres à modifier sont très nombreux, ils sont regroupés par thèmes dans des onglets comme dans un répertoire téléphonique. Cliquez ces onglets pour trouver les valeurs à modifier.

Modifications		Utilisateur		Compatibilité		Dossiers par défaut
Affichage	Général	Édition	Impression	Enregistrement	Sécurité	Grammaire et orthographe

Raccourcis clavier

Raccourcis des menus

Si vous ne désirez pas utiliser la souris, vous pouvez ouvrir un menu en maintenant la touche **Alt** enfoncée et en appuyant sur la touche de la lettre soulignée. Quand le menu est ouvert, appuyez sur la touche qui correspond à la lettre soulignée de la commande à exécuter.

Dans l'exemple de la figure 1-12, la commande **Ouvrir** peut être exécutée avec la combinaison **Alt**+**F** (menu **Fichier**) puis la touche **O** (commande **Ouvrir**).

Raccourcis directs

Certaines commandes sont accessibles par des combinaisons de touches. Ces combinaisons sont affichées dans les menus des applications. Dans l'exemple de la figure 1-12, la commande **Ouvrir** peut être exécutée directement par la combinaison de touches **Ctrl**+**O**.

> **Note** Vous trouverez dans l'annexe de ce livre l'essentiel des raccourcis clavier à utiliser dans Windows.

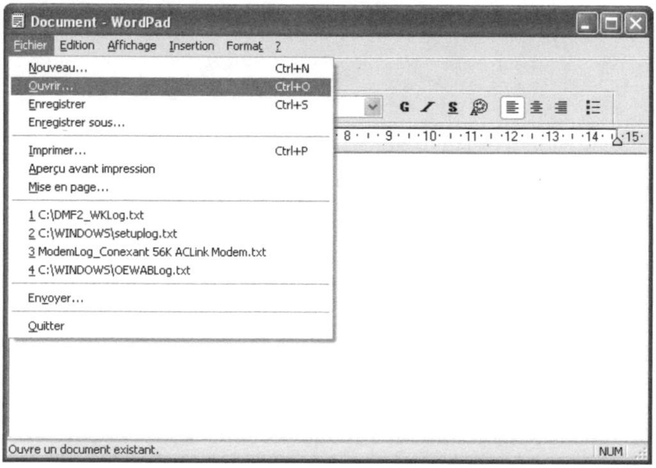

Figure 1-12 Exécution d'une commande avec des touches.

La barre des tâches : votre point central d'accès

La barre des tâches et le bouton démarrer sont le centre d'accès aux fonctions principales de votre ordinateur. Ce chapitre vous dévoilera bien sûr ces fonctions, mais il vous fera aussi découvrir l'essentiel des éléments nécessaires pour maîtriser totalement la barre des tâches. Citons, entre autre, le déplacement de la barre des tâches, le réglage de la date et du son et la fermeture de Windows.

Dans ce chapitre

- Gérer les applications
- Modifier l'affichage de la barre des tâches
- Modifier le menu démarrer
- Modifier la date et l'heure

- Régler le son
- Quitter un programme récalcitrant
- Fermer, redémarrer ou mettre en veille Windows

Gérer les applications

Windows XP est *multitâche*. Cela veut dire que vous pouvez ouvrir plusieurs applications en même temps et passer de l'une à l'autre. C'est le rôle principal de la barre des tâches.

Changer d'application

Pour chaque application, un bouton apparaît dans la barre des tâches. Le bouton enfoncé correspond à celui de l'application active (au premier plan).

Cliquez dans la barre des tâches le bouton de l'application à placer au premier plan.

Note Pour ouvrir une application, consultez le chapitre 1.

La fenêtre de l'application choisie passe au premier plan. Son bouton est enfoncé, celui de l'autre application ne l'est plus (figure 2-1).

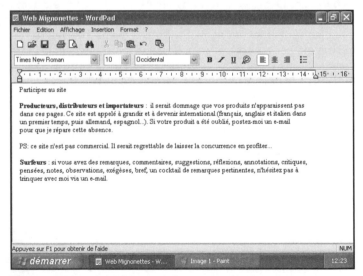

Figure 2-1 Barre des tâches avec plusieurs applications ouvertes.

S'il y a trop d'applications ouvertes en même temps, les noms sont tronqués dans les boutons de la barre des tâches. Pointez alors un bouton pour afficher le nom complet dans un petit cadre appelé « info-bulle » (figure 2-2).

Figure 2-2 Info-bulles d'applications dans la barre des tâches.

Vous pouvez changer rapidement d'application en maintenant la touche **Alt** enfoncée, puis en appuyant plusieurs fois sur la touche **Tab** pour choisir l'une d'elles. Une fenêtre avec les icônes des applications en cours et le nom de l'application choisie vous y aidera (figure 2-3). Relâchez la touche **Alt** quand la bonne application est sélectionnée.

Figure 2-3 Boîte de changement d'application.

Organiser les fenêtres

Quand les fenêtres se superposent, organisez-les afin de pouvoir visualiser toutes les applications. Vous y verrez plus clair. Windows propose trois modes d'affichage.

Cascade

1. Cliquez avec le bouton droit une zone vide de la barre des tâches.

2. Cliquez la commande **Cascade** dans le menu contextuel.

    Les fenêtres se superposent. Toutes les barres de titre sont visibles (figure 2-4).

3. Cliquez la barre de titre de l'application à placer au premier plan.

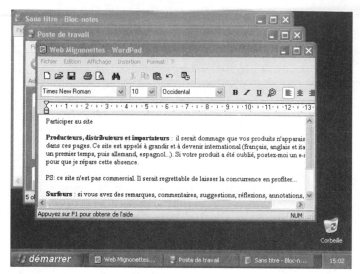

Figure 2-4 Fenêtres en cascade.

Mosaïque horizontale

4. Cliquez avec le bouton droit une zone vide de la barre des tâches.

5. Cliquez la commande **Mosaïque horizontale** dans le menu contextuel.

Les fenêtres sont les unes au-dessus des autres. Toutes sont visibles (figure 2-5).

Mosaïque verticale

1. Cliquez avec le bouton droit une zone vide de la barre des tâches.

2. Cliquez la commande **Mosaïque verticale** dans le menu contextuel.

Les fenêtres sont côte à côte. Toutes sont visibles (figure 2-6).

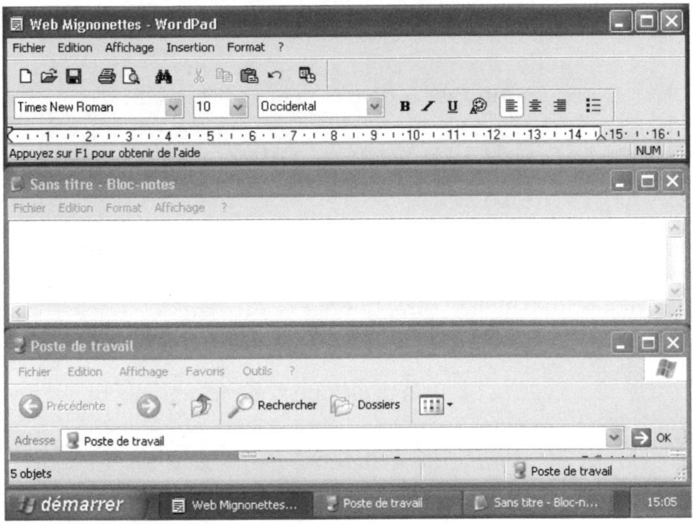

Figure 2-5 Fenêtres en mosaïque horizontale.

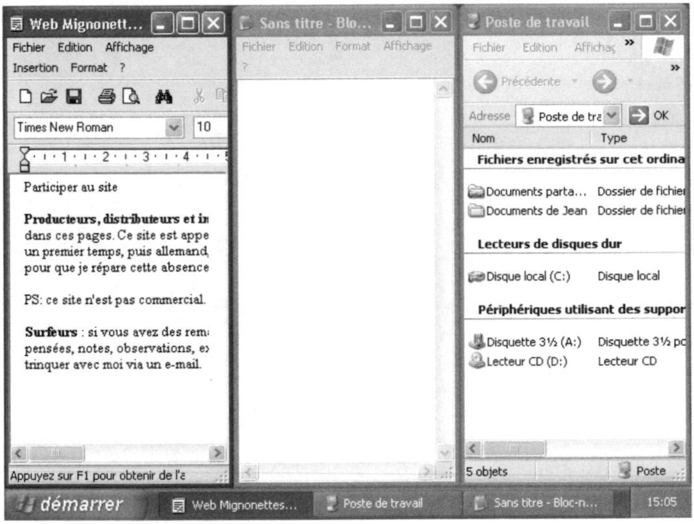

Figure 2-6 Fenêtres en mosaïque verticale.

> *Note* Pour annuler l'organisation des fenêtres, cliquez avec le bouton droit une zone vide de la barre des tâches, puis cliquez **Annuler**… dans le menu contextuel.

Afficher le Bureau sans fermer les applications

Pour revenir au Bureau, inutile de fermer ou de réduire une à une les applications en cours. Windows propose plusieurs solutions pour afficher directement le Bureau.

Dans la barre des tâches :

1. Cliquez avec le bouton droit une zone vide de la barre des tâches.

2. Cliquez la commande **Afficher le Bureau** dans le menu contextuel.

Avec la barre d'outils Lancement rapide :

1. Cliquez [image] dans la barre d'outils Lancement rapide.

Figure 2-7 Affichage du Bureau et réduction des applications.

Note Pour afficher et utiliser la barre d'outils Lancement rapide, consultez le chapitre 18.

Avec le clavier :

1. Tapez 🪟+**D** (D pour *Desk*, « bureau » en anglais).

Pour réafficher les applications :

1. Répétez une des solutions utilisées pour afficher le Bureau (cliquez la commande **Afficher les fenêtres ouvertes** dans la première solution).

Modifier la barre des tâches

Verrouiller et déverrouiller la barre des tâches

Par défaut, la barre des tâches est verrouillée pour qu'elle ne soit pas modifiée par erreur. Vous devez la déverrouiller pour la modifier.

1. Cliquez avec le bouton droit une zone vide de la barre des tâches.

2. Cliquez la commande **Verrouiller la barre des tâches** dans le menu contextuel pour ôter la coche.

Figure 2-8 Barre des tâches déverrouillée.

Les symboles ⋮ indiquent que la barre des tâches peut être modifiée.

3. Pour verrouiller de nouveau la barre des tâches, répétez les étapes **1** et **2**.

Déplacer la barre des tâches

La barre des tâches peut se placer sur l'un des quatre côtés de l'écran. À vous de choisir !

1. Pointez une zone vide de la barre des tâches.

2. Cliquez et faites glisser vers l'un des trois autres côtés de
    l'écran.

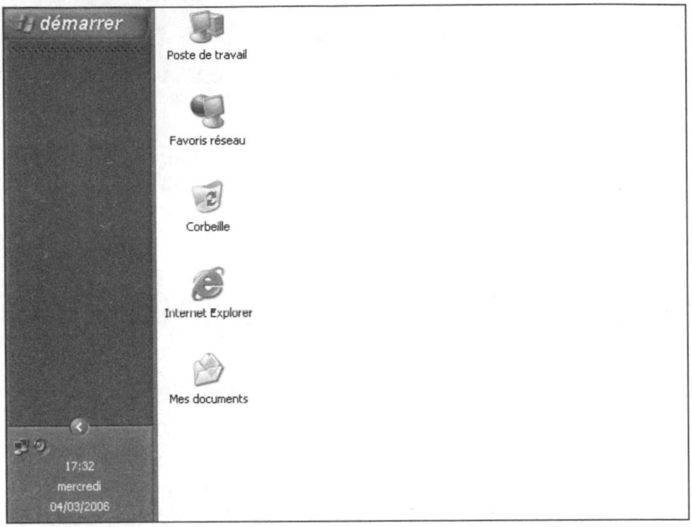

Figure 2-9 Barre des tâches déplacée.

La barre se trouve maintenant sur l'un des autres côtés de
l'écran (figure 2-9).

Redimensionner la barre des tâches

Lorsque vous ouvrez de nombreuses applications en même
temps, choisissez d'agrandir la barre des tâches. Cela permet
aussi d'ajouter vos propres barres d'outils.

1. Pointez le bord de la barre des tâches (le pointeur de
    souris prend la forme ↔ ou ↕).

2. Cliquez et faites glisser pour augmenter ou diminuer la
    hauteur.

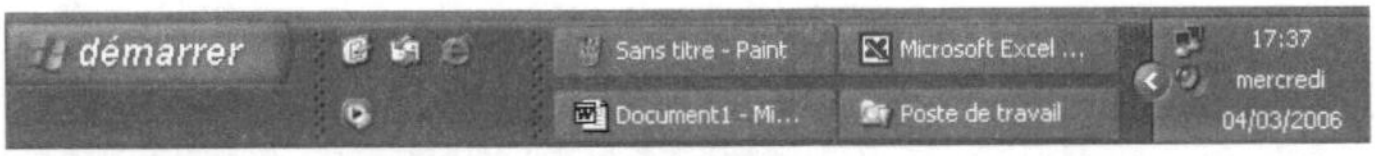

Figure 2-10 Barre des tâches redimensionnée.

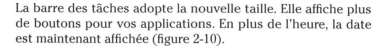

La barre des tâches adopte la nouvelle taille. Elle affiche plus de boutons pour vos applications. En plus de l'heure, la date est maintenant affichée (figure 2-10).

Attention ! Si la barre des tâches a disparu, c'est que vous l'avez trop réduite. Pointez les quatre bords de l'écran pour que le curseur ait la forme ↔ ou ↕. Cliquez et faites glisser pour agrandir la barre des tâches.

Modifier l'affichage de la barre des tâches

La barre des tâches est très flexible. Vous pouvez la masquer pour gagner de la place à l'écran, supprimer l'horloge, regrouper les boutons similaires, *etc.*

1. Cliquez avec le bouton droit une zone vide de la barre des tâches.

2. Cliquez la commande **Propriétés** dans le menu contextuel.

La boîte Propriétés de la barre des tâches et du menu Démarrer propose plusieurs options (figure 2-11) :

– **Masquer automatiquement...** La barre des tâches est masquée dès qu'une fenêtre est active. Cela libère de la place pour vos applications.

– **Conserver la Barre des tâches...** Quand cette option est cochée, vous pouvez toujours accéder à la barre des tâches. Quand elle est écochée, la barre des tâches est masquée par les applications.

– **Grouper les boutons similaires de la Barre des tâches.** Si cette option est cochée, tous les boutons des documents de la même application sont regroupés dans un bouton unique qu'il suffit de cliquer pour en obtenir la liste.

– **Afficher l'horloge.** L'horloge est une application qui utilise des ressources de l'ordinateur. Vous pouvez la désactiver.

Note Si vous avez décoché l'option **Conserver la Barre des tâches...**, tapez **Ctrl+Echap** ou la touche ▦⊞ pour afficher la barre des tâches quand elle n'est plus visible.

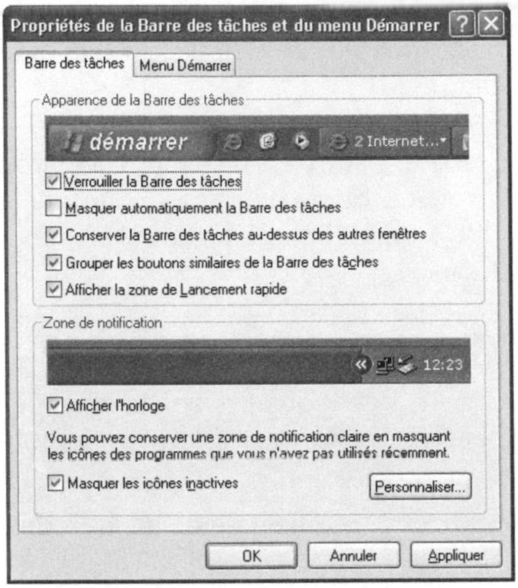

Figure 2-11 Boîte des propriétés de la barre des tâches.

Si vous avez coché l'option **Masquer automatiquement...**, la barre des tâches s'efface dès qu'elle n'est plus utilisée. Sa position est signalée par une ligne. Pointez le bord de l'écran où se trouve la barre des tâches pour la faire réapparaître.

Si vous avez coché l'option **Grouper les boutons similaires...**, les boutons des documents de la même application sont regroupés dans un bouton unique. Cliquez simplement le bouton pour ouvrir un menu, puis cliquez le document voulu (figure 2-12).

Modifier le menu démarrer

Le menu démarrer offre toute une palette d'options. À vous de les adapter à vos habitudes.

1. Cliquez avec le bouton droit une zone vide de la barre des tâches.

2. Cliquez la commande **Propriétés** dans le menu contextuel.

3. Cliquez l'onglet **Menu Démarrer**.

   – Option **Menu Démarrer**. Cochez cette option pour utiliser le nouveau style de menu de Windows XP.

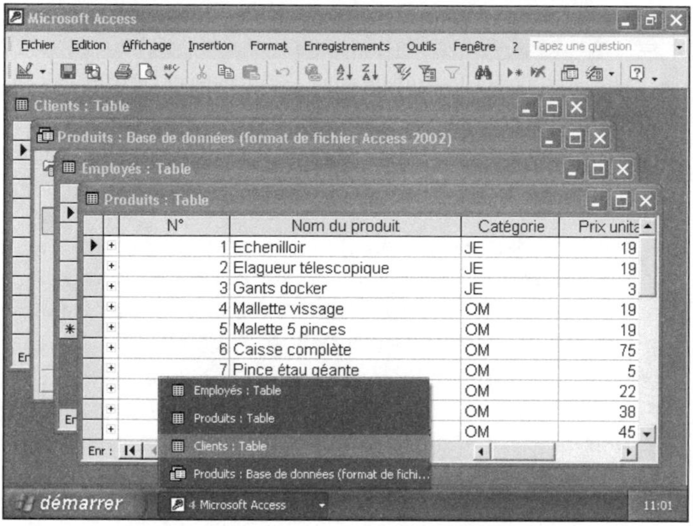

Figure 2-12 Bouton regroupant les documents de la même application.

– Option **Menu Démarrer classique**. Cochez cette option si vous ne désirez pas modifier vos habitudes et conserver le style de menu des anciennes versions de Windows (figure 2-13).

Figure 2-13 Choix du style du menu démarrer : version XP ou ancienne version.

4. Cochez l'option **Menu Démarrer** puis cliquez le bouton
    Personnaliser... en regard.

    – Options **Grandes icônes**. Les icônes sont moins
      nombreuses mais plus facilement identifiables
      (raccourcis vers les derniers programmes utilisés).
      Choisissez cette option si vous utilisez toujours les
      mêmes applications.

    – Options **Petites icônes**. Les icônes sont plus petites
      mais plus nombreuses (raccourcis vers les derniers
      programmes utilisés). Choisissez cette option si vous
      utilisez beaucoup d'applications différentes.

    – Option **Nombre de programmes...**. Nombre de
      raccourcis que Windows doit afficher dans le menu
      démarrer. Ce nombre est tributaire de votre résolution
      d'écran (voir chapitre 17) et de la taille des icônes.

    – Option **Internet**. Affiche un raccourci vers votre
      navigateur Internet dans le menu démarrer.
      Sélectionnez votre navigateur dans la liste en regard.

    – Option **Courrier électronique**. Affiche un raccourci
      vers votre logiciel de messagerie dans le menu
      démarrer. Sélectionnez le logiciel de messagerie dans
      la liste en regard.

Figure 2-14 Nombre et taille des icônes du menu démarrer.

5. Cliquez l'onglet **Avancé**.

    –   Option **Ouvrir les sous-menus….** Les sous-menus s'ouvrent par pointage et non par un clic.

    –   Option **Afficher les programmes….** Les raccourcis vers les applications que vous venez d'installer sont mis en évidence dans le menu démarrer avec une couleur différente.

    –   Options de la liste **Éléments du menu Démarrer….** Cochez les éléments que vous désirez voir apparaître ou décochez ceux à masquer.

> **Conseil** Si un élément présente plusieurs options, cochez **Afficher en tant que lien** pour l'ouvrir dans une fenêtre, **Afficher en tant que menu** pour voir les éléments qu'il contient ou **Ne pas afficher cet élément** pour le masquer dans le menu démarrer.

    –   Options **Afficher les documents ouverts récemment**. Cochez cette option pour afficher un dossier proposant la liste de vos derniers documents utilisés. Cliquez le bouton **Effacer la liste** pour la réinitialiser (figure 2-15).

> **Note** Le bouton **Effacer la liste** supprime la liste des raccourcis vers vos documents, pas les documents eux-mêmes.

6. Cliquez le bouton **OK** dans la boîte Personnaliser le menu Démarrer.

7. Cliquez le bouton **OK** dans la boîte Propriétés de la Barre des tâches.

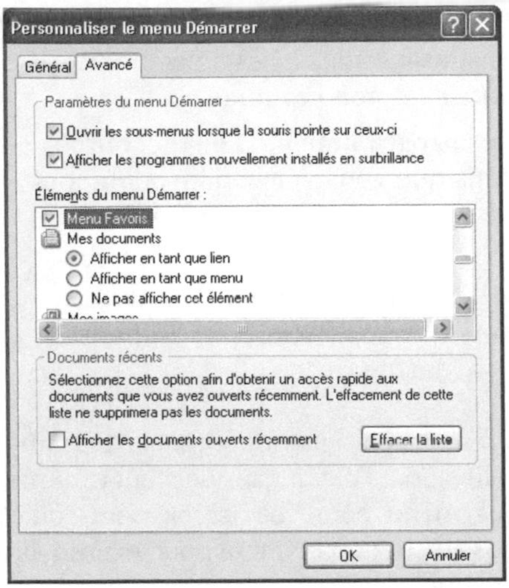

Figure 2-15 Éléments affichés dans le menu démarrer.

Gérer la zone de notification

Certaines applications placent des icônes dans la zone de notification (à gauche de l'horloge). Si elles sont inactives, vous pouvez les masquer pour ne pas encombrer la barre des tâches.

1. Cliquez avec le bouton droit une zone vide de la barre des tâches.

2. Cliquez la commande **Propriétés** dans le menu contextuel.

3. Cochez l'option **Masquer les icônes inactives**.

4. Cliquez le bouton **Personnaliser**.

   Cette boîte permet de choisir le comportement de chaque icône (figure 2-16).

5. Cliquez la liste de chaque élément puis sélectionnez le comportement voulu.

Figure 2-16 Comportements des boutons de la zone de notification.

6. Cliquez le bouton **OK** dans la boîte Personnaliser les notifications.

7. Cliquez le bouton **OK** dans la boîte Propriétés de la Barre des tâches.

Modifier la date et l'heure

Dans un ordinateur, la date et l'heure sont des éléments importants. Ils permettent de connaître le jour de création et de modification des fichiers et, donc, de faciliter les recherches ultérieures.

Mettre à jour manuellement la date et l'heure

1. Double-cliquez l'heure dans la barre des tâches.

2. Cliquez la liste des mois puis cliquez le mois actuel.

3. Cliquez la zone des années puis saisissez-la. Vous pouvez aussi utiliser les boutons en regard pour augmenter ou diminuer la valeur.

4. Cliquez le jour dans le calendrier.

5. Cliquez les heures dans l'horloge numérique, puis saisissez-les ou utilisez les flèches en regard pour les augmenter ou les diminuer.

6. Répétez l'étape **5** pour les minutes et les secondes (figure 2-17).

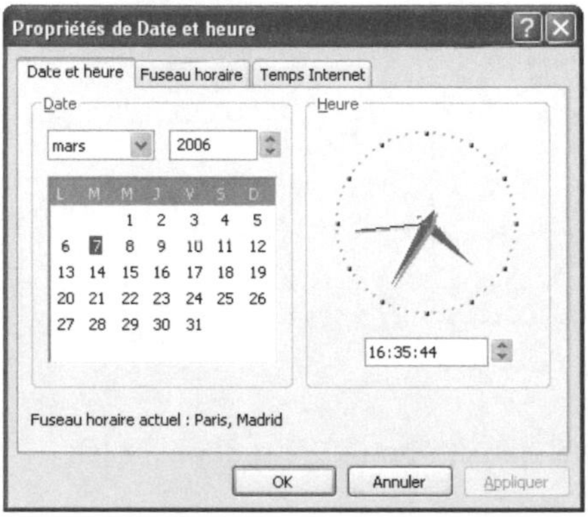

Figure 2-17 Réglage de la date et de l'heure.

Changer de fuseau horaire

Si vous utilisez un portable avec lequel vous voyagez, il est possible d'ajuster facilement l'heure en fonction de votre position géographique.

1. Cliquez l'onglet **Fuseau horaire** dans la boîte Propriétés de Date et heure.

2. Cliquez la liste au-dessous des onglets et choisissez le pays.

3. Cochez **Ajuster l'horloge...** pour que Windows applique automatiquement l'heure d'été (figure 2-18).

Note Lors du passe à l'heure d'hiver ou d'été, une boîte de dialogue s'ouvre pour vous avertir de ce changement.

Figure 2-18 Modification du fuseau horaire.

Mettre à jour la date et l'heure par Internet

4.   Cliquez l'onglet **Temps Internet** dans la boîte Propriétés de Date et heure.

5.   Cliquez le bouton **Mettre à jour** (vous devez être connecté à Internet).

6.   Cliquez **OK**.

> **Note** Si vous êtes connecté en permanence à Internet (ADSL, câble, *etc.*), la mise à jour de votre horloge sera effectuée automatiquement. La boîte de la figure 2-19 indique la date et l'heure de la prochaine mise à jour (Synchronisation suivante).

Figure 2-19 Mettre à jour la date et l'heure par Internet.

Régler le volume du son

Dans un ordinateur, le son provient de différentes sources : fichiers son, CD audio, microphone, périphériques extérieurs, *etc*. Vous pouvez régler le volume du son, soit globalement, soit pour chacune de ces sources.

Régler le volume global

1. Cliquez l'icône 🔊 qui se trouve dans la partie droite de la barre des tâches (zone de notification).

    Une boîte avec un curseur permet d'effectuer le réglage du son.

2. Cliquez et faites glisser le curseur pour régler le volume global du son (figure 2-20).

3. Pour supprimer tous les sons, cochez la case **Muet**.

4. Cliquez n'importe où en dehors de la boîte du curseur pour fermer cette dernière.

> **Note** Si vous avez coché la case **Muet**, l'icône du son dans la barre des tâches devient 🔇.

Figure 2-20 Réglage global du volume du son.

Régler le volume de chaque source

5. Double-cliquez l'icône 🔊 qui se trouve dans la partie droite de la barre des tâches.

    La boîte affiche un curseur et une case **Muet** pour chacune des sources. Le premier curseur correspond au réglage global.

6. Cliquez et faites glisser le curseur de chaque source pour la régler indépendamment des autres.

7. Cochez les cases **Muet** des sources dont vous n'avez pas besoin (figure 2-21).

8. Cliquez ⊠ pour fermer la boîte.

> **Note** Le nombre de sources audio dépend de la configuration de votre ordinateur.

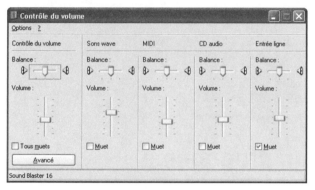

Figure 2-21 Réglage du volume de chaque source.

Choisir les sources de la boîte Contrôle du volume

Comme les sources sonores sont nombreuses dans un ordinateur, vous pouvez afficher celles que vous utilisez et masquer les autres.

1. Dans la boîte Contrôle du volume, cliquez le menu **Options → Propriétés**.

2. Cliquez l'option **Lecture**.

3. Cochez les contrôles à afficher et décochez ceux à masquer (figure 2-22).

4. Cliquez l'option **Enregistrement** et répétez l'étape **3**.

5. Cliquez le bouton **OK**.

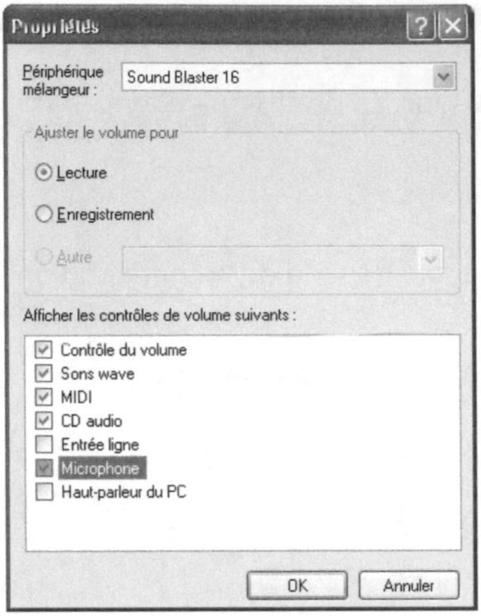

Figure 2-22 Choix des sources à afficher.

Quitter un programme récalcitrant

Si une application pose des problèmes, vous pouvez l'arrêter. Vous perdrez cependant le document en cours. Si vous décidez de prendre cette décision, c'est probablement parce que le programme ne répond plus. Dans ce cas, de toute façon, le document sera perdu.

1. Appuyez sur **Ctrl**+**Alt**+**Suppr**.

2. Si vous êtes en réseau, cliquez le bouton **Gestionnaire des tâches** dans la boîte Sécurité Windows.

> **Note** Vous pouvez aussi cliquer avec le bouton droit une zone vide de la barre des tâches, puis cliquer **Gestionnaire des tâches** dans le menu contextuel.

3. Cliquez l'onglet **Applications**.

    Vous retrouvez dans cette boîte (figure 2-23) toutes les applications en cours d'exécution (les applications que vous avez vous-même lancées).

4. Cliquez l'application à arrêter dans la liste **Tâches** pour la sélectionner.

5. Cliquez le bouton **Fin de tâche**.

Figure 2-23 Liste des applications en cours.

6. Cliquez ⊠ pour fermer la boîte Gestionnaire des tâches de Windows.

Fermer, redémarrer ou mettre en veille Windows

Fermer Windows

La fermeture de Windows nécessite une manipulation simple mais indispensable. En effet, si vous arrêtez votre ordinateur avec l'interrupteur, vos documents non enregistrés seront irrémédiablement perdus.

1. Cliquez le bouton **démarrer** → **Arrêter**.

- Si vous n'êtes pas en réseau, cliquez le bouton **Arrêter** (figure 2-24).

- Si vous êtes en réseau, cliquez la liste **Que voulez-vous faire ?**, sélectionnez **Arrêter le système** puis cliquez le bouton **OK** (figure 2-25).

Figure 2-24 Boîte de fermeture de Windows.

Figure 2-25 Boîte de fermeture de Windows en réseau.

Avant d'éteindre l'ordinateur, Windows ferme toutes les applications qui sont encore ouvertes. Si un document n'est pas enregistré, une boîte de dialogue vous invitera à le faire.

Dès que Windows est arrêté, il affiche un écran vous indiquant que vous pouvez éteindre l'ordinateur avec le bouton marche/arrêt.

Astuce Sur certains PC, le bouton marche/arrêt est en réalité un bouton-poussoir. Pour arrêter définitivement la machine, maintenez le bouton enfoncé pendant 5 secondes. Ceci vous épargne d'utiliser l'interrupteur qui se trouve généralement à l'arrière du boîtier et dont l'accès est donc difficile.

Redémarrer Windows

Si une application vous le demande ou si vous observez des dysfonctionnements, vous devez redémarrer l'ordinateur pour qu'il prenne en compte les nouveaux paramètres ou pour qu'il soit plus stable.

1. Cliquez le bouton **Redémarrer** (figure 2-24) ou sélectionnez **Redémarrer** dans liste **Que voulez-vous faire ?**, puis cliquez le bouton **OK** (figure 2-25).

Mettre l'ordinateur en veille prolongée

Pour accélérer le démarrage ou retrouver les applications ouvertes actuellement, mettez votre ordinateur en veille prolongée.

Lors de la mise en veille, Windows recopie le contenu de la mémoire vive sur le disque dur. Quand vous réallumez l'ordinateur, Windows recopie les données du disque dur vers la mémoire vive.

1. Cliquez le bouton **Veille prolongée** (figure 2-24) ou sélectionnez **Mettre en veille prolongée** dans liste **Que voulez-vous faire ?**, puis cliquez le bouton **OK** (figure 2-25).

Utiliser les applications et gérer les documents

Un ordinateur sert essentiellement à créer des documents. Pour illustrer cela, nous avons choisi trois logiciels très courants : un traitement de texte, un tableur et un logiciel de retouche d'images.

Pour le traitement de texte et le tableur, nous avons opté pour les désormais classiques Microsoft Word et Microsoft Excel. Pour le logiciel de retouche d'images, notre choix s'est porté sur Adobe Photoshop Elements, car c'est une application simple d'emploi et peu coûteuse à l'achat.

Même si vous ne possédez pas ces applications, bon nombre de procédures présentées ici sont réalisables avec d'autres logiciels, et particulièrement la gestion des documents (ouverture, enregistrement, *etc.*).

Dans ce chapitre

- Enregistrer et ouvrir des documents
- Imprimer des documents

- Traitement de texte
- Tableur
- Retouche d'images

Gérer les documents

Nous présentons séparément la gestion des documents, car toutes ces procédures sont identiques quelle que soit l'application utilisée.

Enregistrer un nouveau document

Avant même d'avoir terminé votre document, vous pouvez l'enregistrer et lui donner un nom. Notez que, dans la barre de titre, le document non enregistré porte un nom par défaut, comme Document1, Classeur1, *etc.*

1. Cliquez 🖫 ou le menu **Fichier → Enregistrer**.

    La zone **Enregistrer dans**, en haut à gauche, affiche le dossier qui contiendra votre document (le dossier « Mes documents » par défaut). Vous pouvez bien sûr choisir un autre emplacement.

> **Note**   Pour créer un nouveau dossier, consultez le chapitre 5.

2. Cliquez la flèche en regard de la zone **Enregistrer dans**, puis cliquez le nom du disque.

3. Double-cliquez le nom du dossier où doit être placé le document. Répétez cette étape si vous utilisez des sous-dossiers.

4. Dans la zone **Nom de fichier**, tapez un nom explicite et facile à retrouver pour votre document.

5. Cliquez le bouton **Enregistrer** (figure 3-1).

Maintenant, dans la barre de titre, le nom du document apparaît à côté de celui de l'application.

Enregistrer un document existant

Vous devez régulièrement enregistrer vos documents, car nul n'est à l'abri d'un dysfonctionnement de l'ordinateur ou d'une coupure de courant.

Cliquez 🖫 ou le menu **Fichier → Enregistrer**.

En apparence, cette action n'a pas d'effet. En réalité, comme votre document a déjà un nom, l'application s'est contentée de l'enregistrer sans que vous ayez eu besoin d'intervenir.

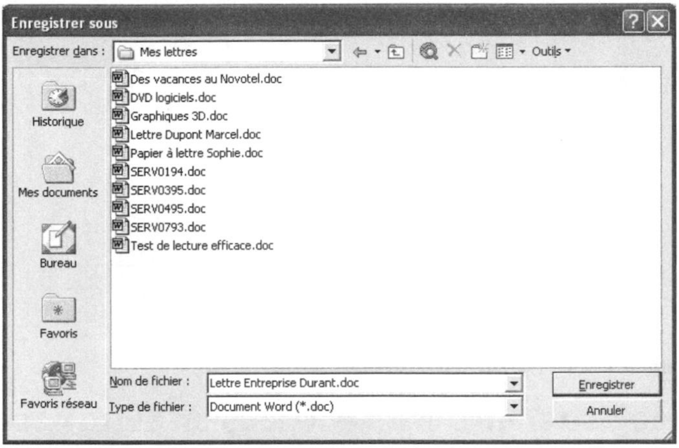

Figure 3-1 Enregistrement d'un document.

Ouvrir un document

Même si vous fermez l'application ou votre ordinateur, vous pouvez retravailler sur un document sauvegardé.

1.   Cliquez 🖾 ou le menu **Fichier → Ouvrir**.

     Si la boîte qui s'ouvre (figure 3-2) ne propose pas le bon dossier de sauvegarde (il apparaît dans la zone **Enregistrer dans**), vous devez d'abord le rechercher. Pour les autres cas, passez à l'étape **4**.

2.   Cliquez la flèche en regard de la zone **Enregistrer dans**, puis cliquez le nom du disque.

3.   Double-cliquez le nom du dossier où se trouve le document. Répétez cette étape s'il se trouve dans un sous-dossier.

4.   Cliquez le nom du document pour le sélectionner puis cliquez le bouton **Ouvrir**. Vous pouvez aussi double-cliquer le nom du document.

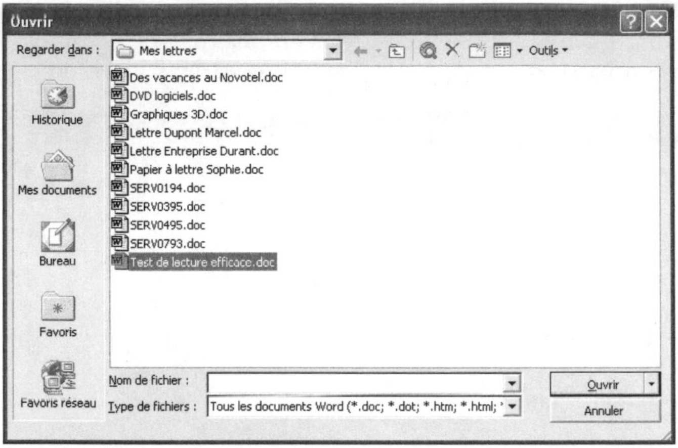

Figure 3-2 Ouverture d'un document.

Enregistrer un document sous un autre nom

Pour ne pas resaisir des éléments existants, il est parfois plus simple de débuter un nouveau document en le basant sur un document existant. Dès que vous aurez ouvert l'ancien document, enregistrez-le immédiatement sous un autre nom, puis modifiez-le.

1.   Cliquez le menu **Fichier → Enregistrer sous**.

2.   Éventuellement, sélectionnez un dossier de sauvegarde comme précédemment.

3.   Dans la zone **Nom de fichier**, tapez un nouveau nom.

4.   Cliquez le bouton **Enregistrer**.

Imprimer des documents

Même s'il est possible d'imprimer un document à partir du Poste de travail, il est préférable d'utiliser l'application qui l'a créé pour bénéficier de toutes les options.

Note   Pour imprimer un document à partir du Poste de travail, cliquez son nom avec le bouton droit, puis cliquez **Imprimer** dans le menu contextuel. Pour plus de détails, consultez le chapitre 6.

1. Ouvrez le document à imprimer dans l'application d'origine.

2. Cliquez le menu **Fichier → Imprimer**.

Attention! En cliquant le bouton 🖨 dans la barre d'outils, vous imprimez directement le document avec l'imprimante par défaut. L'application ne propose pas la boîte **Imprimer**.

Dans la majorité des applications, la boîte qui s'ouvre est presque identique à celle de la figure 3-3.

Figure 3-3 Boîte d'impression des applications.

Choisir les options d'impression

1. Dans la liste du haut, sélectionnez l'imprimante à utiliser. Le symbole ⊘ indique l'imprimante par défaut.

2. Si vous désirez modifier les options de l'imprimante (format du papier, qualité d'impression, *etc.*), cliquez sur le bouton **Préférences** ou **Propriétés**.

3. La zone **Étendue de pages** définit les pages à imprimer. Tapez les numéros des pages dans les zones prévues à cet effet. Si vous désirez n'imprimer que les éléments sélectionnés actuellement dans le document, cochez l'option **Sélection**.

4.   Tapez dans la zone **Nombre de copies** le nombre d'exemplaires à imprimer.

> **Note** Si vous avez choisi d'imprimer plusieurs copies, cochez **Copies assemblées** pour obtenir des pages triées (pages 1, 2, 3, *etc.*, puis 1, 2, 3, *etc.*) ou décochez l'option pour une impression plus rapide (pages 1, 1, *etc.*, puis 2, 2, *etc.*).

5.   Cliquez le bouton **Imprimer** ou **OK**.

Contrôler l'impression

L'icône 🖨 dans la partie droite de la barre des tâches (zone de notification) indique que l'impression est en cours.

1.   Double-cliquez l'icône 🖨 dans la barre des tâches.

     La fenêtre qui s'ouvre liste tous les travaux d'impression en cours (figure 3-4).

2.   Cliquez une impression dans la liste pour la sélectionner.

3.   Cliquez le menu **Document**.

4.   Cliquez dans le menu la commande à appliquer au document (**Suspendre**, **Annuler**, *etc.*).

5.   Cliquez le bouton ❌ pour fermer la fenêtre. Même si cette dernière est fermée, l'impression continue.

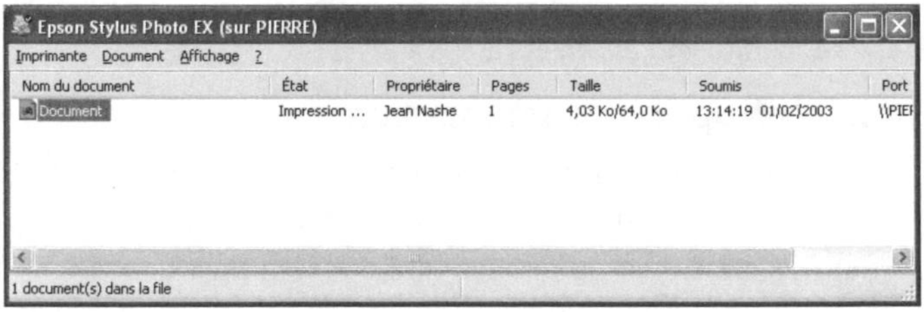

Nom du document	État	Propriétaire	Pages	Taille	Soumis	Port
🔺Document	Impression ...	Jean Nashe	1	4,03 Ko/64,0 Ko	13:14:19 01/02/2003	\\PIEF

1 document(s) dans la file

Figure 3-4 Contrôle des travaux d'impression.

Éditer des textes avec Word

Word est un traitement de texte très complet, mais il n'est pas nécessaire de connaître toutes ses fonctions pour éditer rapidement un courrier ou une documentation.

Saisir un texte

À l'ouverte de Word, la fenêtre affiche un document vierge (la zone blanche au milieu de l'écran). Le trait que vous voyez clignoter représente le curseur. Vous ne devez pas le perdre de vue. Tous les caractères que vous taperez au clavier apparaîtront à la position de ce curseur.

Word utilise la saisie « au kilomètre ». Cela veut dire que vous ne devez pas vous soucier des sauts de lignes dans un paragraphe. Word passe tout seul à la ligne suivante quand c'est nécessaire. Dès que toutes les lignes du paragraphe sont saisies, il suffit d'appuyer sur la touche **Entrée** pour créer un nouveau paragraphe sous le précédent.

Conseil   Pour afficher les marques de paragraphes, cliquez le bouton ¶ dans la barre d'outils. Les symboles « ¶ » représentent la fin des paragraphes (là où vous avez appuyé sur **Entrée**). Les symboles « • » représentent les espaces entre les mots. Ces symboles ne sont jamais imprimés.

1. Tapez toutes les lignes du premier paragraphe jusqu'au point final.
2. Appuyez sur **Entrée** pour passer au paragraphe suivant.
3. Répétez les étapes **1** et **2** pour les autres paragraphes(figure 3-5).

Si vous désirez insérer des lignes vides, appuyez autant de fois que nécessaire sur la touche **Entrée**. Si vous désirez insérer un paragraphe, cliquez à la fin du paragraphe précédent pour y placer le curseur, puis appuyez sur **Entrée**. Pour scinder un paragraphe en deux parties, cliquez la position d'insertion pour y placer le curseur, généralement après un point, puis appuyez sur **Entrée**. Pour fusionner deux paragraphes, cliquez à la fin du premier, puis appuyez sur **Suppr**.

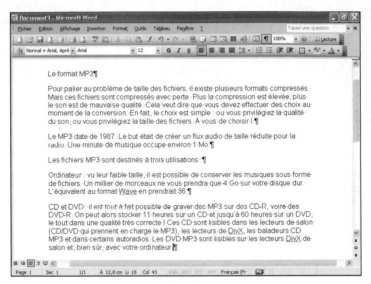

Figure 3-5 Saisie d'un texte dans Word.

Sélectionner un texte

Pour faire des modifications sur un texte, il est nécessaire de le sélectionner au préalable (figure 3-6). Le texte sélectionné apparaît en surbrillance.

- **Sélectionner des caractères.** Pointez le curseur de souris avant la première lettre, puis cliquez et faites glisser jusqu'au dernier caractère.
- **Sélectionner un mot.** Double-cliquez le mot.
- **Sélectionner une ligne.** Placez le curseur de souris dans la marge de gauche en regard de la ligne. Le curseur de souris prend la forme ⟋. Cliquez pour sélectionner la ligne.
- **Sélectionner un paragraphe.** Placez le curseur de souris dans la marge de gauche en regard de la première ligne du paragraphe. Le curseur de souris prend la forme ⟋. Cliquez et faites glisser vers le bas jusqu'à la dernière ligne.

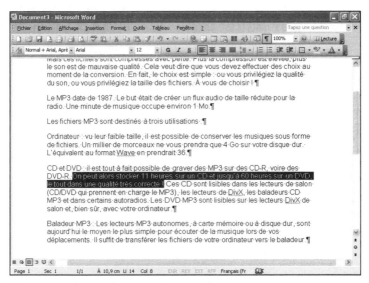

Figure 3-6 Sélection d'un texte dans Word.

Copier ou déplacer un texte

Si vous devez répéter un texte à plusieurs endroits, copiez-le.

1. Sélectionnez le texte à copier.

2. Cliquez le bouton 🖹 . Le texte est copié dans le presse-papiers.

Définition **Presse-papiers.** Zone temporaire dans laquelle est stockée une partie ou l'intégralité d'un document quel que soit son type (texte, image, *etc.*). Vous pouvez à tout moment récupérer le contenu de ce presse-papiers pour l'insérer dans un document.

3. Cliquez à la position d'insertion du texte.

4. Cliquez le bouton 🖹 pour insérer le texte actuellement dans le presse-papiers.

Définition **Copier-coller.** Copier une partie d'un document dans le presse-papiers, puis coller le contenu du presse-papiers à un autre endroit. Le presse-papiers étant commun à toutes les applications, vous pouvez copier des portions de document dans des logiciels différents.

Si vous désirez déplacer un texte :

1. Sélectionnez le texte à copier.
2. Cliquez le bouton ⬚. Le texte est copié dans le presse-papiers. Le texte sélectionné est supprimé.
3. Cliquez à la position d'insertion du texte.
4. Cliquez le bouton ⬚ pour insérer le texte actuellement dans le presse-papiers.

Supprimer un texte

Pour supprimer un texte, rien de plus simple : vous sélectionnez le texte et vous appuyez sur la touche **Suppr**.

Conseil Si vous avez supprimé un texte par mégarde, cliquez le bouton ⬚ dans la barre d'outils pour annuler cette action. Pour rétablir des actions annulées, cliquez le bouton ⬚.

Mettre en forme des caractères

Pour donner du relief à certains mots, modifiez leurs attributs (gras, italique et souligné).

1. Sélectionnez le texte à mettre en forme.
2. Cliquez le bouton **G** (gras), *I* (italique) ou **S** (souligné).

Changer la police de caractères

Word permet de changer les polices, c'est-à-dire la forme et la taille des caractères.

1. Sélectionnez le texte dont vous désirez modifier la police.
2. Cliquez la flèche en regard de la liste des polices (figure 3-7).

3. Cliquez le nom de la police souhaitée dans la liste.

4. Dans la zone à droite des polices, cliquez la flèche puis cliquez la taille des caractères.

Figure 3-7 Mise en forme de caractères dans Word.

Mettre en forme des paragraphes

Avec la mise en forme des paragraphes, vous pouvez, par exemple, aligner à droite une adresse ou centrer une signature.

1. Cliquez dans le paragraphe à modifier.

2. Cliquez le bouton ≣ (aligné à gauche), ≣ (centré), ≣ (aligné à droite) ou ≣ (justifié). La justification aligne le texte à gauche et à droite.

Mettre en retrait des paragraphes

Pour attirer l'attention sur certains paragraphes ou pour marquer une énumération, mettez-les en retrait.

1. Cliquez dans le paragraphe à modifier.

2. Cliquez le bouton ≣ (diminuer le retrait) ou ≣ (augmenter le retrait).

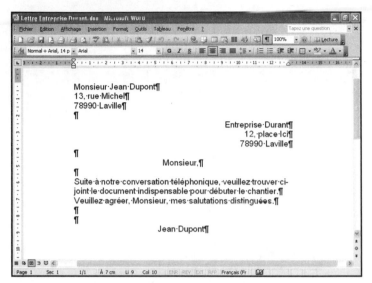

Figure 3-8 Mise en forme de paragraphes dans Word.

Appliquer un style prédéfini

Les styles prédéfinis vous épargnent d'appliquer manuellement une mise en forme aux caractères et aux paragraphes. Ils permettent notamment de créer facilement des titres.

1. Cliquez dans le paragraphe à modifier.

2. Cliquez la flèche de la liste des styles (à gauche de la liste des polices - voir figure 3-7).

3. Cliquez un style dans la liste.

Ajouter une liste à puces ou numérotée

Pour montrer une énumération, ajoutez des puces ou des numéros à certains paragraphes.

1. Sélectionnez les paragraphes à modifier.

2. Cliquez le bouton 📋 (liste à puces) ou 📋 (liste numérotée).

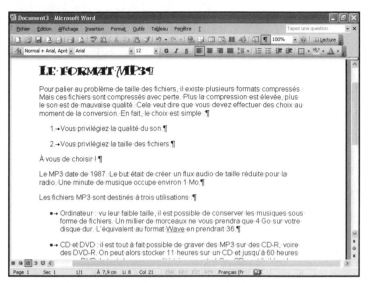

Figure 3-9 Liste à puces et liste numérotée dans Word.

Vérifier l'orthographe et la grammaire

Une dernière vérification de l'orthographe n'est jamais inutile. Word peut vous aider dans cette tâche.

1. Cliquez le bouton 🔠.

   S'il trouve des erreurs dans le texte, Word ouvre une petite fenêtre pour vous proposer des solutions.

2. Suivez les instructions de la boîte **Grammaire et orthographe** (figure 3-10).

> **Note** Les fautes d'orthographe sont soulignées en rouge dans le texte au fur et à mesure de la frappe. Les fautes de grammaire, elles, sont soulignées en vert. Suivez aussi ces indications pour vérifier votre texte.

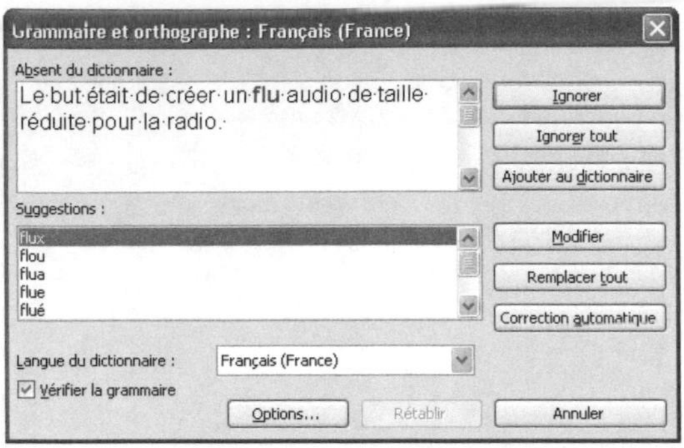

Figure 3-10 Vérification de l'orthographe et de la grammaire dans Word.

Rechercher un synonyme

Pour ne pas répéter plusieurs fois le même mot dans un paragraphe, il est nécessaire de trouver des synonymes.

1. Cliquez avec le bouton droit le mot dont vous désirez trouver un synonyme.

2. Cliquez la commande **Synonymes** dans le menu contextuel.

3. Cliquez un des synonymes proposés ou cliquez **Dictionnaire des synonymes** pour afficher la liste complète (figure 3-11).

Figure 3-11 Recherche d'un synonyme dans Word.

Réaliser des tableaux avec Excel

Excel permet de construire des tableaux. Un tableau est un ensemble de cases appelées « cellules ». Chaque cellule peut contenir des textes, des nombres et des formules. Comme ces dernières sont basées sur le contenu d'autres cellules, une simple modification engendre la réactualisation de l'intégralité du tableau. Par exemple, si vous avez un tableau de remboursement d'un prêt, le changement du taux du crédit entraîne le calcul de toutes les lignes de l'échéancier.

Sélectionner des cellules

Chaque cellule porte un nom qui correspond à la lettre de sa colonne et au numéro de sa ligne, un peu comme à la bataille navale. La cellule en haut à gauche porte donc le nom A1. Pour sélectionner une cellule, il suffit de la cliquer. Si, par exemple, vous avez cliqué la cellule C3, elle est entourée d'un cadre noir, et la lettre de la colonne C ainsi que le chiffre de la ligne 3 apparaissent sur un fond de couleur.

Si vous désirez sélectionner plusieurs cellules pour leur appliquer la même action, cliquez la première cellule, puis faites glisser jusqu'à la dernière. Une telle sélection s'appelle une « plage de cellules ». Dans l'exemple de la figure 3-12, c'est la plage **B3:E6** qui est sélectionnée.

Saisir des textes et des nombres

Une fois qu'une cellule est sélectionnée, vous pouvez y saisir des données. Tapez simplement le texte ou le nombre qu'elle doit contenir. Validez la saisie en appuyant sur la touche **Entrée**. Par défaut, les nombres sont alignés à droite et les textes, à gauche (figure 3-13).

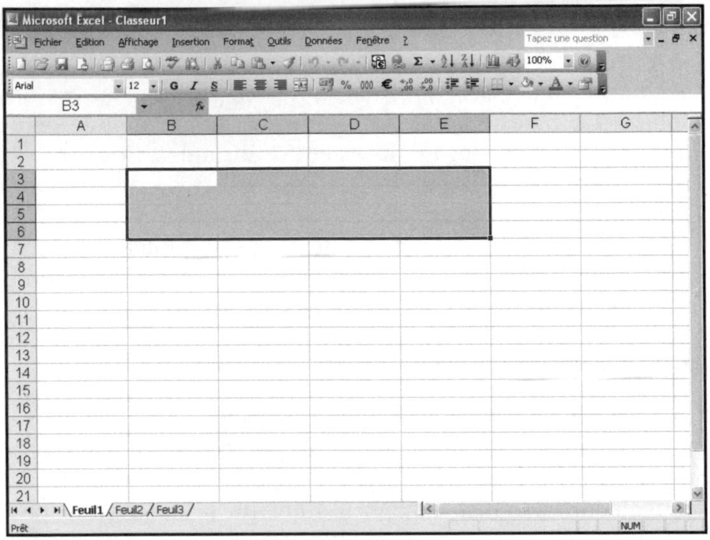

Figure 3-12 Sélection de cellules dans Excel.

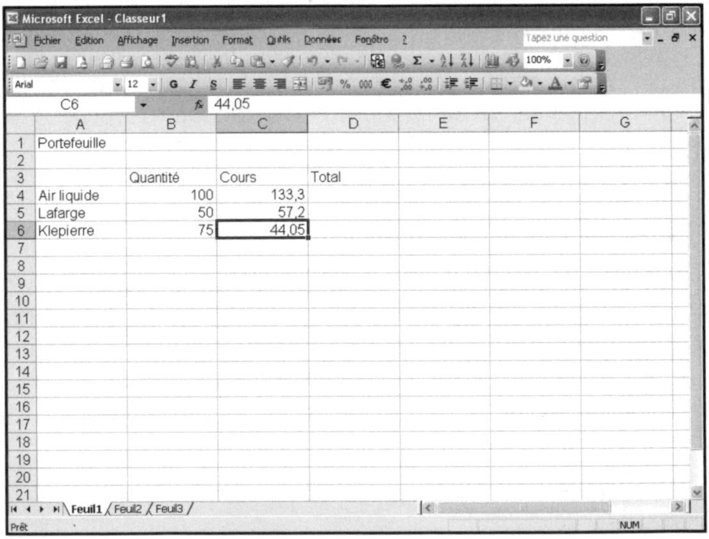

Figure 3-13 Saisie de données dans Excel.

Saisir des formules

Les formules permettent d'effectuer des calculs en se basant sur le contenu des autres formules ou en utilisant des valeurs littérales. Pour les distinguer des autres valeurs, les formules commencent toujours par le signe égale (=).

Dans une formule, vous pouvez utiliser des nombres, les quatre opérations (+, -, * et /) et le contenu d'autres cellules en donnant leur nom. Par exemple, la formule =A1*10 retourne la valeur 50 si la cellule A1 contient la valeur 5. Si vous modifiez le contenu de la cellule A1 en lui donnant la valeur 6, la formule retourne automatiquement la valeur 60.

Pour saisir une formule :

1. Sélectionnez la cellule qui doit contenir la formule.

2. Tapez le signe =.

3. Tapez la formule.

4. Validez la formule avec la touche **Entrée**.

Dans l'exemple de la figure 3-14, la cellule D6 calcule le produit de la quantité par le cours. Elle contient donc la formule =B6*C6.

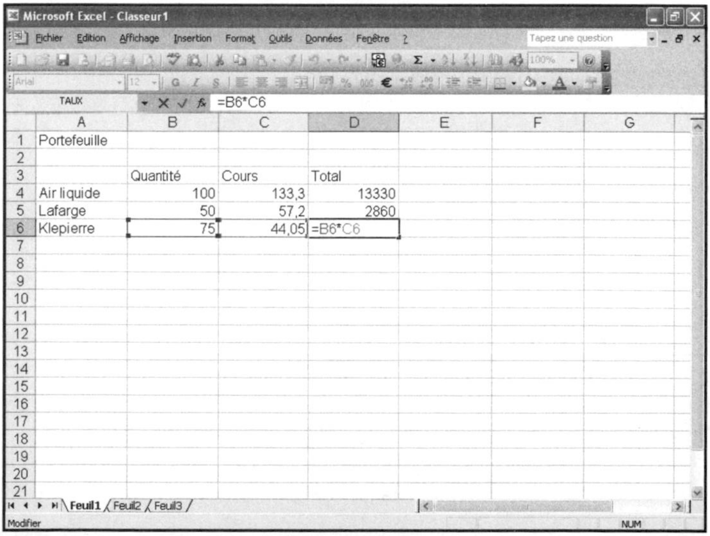

Figure 3-14 Saisie de formules dans Excel.

Utiliser une fonction dans une formule

Les quatre opérations ne sont pas toujours suffisantes. Excel propose donc des fonctions pour réaliser vos calculs. Les fonctions de base s'appliquent à une plage de cellules. Par exemple, si vous demandez la somme de la plage A1:A3, la formule retourne la somme de A1+A2+A3.

1. Sélectionnez la plage de cellules à laquelle doit s'appliquer la fonction.

2. Cliquez la flèche en regard du bouton $\boxed{\Sigma}$ (figure 3-15).

3. Cliquez la fonction à utiliser dans la liste. La fonction **Compteur** retourne le nombre de cellules contenant des nombres. Les fonctions **Min** et **Max** retournent la plus petite ou la plus grande valeur de la plage.

Excel ajoute la formule avec la fonction dans la première cellule vide au-dessous ou à droite de la plage sélectionnée à l'étape **1**.

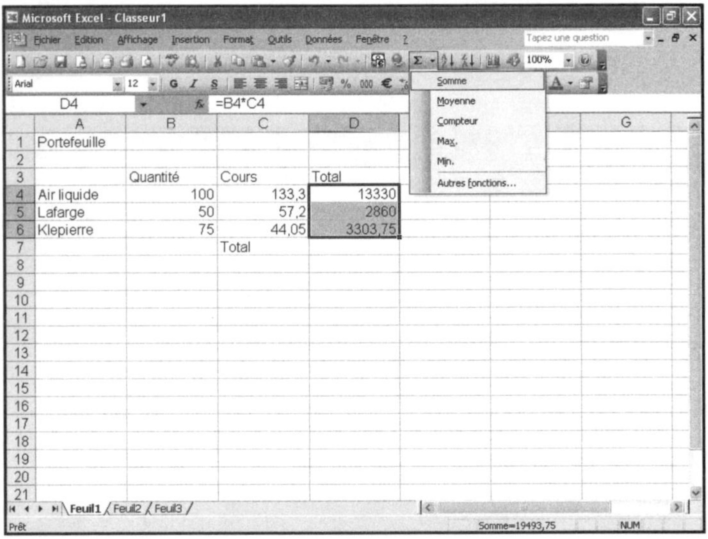

Figure 3-15 Saisie de fonctions dans Excel.

Modifier une cellule

1. Cliquez la cellule à modifier.

   La zone qui se trouve sous les barres d'outils affiche le contenu de la cellule sélectionnée. On appelle cette zone la « barre de formule ».

2. Cliquez dans la barre de formule et modifiez le contenu de la cellule. Vous pouvez vous déplacer entre les caractères en utilisant les flèches gauche et droite du clavier. Validez les modifications avec la touche **Entrée**.

Insérer ou supprimer des lignes et des colonnes

Pour ne pas retaper toutes les données d'un tableau, vous pouvez ajouter ou supprimer des lignes ou des colonnes. C'est le cas si vous avez oublié des valeurs au milieu d'un tableau, ou si des valeurs ne sont plus nécessaires.

1. Cliquez avec le bouton droit le numéro de la ligne ou la lettre de la colonne à supprimer ou celle de la ligne ou de la colonne à insérer.

2. Cliquez **Insertion** ou **Supprimer**, selon le cas, dans le menu contextuel (figure 3-16).

Les lignes ou les colonnes sont déplacées en conséquence.

Incrémenter une série

Si vous avez une suite de nombres ou de dates, vous pouvez demander à Excel de compléter automatiquement cette série. Par exemple, si vous avez la suite 2-4, Excel peut la compléter avec les chiffres 6-8-10, *etc*. De même, la suite janvier-mars sera complétée par mai-juillet-septembre, *etc*.

1. Saisissez et sélectionnez au minimum les deux premières valeurs de la série.

2. Pointez le coin en bas à droite de la dernière cellule de la sélection. Le curseur de souris prend la forme $+$.

3. Cliquez et faites glisser pour étendre la sélection.

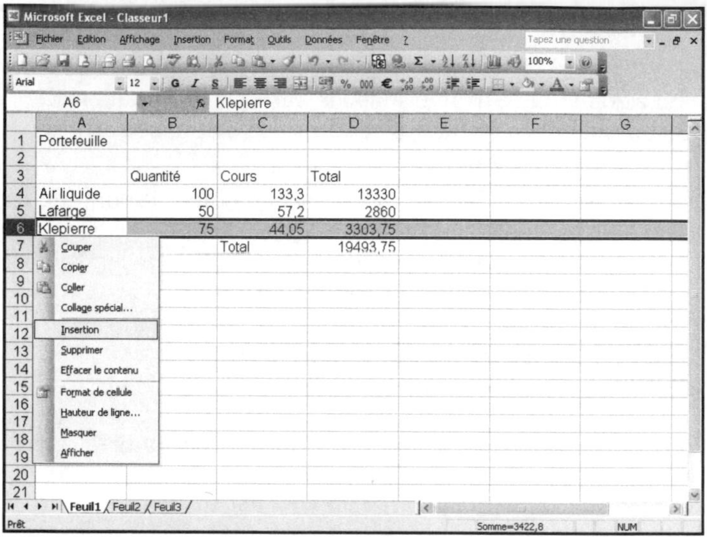

Figure 3-16 Insertion d'une ligne dans Excel.

Recopier une formule

Comme pour les séries, vous pouvez recopier une formule plutôt que de la retaper. Excel se charge de modifier les noms des cellules auxquelles la formule fait référence. Par exemple, si une cellule contient la formule =A1*B1, les cellules recopiées vers le bas contiendront les formules =A2*B2, =A3*B3, *etc.*

1. Sélectionnez la cellule qui contient la formule (figure 3-17).

2. Pointez le coin en bas à droite de la cellule sélectionnée. Le curseur de souris prend la forme **+**.

3. Cliquez et faites glisser pour recopier la formule.

4. Éventuellement, cliquez la balise [icône] puis cliquez le type de recopie (figure 3-18).

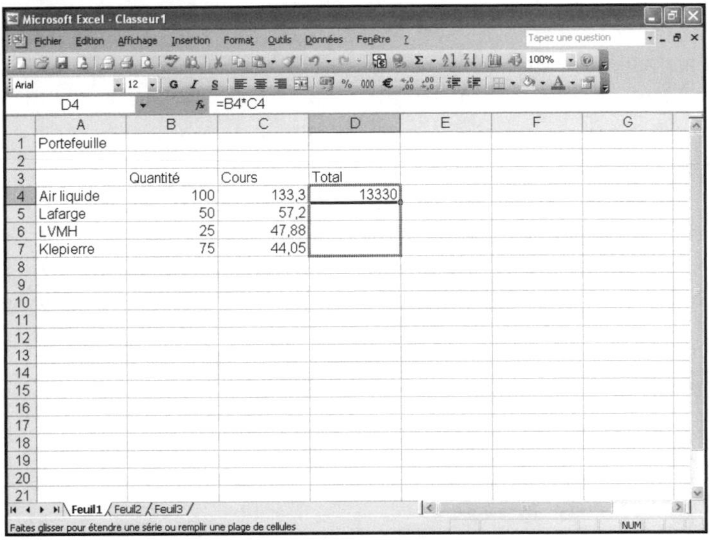

Figure 3-17 Recopie d'une formule dans Excel.

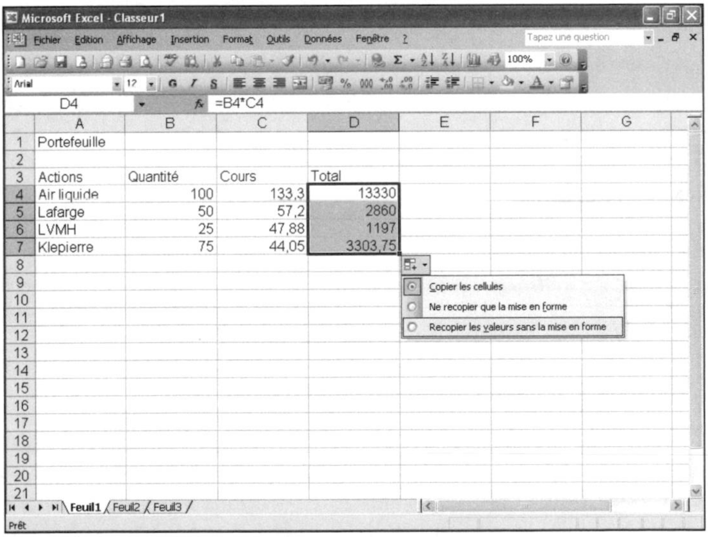

Figure 3-18 Feuille de calcul après recopie d'une formule.

Mettre en forme une cellule

La mise en forme des cellules s'effectue avec des boutons identiques à ceux de Word.

1. Sélectionnez les cellules à mettre en forme.

2. Cliquez un des boutons suivants : G (gras), *I* (italique), S (souligné), ▤ (aligné à gauche), ▤ (centré) ou ▤ (aligné à droite). Sélectionnez la police et la taille des caractères comme dans Word. Les boutons ▨ et A permettent de modifier la couleur de fond de la cellule et celle des caractères (figure 3-19).

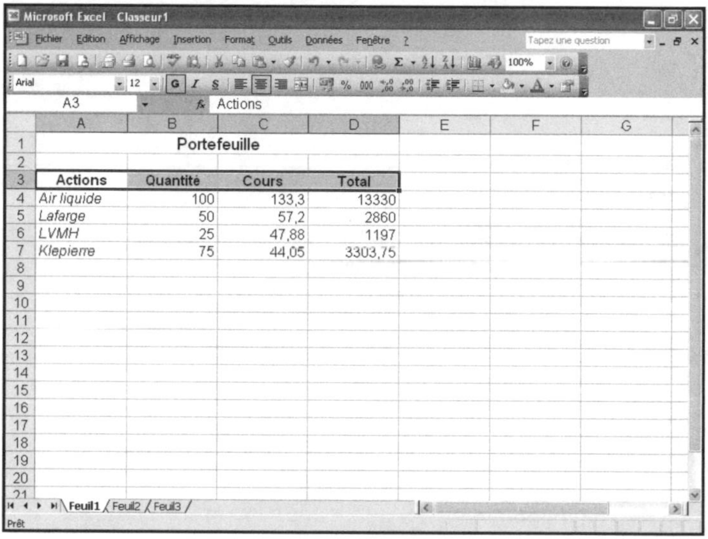

Figure 3-19 Mise en forme du contenu des cellules.

Modifier le format d'affichage

Chaque contenu de cellule peut être affiché de manière différente. Par exemple, la valeur 0,5 peut correspondre à 0,5 € ou à 50 %. Modifiez en conséquence le format d'affichage. Cela ne modifie pas le contenu de la cellule : si une cellule affiche 50 %, elle contiendra toujours la valeur 0,5.

1. Sélectionnez la ou les cellules à mettre en forme.

2. Cliquez €︎ (euros), %︎ (pourcentage) ou 000 (nombre
    avec séparateur des milliers). Les boutons et
    permettent d'ajouter ou de supprimer une décimale
    (figure 3-20).

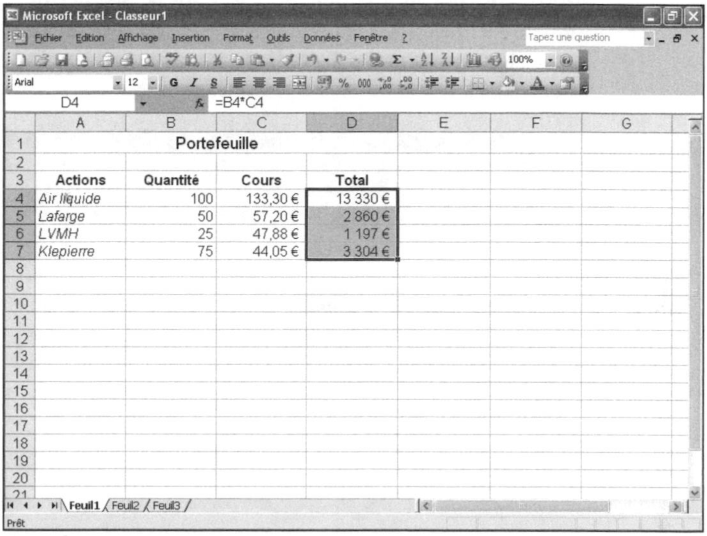

Figure 3-20 Modification du format d'affichage des cellules.

Mettre en forme un tableau

Pour mieux délimiter votre tableau, ajoutez-lui des quadrilla-
ges.

1. Sélectionnez la ou les cellules à quadriller.
2. Cliquez la flèche en regard du bouton .
3. Cliquez le type de quadrillage dans la liste.

Pour vous simplifier la vie, Excel propose des mises en forme
prédéfinies pour vos tableaux.

1. Sélectionnez les cellules du tableau.
2. Cliquez le menu **Format → Mise en forme automatique**.
3. Sélectionnez une mise en forme dans la boîte **Format
    automatique**.
4. Cliquez le bouton **OK**.

La mise en forme choisie s'applique à l'ensemble des cellules sélectionnées.

Astuce   Si le tableau est délimité par des lignes ou des colonnes vides et/ou par la colonne A et la ligne 1, sélectionnez une cellule de ce tableau, puis tapez **Ctrl**+*. Le tableau sera entièrement sélectionné quelle que soit sa taille (figure 3-21).

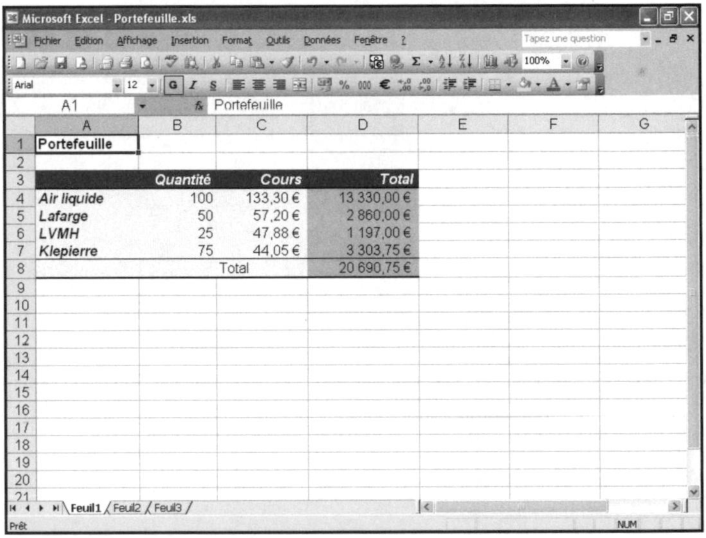

Figure 3-21 Mise en forme d'un tableau dans Excel.

Réaliser un graphique

Avec un graphique, vous pourrez présenter vos données de manière plus parlante.

1.   Sélectionnez toutes les cellules du tableau, y compris les en-têtes de lignes et de colonnes.

2.   Cliquez le bouton 📊.

Excel ouvre une boîte de dialogue pour vous permettre de choisir le type de graphique.

3.   Cliquez un type de graphique dans la liste de gauche.

4. Cliquez un sous-type dans la liste de droite.

5. Cliquez le bouton **Terminer**.

    Excel insère le graphique dans la feuille de calcul (figure 3-22).

6. Éventuellement, faites glisser le bord du graphique pour le placer à un autre endroit.

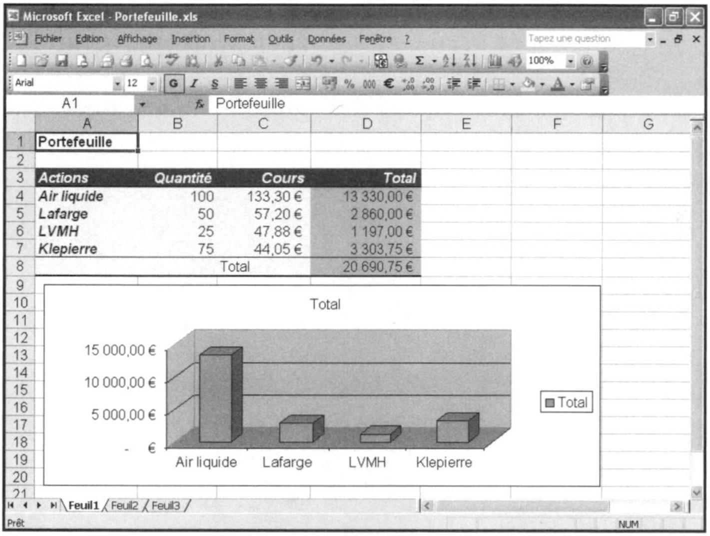

Figure 3-22 Graphique dans Excel.

Insérer une nouvelle feuille

Les documents d'Excel, les classeurs, peuvent contenir plusieurs feuilles de calcul (3 par défaut). Pour passer de l'une à l'autre, cliquez les onglets en bas de la fenêtre.

Pour insérer une nouvelle feuille :

1. Cliquez le menu **Insertion → Feuille**.

Conseil N'oubliez pas d'enregistrer régulièrement vos classeurs, comme expliqué au début de ce chapitre.

Retoucher des photographies

Qu'elles proviennent d'un appareil photo numérique ou d'un scanner, les photographies souffrent parfois de défauts qu'il est bon de corriger avec un logiciel adéquat, comme Photoshop Elements.

1. Ouvrez Photoshop Elements.

2. Dans le panneau qui s'affiche, cliquez **Retoucher rapidement les photos**.

3. Ouvrez une photo (comme expliqué au début de ce chapitre).

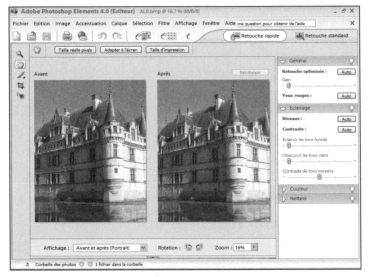

Figure 3-23 Ouverture d'une image dans Photoshop Elements.

Corriger la luminosité

Si l'exposition lors de la prise de vue n'était pas correcte, vous pouvez modifier la luminosité et le contraste de vos photos.

1. Dans la zone Affichage au bas de la fenêtre, cliquez **Avant et après (Portrait)** ou **(Paysage)** pour visualiser l'image avant et après chaque réglage.

2. Dans le panneau de droite, rubrique Eclairage, déplacez les différents curseurs vers la gauche ou la droite pour assombrir ou éclaircir la photo et pour modifier le contraste. Vous pouvez également cliquer le bouton **Auto** en face de **Niveaux** pour effectuer une correction automatique de la luminosité.

    Les deux images de la figure 3-24 vous montrent la photographie avant et après les réglages.

3. Si le résultat vous convient, enregistrez l'image. Sinon, cliquez le bouton **Réinitialiser** au-dessus de la photo de droite pour revenir à la version d'origine.

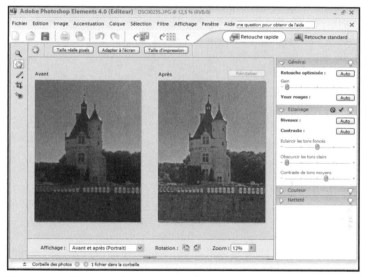

Figure 3-24 Réglage de la luminosité dans Photoshop Elements.

Corriger les couleurs

Les couleurs de votre photographie ne correspondent pas à la réalité ou vous désirez les améliorer ? Modifiez-les.

1. Dans la zone Affichage au bas de la fenêtre, cliquez **Avant et après (Portrait)** ou **(Paysage)** pour visualiser l'image avant et après chaque réglage.

2. Dans le panneau de droite, rubrique Couleur, déplacez les différents curseurs vers la gauche ou la droite pour modifier la saturation, teinte et la température de l'image. Vous pouvez également cliquer le bouton **Auto** pour effectuer une correction automatique des couleurs (figure 3-25).

3. Si le résultat vous convient, enregistrez l'image. Sinon, cliquez le bouton **Réinitialiser** au-dessus de la photo de droite pour revenir à la version d'origine.

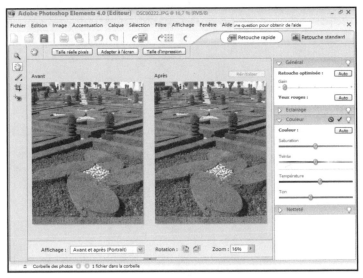

Figure 3-25 Réglage des couleurs dans Photoshop Elements.

Modifier la perspective

Si vous avez pris une photographie d'un bâtiment ou d'un objet alors que l'objectif de l'appareil n'était pas parfaitement parallèle au sujet, il se produit un effet de perspective. Pour corriger cela :

1. Cliquez le bouton **Retouche standard** dans le haut de la fenêtre de Photoshop Elements.

2. En maintenant la touche **Alt** enfoncée, cliquez l'image pour effectuer un zoom arrière et faire apparaître une zone grise autour de celle-ci.

3. Tapez **Ctrl**+**A** pour sélectionner l'intégralité de l'image. Un cadre en pointillé entoure cette dernière.

4. Cliquez le menu **Image → Transformation → Perspective**.

5. Cliquez et faites glisser les petits carrés autour de la photographie vers l'extérieur du cadre (zone grise) pour supprimer l'effet de perspective.

6. Appuyez sur **Entrée** pour valider les modifications.

7. Tapez **Ctrl**+**D** pour supprimer la sélection en pointillé.

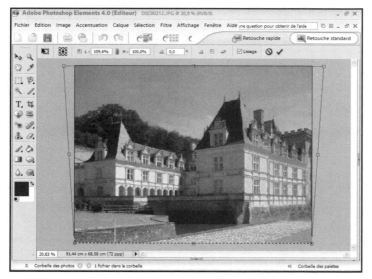

Figure 3-26 Modification d'une perspective dans Photoshop Elements.

Utiliser l'aide

Tous les logiciels proposent une aide en ligne pour venir à votre secours en cas de problèmes. Windows n'échappe donc pas à la règle.

Comme la gestion de l'aide est commune à toutes les applications, nous ne serez pas dépaysé. Que vous utilisiez un traitement de texte ou un tableur, leur fonctionnement est identique.

Pour les cas difficiles, Windows XP propose en plus une base de connaissances, disponible *via* Internet.

Dans ce chapitre

- Obtenir de l'aide
- Rechercher de l'aide dans l'index
- Rechercher de l'aide par mots clés
- Rechercher de l'aide sur Internet

Obtenir de l'aide

L'aide de Windows se présente comme un livre. Les rubriques d'aide sont classées dans un sommaire. Le fonctionnement est similaire à celui d'une page Web sur Internet.

1. Cliquez le bouton **démarrer** ➜ **Aide et support**.

> ***Note*** Cliquez le fond du Bureau puis appuyez sur la touche **F1** pour ouvrir rapidement l'aide. Dans les applications, appuyez simplement sur la touche **F1** ou utilisez le menu **?**.

2. Cliquez une rubrique pour afficher l'aide correspondante (figure 4-1).

> ***Note*** Cliquez le bouton 🏠 pour revenir au sommaire de l'aide.

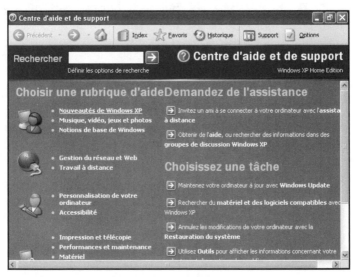

Figure 4-1 Sommaire de l'aide de Windows XP.

L'aide affiche les sous-rubriques de la rubrique choisie à l'étape **2**.

3. Cliquez la sous-rubrique dans la partie de gauche pour afficher la liste des documents d'aide correspondants.

4. Cliquez un lien dans la partie de droite pour affiner l'aide.

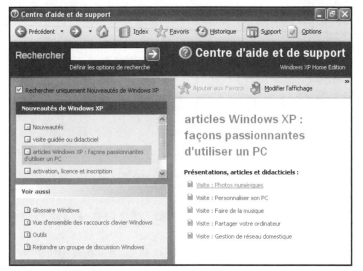

Figure 4-2 Sous-rubriques de l'aide de Windows XP.

Comme la navigation sur Internet, la recherche dans l'aide en ligne reste intuitive.

L'aide propose aussi des écrans et des illustrations.

1. Cliquez un lien vers un écran ou une illustration pour l'agrandir.

    L'écran ou l'illustration s'affiche dans une fenêtre séparée (figure 4-3).

2. Cliquez ✖ pour fermer la fenêtre.

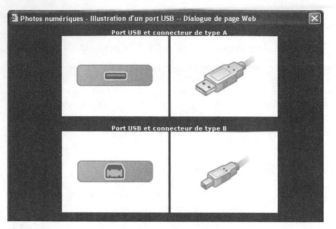

Figure 4-3 Illustration dans l'aide de Windows XP.

Rechercher de l'aide dans l'index

L'index permet une recherche dans les titres des rubriques à partir d'un mot clé. Ne négligez pas cette aide qui est très utile, voire indispensable.

1.   Affichez l'aide.

2.   Cliquez le bouton [Index] .

      La liste de gauche propose tous les titres des rubriques disponibles dans l'aide.

3.   Tapez le mot à rechercher dans la zone **Entrez le mot clé**.

La rubrique correspondante est sélectionnée dans la liste (figure 4-4).

1.   Double-cliquez la rubrique qui vous intéresse.

      La partie de droite affiche l'aide correspondante.

> **Note** StingLes liens précédés par l'icône 🔝 permettent de suivre une procédure dans Windows. Dans l'exemple de la figure 4-5, le lien 🔝 **Souris** ouvre directement la boîte de dialogue qui permet de modifier la vitesse du double clic. Vous n'avez donc pas besoin d'ouvrir le Panneau de configuration puis de rechercher cette boîte.

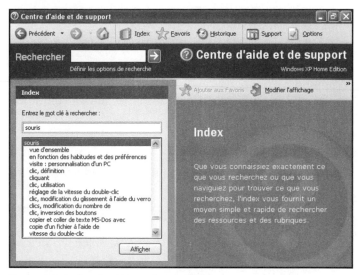

Figure 4-4 Recherche d'une rubrique d'aide.

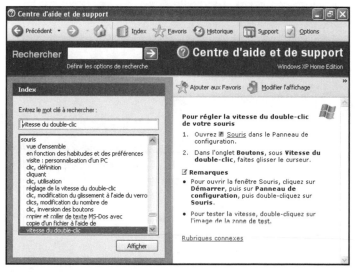

Figure 4-5 Recherche d'une rubrique d'aide.

2. Cliquez ☒ pour fermer la fenêtre Centre d'aide et de support.

Rechercher de l'aide par mots clés

La recherche par mots clés permet de trouver les rubriques contenant des textes précis. Utilisez-la si les autres solutions ne vous donnent pas satisfaction.

1. Affichez l'aide.

2. Tapez dans la zone **Rechercher** le(s) mot(s) correspondant aux textes à trouver dans l'aide, puis appuyez sur **Entrée**.

   – Windows effectue une recherche dans l'intégralité des rubriques de l'aide.

   – Après la recherche, la liste de gauche affiche toutes les rubriques contenant le(s) mot(s) clé(s) [figure 4-6].

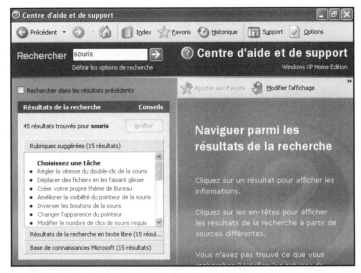

Figure 4-6 Recherche d'une rubrique par mots clés.

3. Double-cliquez la rubrique qui vous intéresse.

La partie de droite affiche l'aide correspondante. Les mots clés saisis à l'étape **2** sont en surbrillance.

Note La plupart des rubriques proposent le lien **Rubriques connexes** (figure 4-7). Il permet de trouver d'autres rubriques traitant du même sujet.

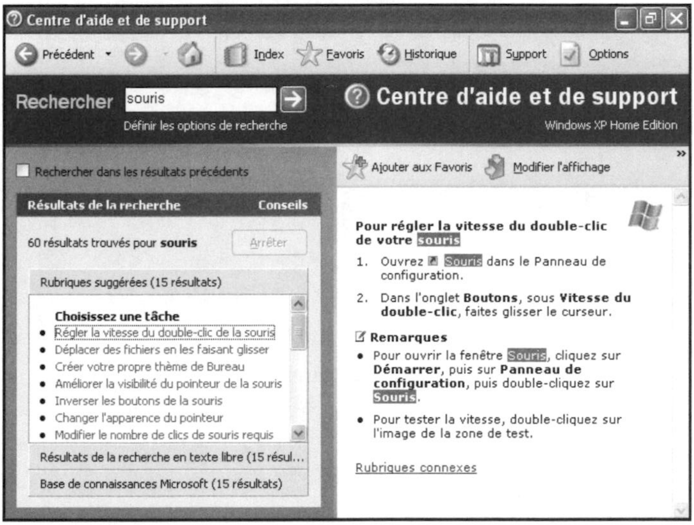

Figure 4-7 Rubrique correspondant aux mots clés recherchés.

4. Cliquez ⊠ pour fermer la fenêtre Centre d'aide et de support.

Rechercher de l'aide sur Internet

Microsoft offre une assistance plus étendue grâce à Internet. Profitez-en pour résoudre les problèmes qui ne sont pas répertoriés dans l'aide en ligne standard.

1. Affichez l'aide de Windows XP.
2. Cliquez le bouton 🛒 Support .
3. Cliquez le lien **Obtenir de l'assistance de Microsoft**.

4. Si vous n'êtes pas connecté actuellement, cliquez le bouton **Connecter**.

5. Cliquez dans la liste de droite le type d'aide que vous désirez obtenir (figure 4-8).

Figure 4-8 Accès à l'aide sur Internet.

6. Suivez les instructions du site Web de Microsoft.

Partie II

Explorer l'ordinateur avec Windows XP

Notions fondamentales de l'ordinateur

Ce chapitre explique l'organisation de l'ordinateur à partir du Poste de travail. Ce dernier regroupe tous les éléments qui composent le PC, en particulier les disques et les dossiers. Comprendre le Poste de travail, c'est connaître la structure de votre ordinateur : disques, périphériques, réseaux, *etc.* Sa maîtrise est donc indispensable.

Dans ce chapitre

- Comprendre la structure du Poste de travail
- Lecteurs de disques
- Dossiers, sous-dossiers et fichiers

- Autres lecteurs
- Périphériques
- Réseaux

Poste de travail

Comprendre l'organisation de votre PC est une étape indispensable pour retrouver facilement vos documents ou utiliser les périphériques. Tous ces éléments sont regroupés dans un outil appelé Poste de travail.

1.   Double-cliquez l'icône **Poste de travail** sur le Bureau, ou cliquez le bouton **démarrer → Poste de travail**.

Définition Explorateur Windows. L'Explorateur et le Poste de travail fonctionnent de la même manière. À l'ouverture, dans la partie de gauche, l'Explorateur et le Poste de travail proposent respectivement la liste des dossiers et un volet de commandes. Pour ces deux outils, il suffit de cliquer le bouton 🗀 Dossiers pour passer d'un affichage à un autre. L'Explorateur est accessible à partir du menu **démarrer → Tous les programmes → Accessoires**.

Toutes les icônes de la figure 5-1 représentent les éléments présents dans le PC : dossiers principaux, disques durs, disques amovibles, lecteurs partagés par d'autres personnes, si votre ordinateur est connecté à un réseau, et périphériques connectés (scanner, appareil photo numérique, webcam, Caméscope numérique, *etc.*).

Note Pour modifier l'apparence des icônes, cliquez le bouton 🔲▾ puis le type d'affichage.

Disques de stockage

Dans un PC classique, vous devez avoir au moins trois types de lecteurs ou de disques : lecteur de disquettes, disque dur et lecteur de CD.

Chaque disque est désigné par une lettre : A: pour le lecteur de disquettes, C: pour le disque dur, et D: pour le lecteur de CD s'il n'y a pas d'autres disques durs. Quand il y a d'autres disques durs, ils prennent les lettres après C et le lecteur de CD se trouve placé en dernier.

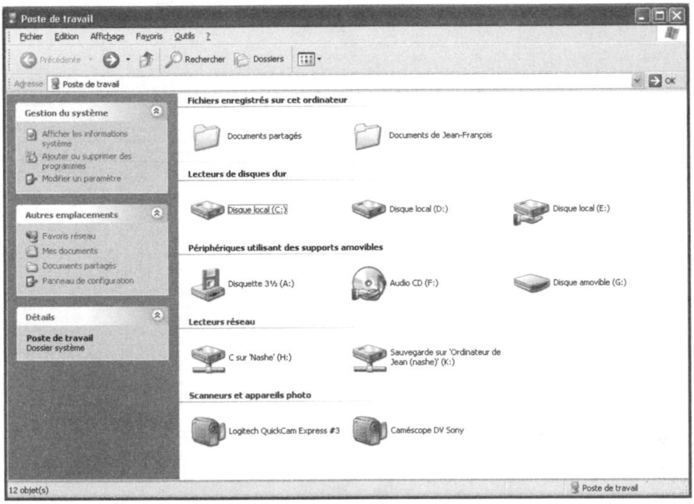

Figure 5-1 Poste de travail.

Anecdote Les premiers PC étaient équipés de deux lecteurs de disquettes, nommés A : et B : , pour effectuer des copies de
l'un vers l'autre. Puis sont arrivés les disques durs qui ont
pris tout naturellement la lettre C :. Dans les PC actuels,
le second lecteur de disquettes a généralement disparu,
mais la lettre B a été conservée, bien que rarement utilisée.

Comprendre la structure
d'un disque

Éventuellement, cliquez le bouton ⌐ Dossiers ⌐ pour afficher dans
la partie de gauche la liste des dossiers.

La fenêtre est divisée en deux parties. La partie de gauche affiche tous les éléments qui composent l'ordinateur. La partie de
droite affiche le contenu de l'élément sélectionné dans la partie de gauche (figure 5-2). Pour sélectionner un élément, cliquez simplement son nom ou son icône.

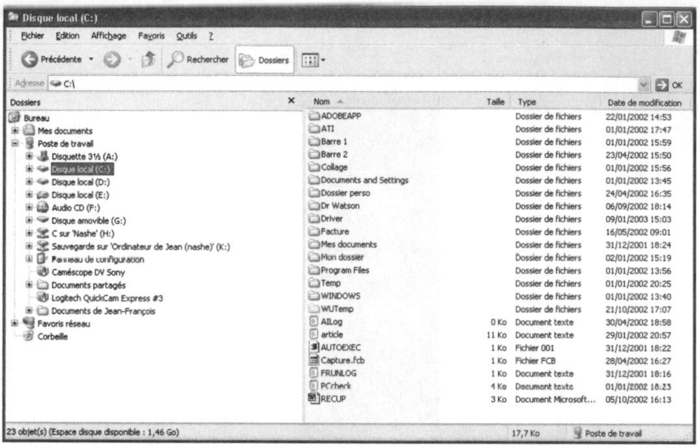

Figure 5-2 Contenu d'un disque.

Un signe ⊞ indique que l'élément contient d'autres éléments. En cliquant ce signe, vous développez l'arborescence. Les éléments contenus dans le disque ou le dossier apparaissent en dessous, dans la partie de gauche. Un signe ⊟ indique que l'arborescence est développée.

On peut comparer le Poste de travail à une armoire que l'on trouve dans les bureaux. Cette armoire contient des tiroirs que l'on peut comparer aux disques. Dans chaque tiroir, on trouve des dossiers suspendus : ce sont les dossiers des disques. Dans chaque dossier, on trouve des documents : ce sont les applications ou les documents du PC. Parfois, dans les dossiers suspendus, on trouve d'autres dossiers. Dans l'ordinateur, on les appelle les sous-dossiers.

Les dossiers permettent de classer les documents que vous allez créer avec les applications. Le disque C: contient déjà un dossier nommé « Mes documents ». C'est ce dossier qui est proposé par défaut par les applications quand vous désirez enregistrer votre travail. Mais pour mieux classer vos documents, il est préférable de créer d'autres dossiers. Ils permettront, par exemple, de ne pas mélanger vos courriers avec votre comptabilité (figure 5-3).

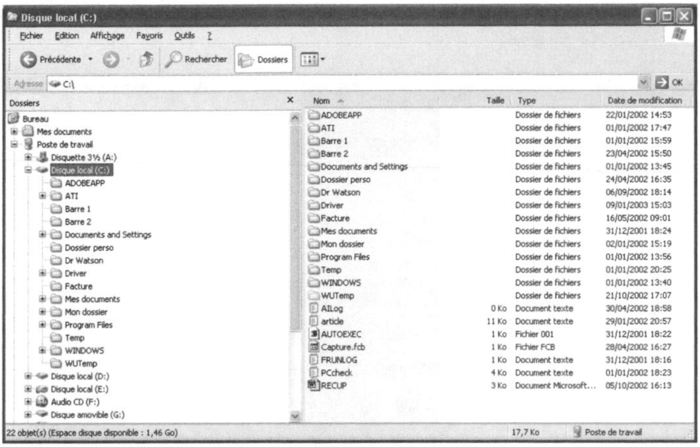

Figure 5-3 Contenu développé d'un disque.

Conseil Les applications sont stockées dans le dossier Program Files, et les fichiers de Windows tout simplement dans le dossier Windows. Sauf pour des cas très précis, vous ne devez pas modifier le contenu de ces deux dossiers. Vos applications ou Windows risqueraient de ne plus fonctionner. Si vous désirez désinstaller une application, consultez le chapitre 21. Ne supprimez pas ses fichiers.

Créer un dossier

Pour mieux classer vos documents, n'hésitez pas à créer de nouveaux dossiers.

1. Cliquez le disque ou le dossier qui doit contenir le nouveau dossier.

Attention! L'étape **1** est importante. Si vous ne sélectionnez pas le bon élément au préalable, votre dossier risque d'être créé à un endroit non désiré.

2. Cliquez le menu **Fichier → Nouveau → Dossier** (figure 5-4).

3.   Tapez immédiatement le nom du dossier et appuyez sur la touche **Entrée**.

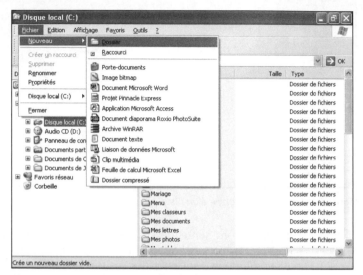

Figure 5-4 Création d'un nouveau dossier.

Si vous n'avez pas tapé de nom à l'étape **3**, mais appuyé simplement sur **Entrée** ou sélectionné avec la souris un autre élément, le dossier porte le nom par défaut « Nouveau dossier ».

Pour le renommer :

1.   Cliquez le nom du dossier avec le bouton droit de la souris.

2.   Cliquez la commande **Renommer** dans le menu contextuel.

3.   Tapez le nom du dossier et appuyez sur la touche **Entrée** (figure 5-5).

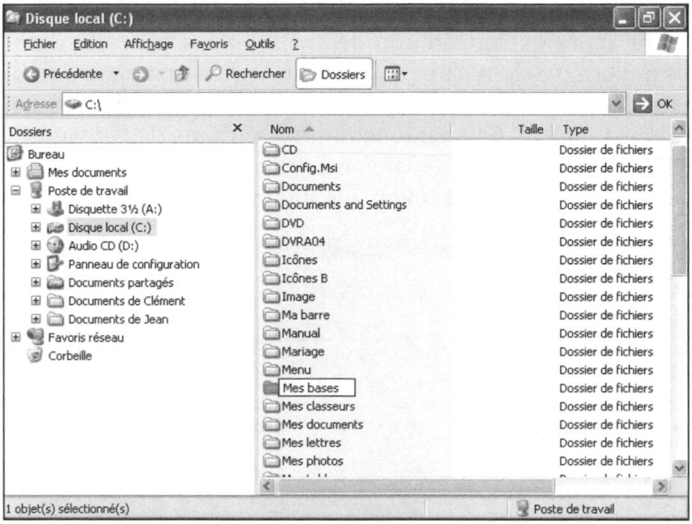

Figure 5-5 Modification du nom d'un dossier.

Consulter les fichiers

Cliquez dans la partie de gauche un dossier qui contient des fichiers.

La partie de droite affiche la liste des fichiers de ce dossier.

Définition **Fichiers** et **documents**. Le mot « fichier » est un terme générique qui désigne tous les types de fichiers (documents, programmes, *etc.*). Le terme « document » concerne uniquement les fichiers que vous avez créés avec une application (un texte, une feuille de calcul, *etc.*).

Tous les fichiers correspondent à un type particulier. Pour les reconnaître, Windows les associe à une icône. Les documents ont une icône très proche de celle de l'application. Par exemple, si vous avez créé un texte avec l'application Word, donc en cliquant l'icône **W** sur le Bureau ou dans le menu **démarrer**, le nom de votre document est associé à l'icône ⬜.

En réalité, le document est reconnu grâce à son extension. Cette dernière est un groupe de trois lettres précédé d'un point qui indique le type de document. Par exemple, un document créé avec Excel porte l'extension .xls, et un document Word, l'extension .doc. En fonction des options d'affichage, il est possible que cette extension ne soit pas visible dans votre Poste de travail, contrairement à la figure 5-6.

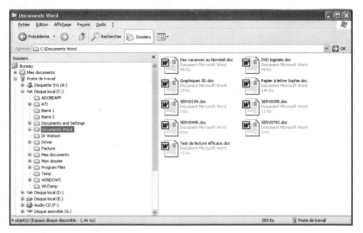

Figure 5-6 Icônes des fichiers.

Si Windows connaît le type d'un document, cela veut dire qu'il connaît aussi l'application qui l'a créé. Il est donc possible d'ouvrir directement un document à partir du Poste de travail tout simplement en le double-cliquant. Windows se charge alors d'ouvrir l'application correspondante et votre document.

Autres lecteurs

Dans le Poste de travail, vous pouvez trouver d'autres périphériques de stockage, en dehors des traditionnels disques durs ou lecteurs de disquettes. C'est le cas des lecteurs ou graveurs de CD/DVD, des lecteurs de bandes (sauvegardes de vos données), des lecteurs Zip (disquettes de grande capacité), ou des lecteurs de cartes (Compact Flash, Memory

Stick, SmartMedia, *etc.*). Ces périphériques sont, bien sûr, accessibles à partir du Poste de travail.

Figure 5-7 Lecteur Zip.

Périphériques

Les périphériques sont des éléments extérieurs qui permettent de communiquer avec l'utilisateur, que ce soit en entrée (souris, clavier, scanner, *etc.*) ou en sortie (son, imprimante, *etc.*). Tous les périphériques communiquent avec l'ordinateur *via* une interface. On nomme cette dernière « port » quand elle est présente sur le boîtier de l'unité centrale. L'interface est différente en fonction du périphérique. Par exemple, l'imprimante se connecte au port parallèle, alors qu'un modem se connecte au port série. Dans l'avenir, les périphériques se connecteront tous au même type de port : l'USB. C'est déjà le cas de beaucoup de scanners et d'appareils photo numériques.

La grande force des PC, c'est leur souplesse d'adaptation au monde extérieur. Windows XP tient compte de votre environnement et des périphériques qui sont connectés.

Par exemple, si vous êtes en possession d'un Caméscope numérique (DV ou Digital 8 – voir figure 5-8), vous pouvez le connecter à votre ordinateur, *via* une carte d'acquisition (figure 5-9). Il apparaîtra automatiquement dans le Poste de travail (figure 5-1). Vous pourrez ainsi effectuer vos opérations de montage sans l'aide d'un second Caméscope ou d'un magnétoscope. De plus, les logiciels de montage offrent des possibilités jusqu'ici irréalisables, comme les transitions 3D, les effets spéciaux ou les titrages sophistiqués.

Figure 5-9 Caméscope DV accessible dans le Poste de travail.

Figure 5-8 Carte d'acquisition pour les Caméscopes DV.

Réseaux

Dès que vous possédez deux ordinateurs, vous pouvez les mettre en réseau, c'est-à-dire les relier par des câbles ou par un système sans fil comme le Wi-Fi *(Wireless Fidelity)*. Cela permet de partager vos ressources, par exemple un disque dur, un dossier ou une imprimante.

Disques

Le partage de disques ou de dossiers permet d'échanger facilement des fichiers entre les ordinateurs d'un réseau.

Dans l'exemple de la figure 5-10, le disque E: est partagé (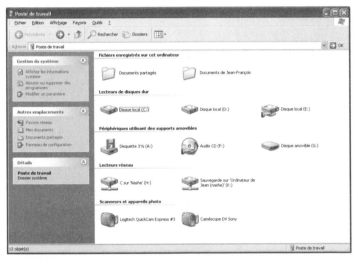) ainsi que le lecteur de CD-ROM F:. Les autres utilisateurs peuvent accéder à leurs contenus. Les disques H: et K: sont des disques ou des dossiers partagés par d'autres utilisateurs du réseau ( ). Vous pouvez les utiliser comme s'ils étaient présents dans votre ordinateur.

Figure 5-10 Disques partagés ou connectés.

Imprimantes

Comme pour les disques, vous pouvez partager votre imprimante ou utiliser celles des autres ordinateurs du réseau.

Dans l'exemple de la figure 5-11, l'imprimante est partagée ( ). Les autres personnes du réseau pourront l'utiliser. L'imprimante avec l'icône est partagée par un autre utilisateur. Vous pouvez l'utiliser comme si elle était physiquement branchée sur votre ordinateur.

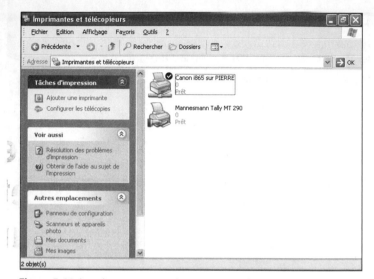

Figure 5-11 Imprimantes partagées ou connectées.

Utiliser le Poste de travail et l'Explorateur

L'Explorateur Windows et le Poste de travail permettent d'accéder à tous les éléments de l'ordinateur. Découvrez dans ce chapitre l'essentiel des commandes pour bien les utiliser : copie, déplacement, apparence, impression, raccourcis, *etc.*

Dans ce chapitre

- Connaître les propriétés d'un élément
- Modifier l'affichage d'un dossier
- Copier, déplacer ou supprimer des dossiers et des fichiers

- Utiliser le panneau du Poste de travail
- Ajouter un raccourci sur le Bureau avec l'Explorateur
- Ouvrir ou imprimer un document
- Personnaliser les dossiers

Connaître les propriétés d'un élément

Disques

Il est intéressant que vous connaissiez les caractéristiques d'un disque pour que vous puissiez en évaluer les capacités et, éventuellement, modifier son nom.

1.   Ouvrez le Poste de travail ou l'Explorateur Windows.

> **Astuce** Pour ouvrir rapidement l'Explorateur Windows, tapez 🪟+**E**.

2.   Cliquez avec le bouton droit le disque à vérifier (disque dur, lecteur de disquettes ou de CD-ROM, lecteur de cartes mémoire, *etc.*).

3.   Cliquez la commande **Propriétés** dans le menu contextuel.

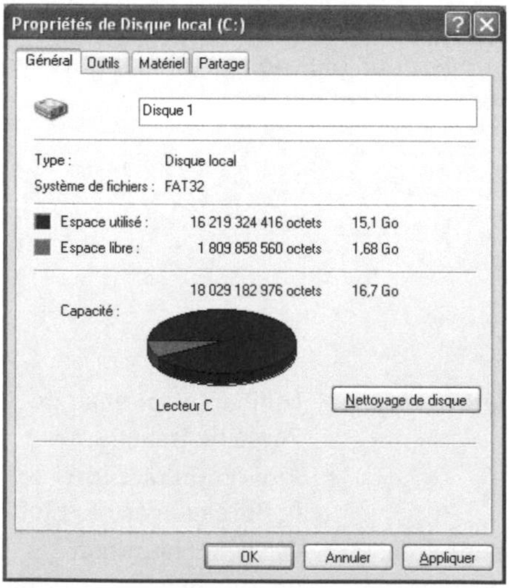

Figure 6-1 Propriétés d'un disque dur.

La boîte de la figure 6-1 donne des informations sur le nom du disque, sa taille, l'espace utilisé et l'espace restant.

Note Vous pouvez attribuer un nouveau nom aux disques durs ou aux disquettes en le tapant dans la zone de texte au-dessous des onglets. Vous ne pouvez pas modifier le nom des CD-ROM. Pour retrouver le nom par défaut, supprimez le contenu de cette zone.

4.   Cliquez le bouton **OK**.

Dossiers

Comme pour les disques, il est nécessaire de connaître les caractéristiques d'un dossier pour évaluer la place qu'il occupe réellement.

1.   Cliquez avec le bouton droit le dossier à vérifier.

Note Pour afficher la liste des disques et des dossiers dans la partie de gauche, cliquez le bouton [▷ Dossiers].

2.   Cliquez la commande **Propriétés** dans le menu contextuel.

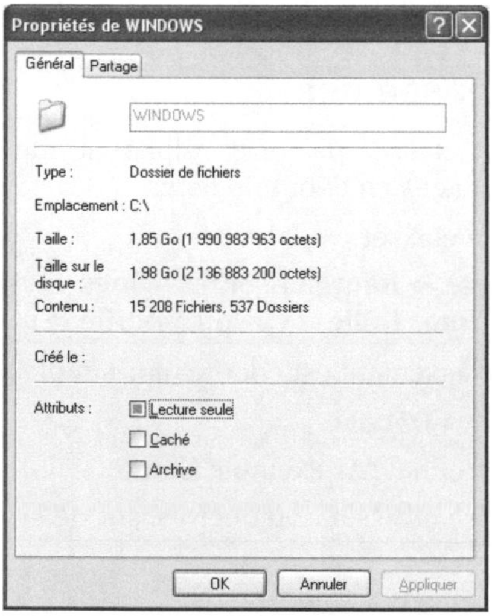

Propriétés de WINDOWS   ? X

Général   Partage

[📁]   WINDOWS

Type :   Dossier de fichiers
Emplacement : C:\
Taille :   1,85 Go (1 990 983 963 octets)
Taille sur le disque :   1,98 Go (2 136 883 200 octets)
Contenu :   15 208 Fichiers, 537 Dossiers

Créé le :

Attributs :   ☑ Lecture seule
     ☐ Caché
     ☐ Archive

OK   Annuler   Appliquer

Figure 6-2 Propriétés d'un dossier.

La boîte de la figure 6-2 indique le nombre de sous-dossiers et le nombre de fichiers présents dans le dossier.

La taille affichée correspond à celle du dossier, incluant celles des sous-dossiers et des fichiers.

3.   Cliquez le bouton **OK**.

Modifier l'apparence des dossiers

Changer l'affichage

Un dossier peut s'afficher de plusieurs façons : icônes, liste détaillée, *etc.* Choisissez celle qui convient le mieux aux actions que vous désirez effectuer.

1.   Sélectionnez le dossier à modifier.

2.   Cliquez le bouton 🖩▾ puis le type d'affichage dans la liste.

> **Note** Les dossiers contenant des images sont des cas particuliers. Consultez le chapitre 10.

Changer l'ordre de classement

Par défaut, les fichiers sont classés par ordre alphabétique. Les dossiers sont toujours placés en début de liste.

1.   Sélectionnez le dossier à classer.

2.   Cliquez le menu **Affichage → Réorganiser les icônes** puis l'ordre de classement (**Nom**, **Taille**, **Type** ou **Modifié le**).

Avec l'affichage détaillé, le classement est encore plus simple :

1.   Cliquez le bouton 🖩▾ puis **Détails**.

2.   Cliquez un en-tête de colonne, par exemple **Nom**.

La liste est triée par ordre croissant ou décroissant de la colonne choisie (figure 6-3).

3.   Cliquez l'en-tête de la même colonne.

La liste est triée dans l'ordre inverse.

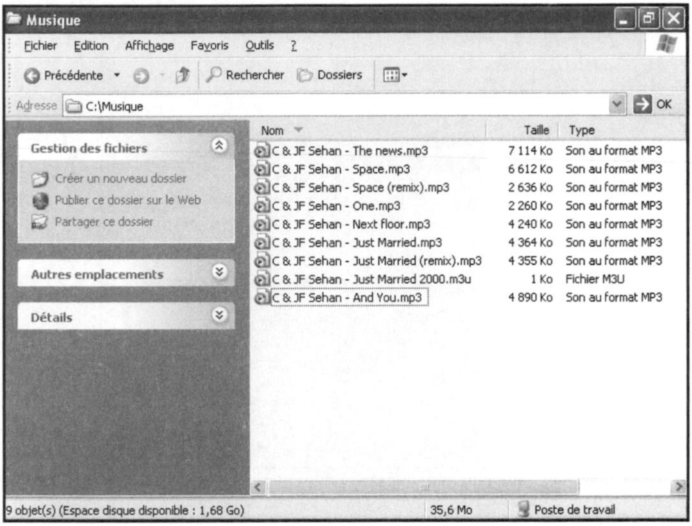

Figure 6-3 Affichage détaillé et classement par noms.

Classer les fichiers par groupes

Pour mieux classer vos fichiers, vous pouvez les réunir par groupes (par lettres de l'alphabet, par jours, mois ou années, *etc.*).

1. Cliquez le menu **Affichage → Réorganiser les icônes par → Afficher par groupe**.

2. Cliquez un en-tête de colonne, par exemple **Date de modification**.

    La liste est triée par groupes (**Aujourd'hui**, **Hier**, **Plus tôt cette semaine**, **Le mois dernier**, *etc.*, comme dans l'exemple de la figure 6-4).

3. Cliquez le menu **Affichage → Réorganiser les icônes par → Afficher par groupe** pour ôter la coche et revenir à l'affichage d'origine.

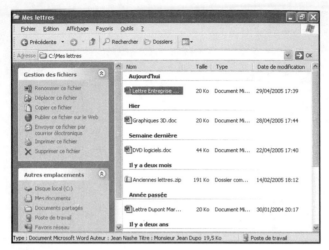

Figure 6-4 Affichage par groupes.

Sélectionner des éléments

Il est beaucoup plus simple et plus rapide de sélectionner plusieurs éléments pour leur appliquer la même action. C'est le cas, par exemple, si vous désirez déplacer ou supprimer plusieurs documents.

Sélectionner des fichiers contigus

1.   Cliquez le premier fichier pour le sélectionner.
2.   Maintenez enfoncée la touche **Maj** (cette touche se trouve au-dessus de la touche **Ctrl**).
3.   Cliquez le dernier fichier.
4.   Relâchez la touche **Maj**.

Seuls les fichiers sélectionnés sont en surbrillance (figure 6-5).

Sélectionner des fichiers non contigus

1.   Cliquez le premier fichier pour le sélectionner.
2.   Maintenez enfoncée la touche **Ctrl**.

3. Cliquez l'un après l'autre les autres fichiers à sélectionner.

4. Relâchez la touche **Ctrl**.

Seuls les fichiers sélectionnés sont en surbrillance (figure 6-6).

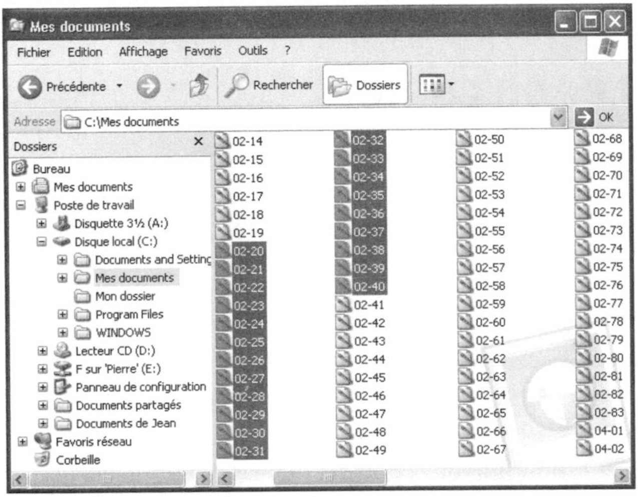

Figure 6-5 Sélection de fichiers contigus.

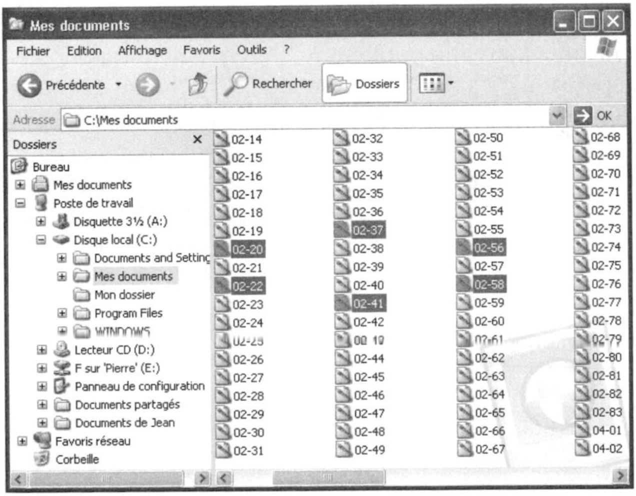

Figure 6-6 Sélection de fichiers non contigus.

Note Pour désélectionner un élément de la sélection, cliquez-le de nouveau en maintenant enfoncée la touche **Ctrl**. Pour sélectionner tout le contenu d'un dossier, cliquez un de ses fichiers puis tapez **Ctrl+A**.

Déplacer ou copier des documents

Il est parfois utile de déplacer des documents entre deux dossiers pour mieux les classer. Il est par contre nécessaire d'effectuer des copies de vos documents pour en assurer la pérennité.

1. Sélectionnez le ou les documents à déplacer.
2. Cliquez et faites glisser un des fichiers de la sélection vers le nouveau dossier.

Les fichiers sont toujours copiés d'un disque sur un autre (par exemple, du disque C: sur le lecteur de disquettes A:). Pour forcer un déplacement d'un disque sur un autre, maintenez la touche **Maj** enfoncée pendant l'étape **2**.

Si vous désirez faire une copie et non simplement un déplacement, répétez les étapes **1** et **2** mais en maintenant la touche **Ctrl** enfoncée pendant l'étape **2**.

Astuce Si vous n'êtes pas à l'aise pour utiliser en même temps la souris et le clavier, réalisez les étapes **1** et **2** avec le bouton droit de la souris. Windows ouvre un menu contextuel dès que vous relâchez le bouton. Cliquez ensuite dans ce menu la commande **Déplacer ici** ou **Copier ici**.

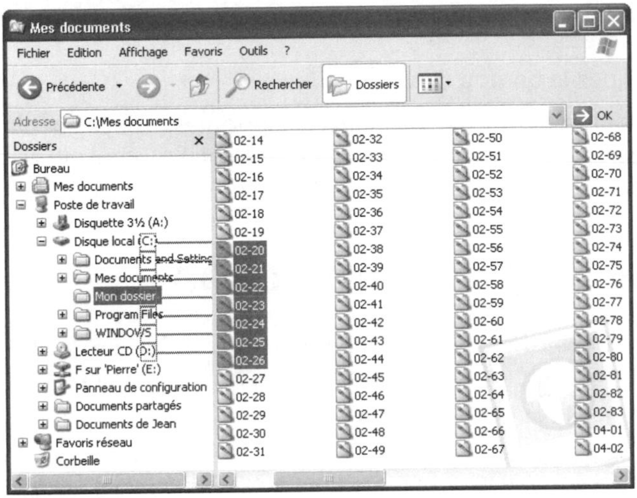

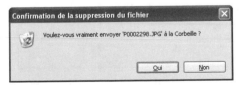

Figure 6-7 Copie de fichiers du dossier « Mes documents » vers le dossier « Mon dossier ».

Supprimer un document

Si vous n'avez plus besoin de certains fichiers, vous pouvez les supprimer pour gagner de la place sur votre disque dur.

1. Sélectionnez le ou les documents à supprimer.
2. Appuyez sur la touche **Suppr**.

Conseil Ne supprimez que vos documents. Ne supprimez pas les autres fichiers. Ils appartiennent probablement à une application ou à Windows.

Figure 6-8 Suppression d'un fichier.

La boîte de la figure 6-8 vous demande de confirmer la suppression.

3. Cliquez le bouton **Oui**.

Les fichiers ne sont pas réellement supprimés. Ils sont déplacés dans un dossier spécial baptisé Corbeille (consultez le chapitre 8 pour plus d'informations).

Annuler la dernière action

Que vous ayez déplacé, copié, renommé ou supprimé des éléments, vous pouvez toujours annuler la dernière action.

1. Cliquez le menu **Edition → Annuler**.

> **Note** La commande **Annuler** du menu **Edition** précise le type d'annulation : **Annuler Déplacer**, **Annuler Supprimer**, *etc.* (figure 6-9).

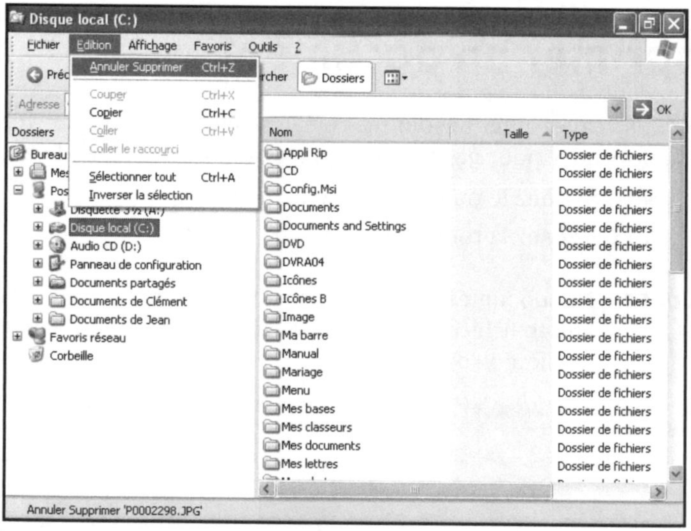

Figure 6-9 Annulation de la dernière action.

Utiliser le panneau du Poste de travail

Si vous êtes réfractaire au « cliquer-glisser » et aux touches du clavier, le Poste de travail vous propose un panneau contextuel pour déplacer, copier ou supprimer des fichiers et des dossiers.

Éventuellement, cliquez le bouton 🗁 Dossiers pour qu'il ne soit pas enfoncé.

Commandes de déplacement

Dans le panneau de gauche, la zone **Autres emplacements** propose des commandes pour afficher directement un emplacement précis de l'ordinateur (figure 6-10).

Figure 6-10 Utilisation du panneau contextuel.

Cliquez dans le panneau de gauche l'emplacement à atteindre.

Note Cliquez les boutons ☒ et ☒ pour afficher ou masquer les zones du panneau de gauche.

Commandes des dossiers

1. Double-cliquez un dossier pour l'ouvrir.

   La zone **Gestion des fichiers** propose des commandes relatives au dossier ouvert (créer un nouveau dossier, publier le dossier sur Internet ou partager le dossier sur le réseau).

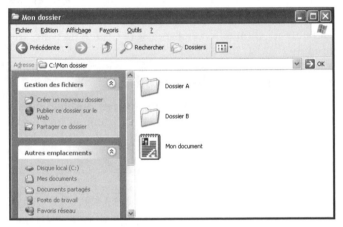

Figure 6-11 Commandes relatives aux dossiers.

2. Cliquez un dossier pour le sélectionner (figure 6-11).

   La zone **Gestion des fichiers** propose de nouvelles commandes relatives au dossier ouvert (renommer, déplacer, copier, *etc.*).

3. Cliquez dans le panneau de gauche la commande à exécuter.

Commandes des fichiers

4. Sélectionnez un ou des fichiers.

   La zone **Gestion des fichiers** propose des commandes relatives aux fichiers sélectionnés (renommer, déplacer, copier, *etc.*).

5. Cliquez dans le panneau de gauche la commande à exécuter (figure 6-12).

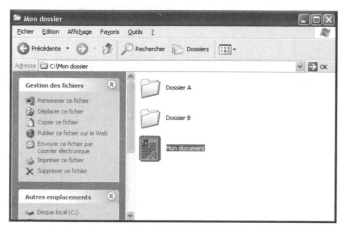

Figure 6-12 Commandes relatives aux fichiers.

Copier ou déplacer un fichier ou un dossier

Si vous avez choisi la commande **Déplacer** ou **Copier**, Windows affiche une boîte pour rechercher le dossier de destination.

1. Recherchez l'emplacement de destination dans la boîte de la figure 6-13. Cliquez les boutons ⊞ et ⊟ pour développer ou réduire l'arborescence. Cliquez le dossier de destination pour le sélectionner.

2. Cliquez le bouton **Déplacer** ou **Copier**.

Figure 6-13 Déplacement ou copie d'un fichier ou d'un dossier.

Ajouter un raccourci sur le Bureau

Avec le Poste de travail, vous pouvez ajouter directement un raccourci sur le Bureau vers n'importe quel élément (fichier, dossier, *etc.*).

> **Note** Pour gérer les raccourcis du Bureau et du menu démarrer, consultez le chapitre 20.

1. Cliquez le bouton ⬜ pour réduire la fenêtre du Poste de travail et voir le Bureau.

2. Avec le bouton droit, cliquez et faites glisser vers le Bureau le disque, le dossier, l'application ou le document dont vous désirez ajouter un raccourci.

> **Attention!** Si vous n'utilisez pas le bouton droit, les dossiers et les documents sont déplacés vers le Bureau.

3. Cliquez la commande **Créer les raccourcis ici** dans le menu contextuel.

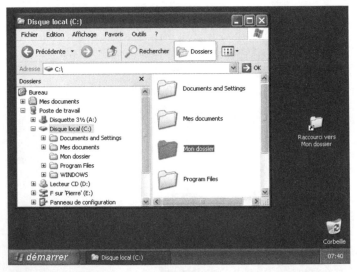

Figure 6-14 Ajout d'un raccourci au Bureau.

Le raccourci est ajouté sur le Bureau (figure 6-14). Vous n'avez plus besoin d'ouvrir le Poste de travail et de rechercher l'élément pour y accéder. Double-cliquez simplement le raccourci pour l'ouvrir.

Astuce En sélectionnant plusieurs éléments, vous ajoutez plusieurs raccourcis en une seule fois.

Ouvrir une application ou un document

Si vous avez trouvé une application ou un document avec le Poste de travail, vous pouvez l'ouvrir immédiatement.

Ouvrir une application

1. Cliquez le dossier qui contient l'application.
2. Double-cliquez l'icône ou le nom de l'application.

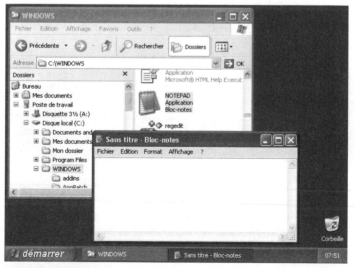

Figure 6-15 Ouverture d'une application.

La fenêtre de l'application s'ouvre (figure 6-15).

3. Créez ou ouvrez un document comme à l'accoutumée.

4. Cliquez le bouton ✖ pour fermer l'application. Cliquez le bouton **Oui** si l'application vous demande d'enregistrer le nouveau document, puis saisissez son nom (consultez le début du chapitre 3 pour la gestion des documents).

Ouvrir un document

5. Cliquez le dossier qui contient le document.

6. Double-cliquez l'icône ou le nom du document.

Le document s'ouvre avec l'application correspondante (figure 6-16).

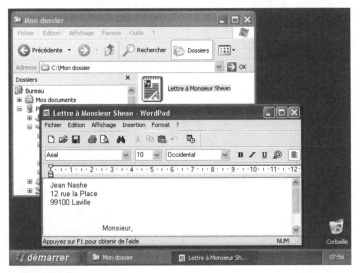

Figure 6-16 Ouverture d'un document.

7. Modifiez le document comme à l'accoutumée.

8. Cliquez le bouton ✖ pour fermer l'application et le document. Cliquez le bouton **Oui** si l'application vous demande d'enregistrer les modifications.

Imprimer directement un document

Vous pouvez imprimer directement un document à partir du Poste de travail sans même ouvrir l'application correspondante.

1. Cliquez avec le bouton droit le document à imprimer.

2. Cliquez la commande **Imprimer** dans le menu contextuel (figure 6-17).

    L'application correspondante est lancée, le document est imprimé avec l'imprimante par défaut, puis l'application est fermée.

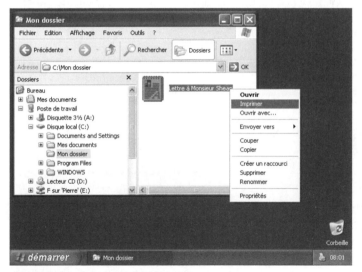

Figure 6-17 Impression d'un document.

L'icône 🖨 dans la barre des tâches indique que l'impression est en cours.

Afficher la liste des derniers éléments consultés

Le Poste de travail conserve pour vous des liens vers les derniers documents ou les dernières pages Web consultés. Vous pouvez ainsi y accéder facilement sans effectuer de fastidieuses recherches.

Note Pour retrouver des éléments par une recherche systématique, consultez le chapitre 7.

1. Cliquez le menu **Affichage → Volet d'exploration → Historique** ou tapez le raccourci **Ctrl+H**.
2. Cliquez la date de consultation dans le panneau de gauche.

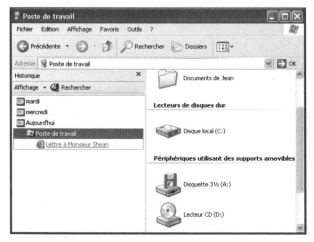

Figure 6-18 Historique des éléments consultés.

3. Éventuellement, cliquez le dossier qui contient le document (figure 6-18).
4. Cliquez le document pour l'ouvrir avec l'application correspondante.

Note Pour revenir à l'affichage de l'arborescence des dossiers dans le volet de gauche, cliquez le bouton 🗁 Dossiers .

Personnaliser les dossiers

Pour retrouver plus facilement un dossier dans le Poste de travail, personnalisez son icône ou son affichage en miniature.

1. Cliquez avec le bouton droit le dossier à personnaliser.
2. Cliquez la commande **Propriétés** dans le menu contextuel.
3. Dans la boîte **Propriétés…**, cliquez l'onglet **Personnaliser**.

Choisir l'image en miniature

4. Cliquez le bouton **Choisir une image…**.
5. Sélectionnez dans la liste **Regarder dans** le dossier qui contient l'image.
6. Cliquez le nom du fichier de l'image.
7. Cliquez le bouton **Ouvrir**.

Figure 6-19 Image de personnalisation d'un dossier.

L'image du dossier est affichée dans la zone **Aperçu** (figure 6-19). Cette image représentera le dossier dans l'affichage en miniature (bouton ▦▾ puis **Miniatures**).

Choisir l'icône

1. Cliquez le bouton **Changer d'icône…**.
2. Sélectionnez une icône dans la liste proposée (figure 6-20).

Figure 6-20 Choix de l'icône d'un dossier.

3. Cliquez le bouton **OK**.

   L'icône à côté du bouton **Changer d'icône…** affiche la nouvelle présentation du dossier pour les affichages autres que **Miniatures** (figure 6-19).

4. Cliquez le bouton **OK** dans la boîte **Propriétés de…**.

Personnaliser l'affichage du Poste de travail

Le Poste de travail proposent une multitude d'options d'affichage pour s'adapter à votre façon de travailler.

1. Cliquez le menu **Outils** → **Options des dossiers**.
2. Cliquez l'onglet **Affichage**.

   La boîte de la figure 6-21 propose une multitude d'options d'affichage.

Figure 6-21 Options d'affichage.

3.   Pour connaître leur fonction, cliquez le bouton ? puis cliquez une option. Cochez ou décochez les options voulues.

4.   Cliquez le bouton **OK** pour valider vos choix.

Rechercher des fichiers

Dans le dédale de l'arborescence des lecteurs, on peut se perdre facilement et ne plus retrouver les siens (ses documents bien sûr !). Quand on ne connaît plus le lecteur ou le dossier d'un document, quand on a oublié jusqu'à son nom, la recherche évite bien des crises de nerfs. Ne cherchez plus à l'aveuglette vos fichiers ! Demandez à Windows de le faire à votre place.

Dans ce chapitre

- Rechercher un fichier par son nom ou son contenu
- Rechercher un fichier par dates
- Rechercher un fichier par sa taille
- Modifier ou supprimer le personnage de l'assistant

Avec les mois et les années, vous aurez de plus en plus de documents. Il sera alors difficile de se souvenir de leur nom. Windows peut vous aider à effectuer une recherche à partir de mots clés, soit sur le nom du document, soit sur son contenu, mais aussi par dates ou par tailles.

Conseil Pour ne pas resaisir des éléments existants, il est parfois plus simple de débuter un nouveau document en le basant sur un document existant. Retrouver facilement vos anciens documents est donc primordial dans ce cas.

Rechercher un fichier par son nom ou son contenu

1. Ouvrez le Poste de travail (menu **démarrer** → **Poste de travail**).
2. Sélectionnez le disque ou le dossier où doit s'effectuer la recherche. Pour rechercher le fichier dans tous les éléments de l'ordinateur, sélectionnez **Poste de travail**.
3. Cliquez le bouton 🔍 Rechercher ou appuyez sur la touche **F3**.

Astuce Si vous ne désirez pas utiliser le Poste de travail, cliquez le bouton **démarrer** → **Rechercher**, puis sélectionnez la cible dans la liste **Rechercher dans**.

Le volet de gauche affiche maintenant les paramètres de la recherche.

4. Si vous avez le panneau de la figure 7-1, cliquez le lien **Tous les fichiers et tous les dossiers**.
5. Tapez le nom du fichier dans la zone **Une partie ou l'ensemble du nom**.

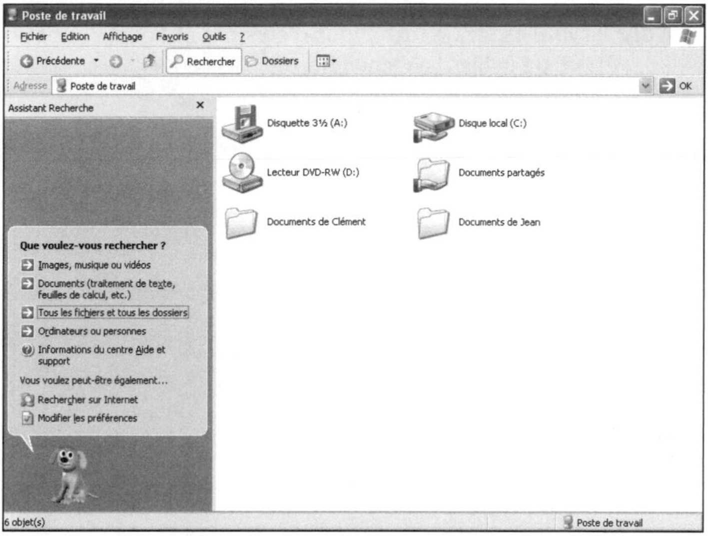

Figure 7-1 Assistant de recherche.

Si vous ne vous souvenez pas du nom exact, vous pouvez remplacer une lettre par un point d'interrogation, ou un groupe de lettres par une étoile. Par exemple, le mot clé Contrat-??-10-2006 permet de trouver les fichiers avec le nom Contrat-10-10-2006 ou Contrat-25-10-2006. Le mot clé *.xls permet de retrouver tous les fichiers avec cette extension, c'est-à-dire uniquement les documents Excel. Il n'est pas nécessaire de taper le nom complet, mais, dans ce cas, la liste risque d'être longue. Si vous tapez uniquement le mot clé Contrat, tous les fichiers dont le nom contient ce mot seront trouvés.

Attention ! Windows ne trouve pas toujours les bons fichiers si les noms contiennent des espaces. Remplacez dans ce cas les espaces par des points d'interrogation, par exemple Contrat???-10-2006, pour trouver les fichiers avec le nom Contrat 10-10-2006 ou Contrat 25-10-2006.

1. Éventuellement, tapez le texte que contient le document dans la zone **Un mot ou une phrase dans le fichier** (figure 7-2).

> **Note** Si vous tapez un texte, vous n'êtes pas obligé de saisir un nom de fichier. La recherche, uniquement sur le contenu, est très longue.

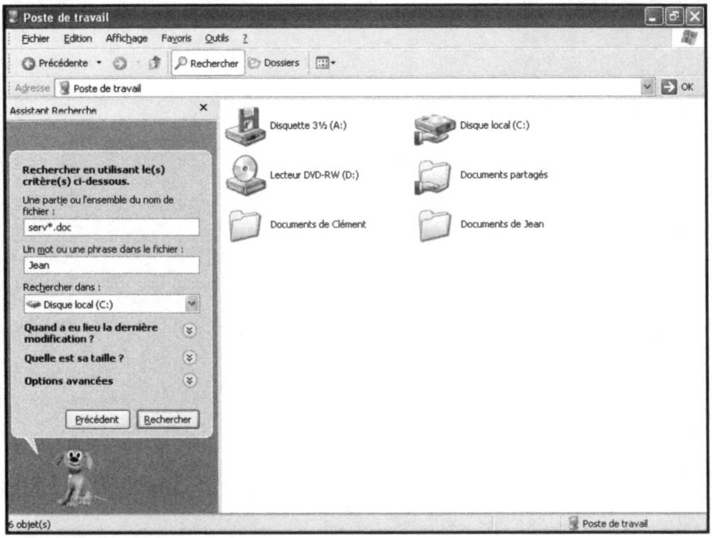

Figure 7-2 Recherche sur un nom et un contenu.

2.   Éventuellement, sélectionnez une autre cible dans la liste **Rechercher dans**. Pour sélectionner plusieurs disques, si l'ordinateur en possède au moins deux, sélectionnez **Disques durs locaux**.

3.   Cliquez le bouton **Rechercher**.

> Cliquez le bouton **Arrêter** pour stopper la recherche si elle vous paraît trop longue ou si Windows a trouvé les fichiers recherchés.

La partie de droite affiche tous les fichiers correspondant à la recherche (figure 7-3). Si vous désirez consulter ou modifier un des documents trouvés, double-cliquez son nom dans cette partie.

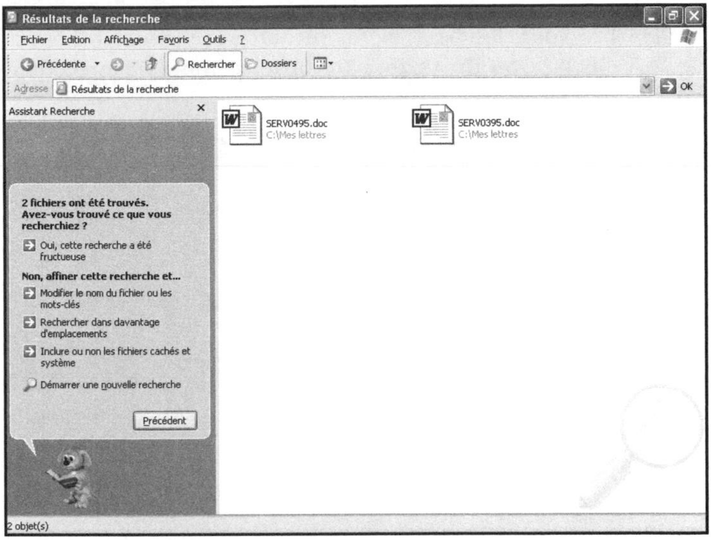

Figure 7-3 Résultat d'une recherche de fichiers.

4.   Pour effectuer une nouvelle recherche, cliquez le bouton **Précédent**.

Rechercher des fichiers par dates

Mais où est donc ce fichier ? Windows le recherche pour vous à partir de sa date de création, de modification ou d'accès.

1.   Cliquez le bouton 🔎 Rechercher dans le Poste de travail, ou cliquez le bouton **démarrer → Rechercher**.

2.   Cliquez le bouton ⊗ en regard de la zone **Quand a eu lieu la dernière modification ?** pour afficher les options de recherche par dates.

Recherche sur des dates approximatives

3.   Cochez l'option de la date approximative des fichiers à rechercher (semaine, mois ou année).

Conseil Si vous désirez affiner la recherche, précisez un nom de fichier ou un texte à retrouver comme vu précédemment.

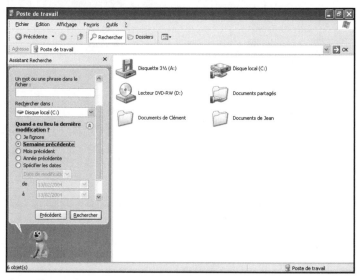

Figure 7-4 Recherche par dates approximatives.

4. Cliquez le bouton **Rechercher**.

Recherche sur des dates précises

5. Cochez l'option **Spécifier les dates**.

6. Sélectionnez le type de date dans la liste au-dessous de l'option **Spécifier les dates**.

7. Cliquez la zone **de**, puis cliquez une date dans le calendrier (figure 7-5). Répétez cette étape pour la zone **à**.

8. Cliquez le bouton **Rechercher**.

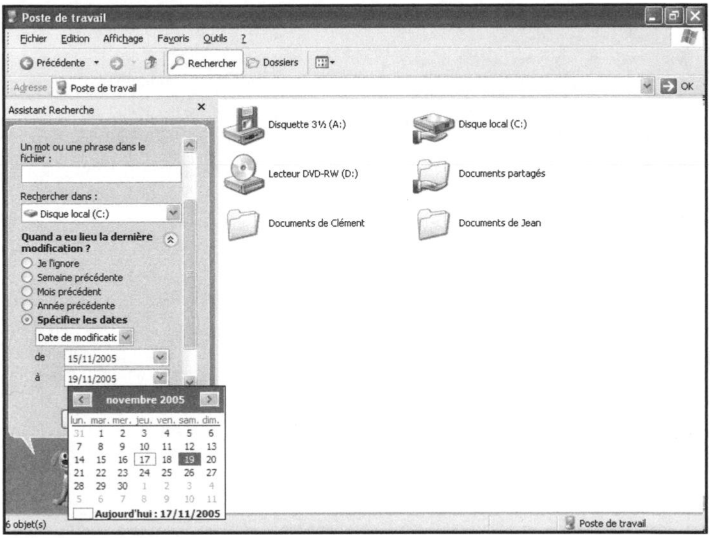

Figure 7-5 Recherche par dates précises.

Rechercher des fichiers par tailles

9.   Cliquez le bouton 🔎 Rechercher dans le Poste de travail, ou cliquez le bouton **démarrer** ➜ **Rechercher**.

10. Cliquez le bouton ⟨⟩ en regard de la zone **Quelle est sa taille ?** pour afficher les options de recherche par tailles.

Recherche par tailles approximatives

11. Cochez l'option de la taille approximative des fichiers à rechercher (petite, moyenne ou grande).

Conseil   Si vous désirez affiner la recherche, précisez un nom de fichier ou un texte à retrouver comme vu précédemment.

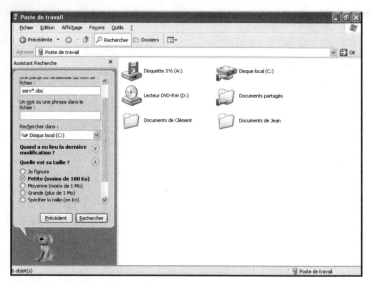

Figure 7-6 Recherche par tailles approximatives.

12. Cliquez le bouton **Rechercher**.

Recherche par tailles précises

13. Cochez l'option **Spécifier la taille**.

14. Sélectionnez le type de taille dans la liste au-dessous de l'option **Spécifier la taille**.

15. Tapez la taille dans le compteur au-dessous de l'option **Spécifier la taille** (figure 7-7).

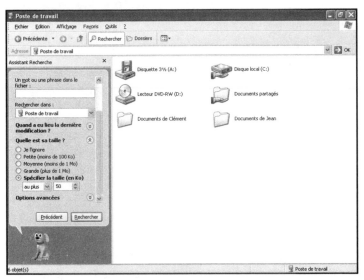

Figure 7-7 Recherche par tailles précises.

16. Cliquez le bouton **Rechercher**.

Modifier ou supprimer le personnage de la recherche

L'assistant de recherche propose un personnage animé. Vous pouvez en choisir un autre parmi les quatre proposés. S'il prend trop de place dans la recherche avancée, vous pouvez aussi le supprimer.

1. Cliquez le bouton ⌕ Rechercher dans le Poste de travail, ou cliquez le bouton **démarrer → Rechercher**.

2. Cliquez le lien **Modifier les préférences** dans le panneau de gauche (figure 7-1).

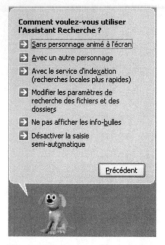

Figure 7-8 Suppression ou changement de personnage.

3. Cliquez le lien **Sans personnage animé à l'écran** pour le désactiver (figure 7-8).

4. Cliquez le lien **Avec un autre personnage** pour le modifier (figure 7-8).

5. Cliquez les boutons **Suivant** et **Précédent** pour choisir le personnage (figure 7-9).

Figure 7-9 Choix du personnage de l'assistant de recherche.

6. Cliquez le bouton **OK**.

Utiliser la Corbeille

La Corbeille conserve tous les fichiers que vous avez supprimés. Elle permet donc de retrouver les documents que vous pensiez avoir détruits par mégarde. Ne désespérez pas, le fichier qui vous manque s'y trouve peut-être encore.

Dans ce chapitre

- Consulter des fichiers supprimés
- Restaurer des fichiers supprimés
- Supprimer définitivement des fichiers

- Vider totalement la Corbeille
- Définir la taille de la Corbeille
- Contourner la Corbeille
- Supprimer les fichiers sans confirmation

Consulter les fichiers supprimés

La Corbeille est un dossier de transition pour les fichiers supprimés. Consultez régulièrement son contenu.

1. Double-cliquez l'icône **Corbeille** sur le Bureau, ou cliquez l'icône **Corbeille** dans la partie de gauche du Poste de travail s'il est actuellement ouvert.

    Vous retrouvez dans la liste de droite, ou dans la fenêtre Corbeille, tous les fichiers que vous avez précédemment supprimés.

2. Au besoin, cliquez le bouton 🗁 Dossiers pour afficher le panneau de commandes dans la partie de gauche.

Figure 8-1 Contenu de la Corbeille.

Avant de restaurer ou de supprimer un fichier, il est intéressant de connaître ses propriétés.

1. Cliquez avec le bouton droit le fichier supprimé.

2. Cliquez la commande **Propriétés** dans le menu contextuel (figure 8-1).

    La boîte de la figure 8-2 affiche les dates de création et de suppression du fichier ainsi que son dossier d'origine.

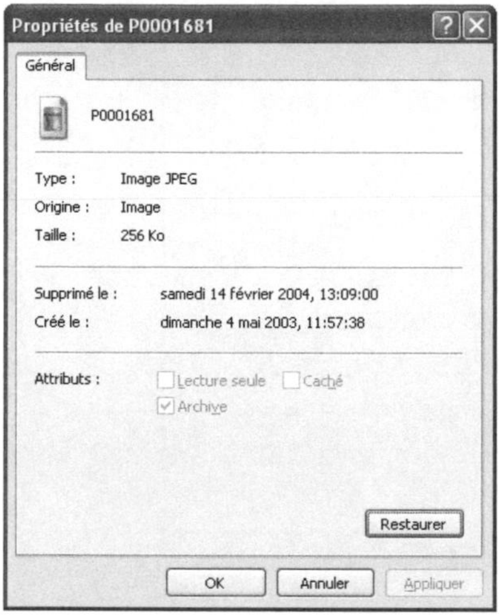

Figure 8-2 Propriétés d'un fichier de la Corbeille.

3.   Cliquez le bouton **OK**.

Restaurer les fichiers supprimés

Les fichiers supprimés (à partir du Poste de travail, du Bureau, *etc.*) ne sont pas perdus. Ils sont déplacés vers la Corbeille. Tant que vous ne décidez pas de leur sort, ils y restent.

1.   Sélectionnez le ou les fichiers à restaurer (pour sélectionner plusieurs fichiers, consultez le chapitre 6).

2.   Cliquez dans la partie de gauche **Restaurer cet élément** ou **Restaurer les éléments sélectionnés** selon le cas. Vous pouvez aussi cliquer avec le bouton droit un des fichiers sélectionnés, puis cliquer la commande **Restaurer** dans le menu contextuel (figure 8-3).

Note Si le dossier qui contenait les fichiers a été supprimé, Windows le recrée automatiquement.

Figure 8-3 Restauration de fichiers.

Supprimer définitivement des fichiers

Les fichiers dans la Corbeille utilisent de la place sur votre disque dur. Il est donc nécessaire de faire du « ménage » de temps en temps pour gagner quelques mégaoctets.

1. Sélectionnez le ou les fichiers à supprimer.

2. Appuyez sur la touche **Suppr**.

3. Cliquez le bouton **Oui** pour confirmer la suppression (figure 8-4).

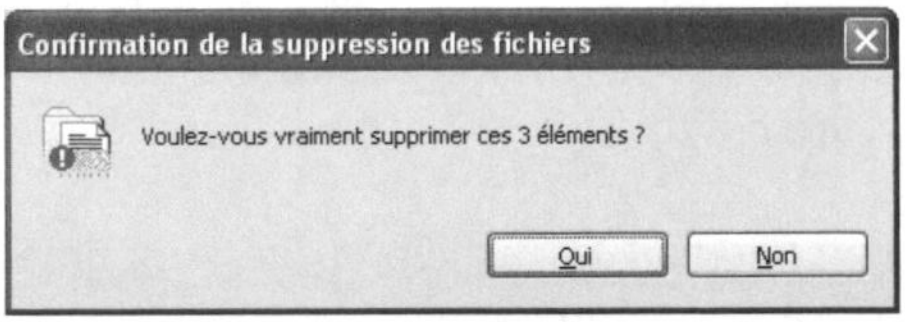

Figure 8-4 Suppression de fichiers.

Attention ! La suppression est ici définitive. Vous devez donc vérifier avec soin les fichiers sélectionnés avant de les supprimer.

Vider totalement la Corbeille

Si vous n'avez aucune hésitation concernant les fichiers qu'elle contient, une seule opération suffit à vider l'intégralité de la Corbeille.

À partir du Bureau

1. Cliquez avec le bouton droit l'icône **Corbeille**.
2. Cliquez la commande **Vider la Corbeille** dans le menu contextuel (figure 8-5).
3. Cliquez le bouton **Oui** pour supprimer définitivement tous les fichiers de la Corbeille.

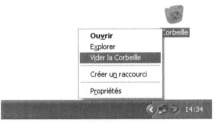

Figure 8-5 Suppression de tous les fichiers de la Corbeille.

Attention ! N'oubliez pas qu'en supprimant un dossier, vous supprimez aussi les sous-dossiers et les fichiers qu'il contient !

À partir de la fenêtre Corbeille

4. Cliquez le lien **Vider la Corbeille** dans la partie de gauche.
5. Cliquez le bouton **Oui** pour supprimer définitivement tous les fichiers de la Corbeille.

Modifier les propriétés de la Corbeille

Pour mieux utiliser la Corbeille, modifiez certaines propriétés.

1.   Sur le Bureau, cliquez avec le bouton droit l'icône **Corbeille**.

2.   Cliquez la commande **Propriétés** dans le menu contextuel.

Définir la taille de la Corbeille

La taille de la Corbeille varie en fonction de la capacité du ou des disques durs de votre ordinateur.

1.   Faites glisser le curseur **Taille maximale...** pour définir la taille de la Corbeille (figure 8-6).

Note Si vous dépassez la taille de la Corbeille, les nouveaux fichiers supprimés remplacent les anciens.

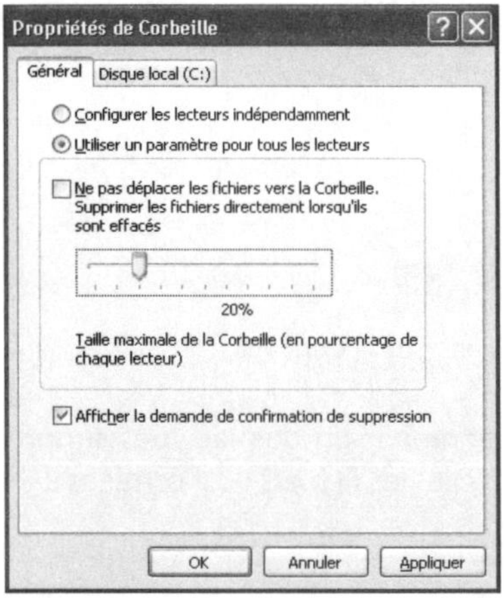

Figure 8-6 Modification de la taille de la Corbeille.

Définir différentes tailles si l'ordinateur contient plusieurs disques

2.   Cliquez l'option **Configurer les lecteurs indépendamment** (figure 8-6).

3.   Cliquez l'onglet du disque dont vous désirez modifier la taille de la Corbeille (figure 8-7).

4.   Faites glisser le curseur **Taille maximale...** pour définir la nouvelle taille de la Corbeille de ce disque.

5. Éventuellement, répétez les étapes **2** et **3** pour les autres disques.

Contourner la Corbeille

Si vous êtes sûr et certain des fichiers que vous supprimez, contournez la Corbeille.

Cochez l'option **Ne pas déplacer les fichiers vers la Corbeille...** (figure 8-8).

Les fichiers supprimés ne transiteront plus par la Corbeille et seront définitivement supprimés après confirmation.

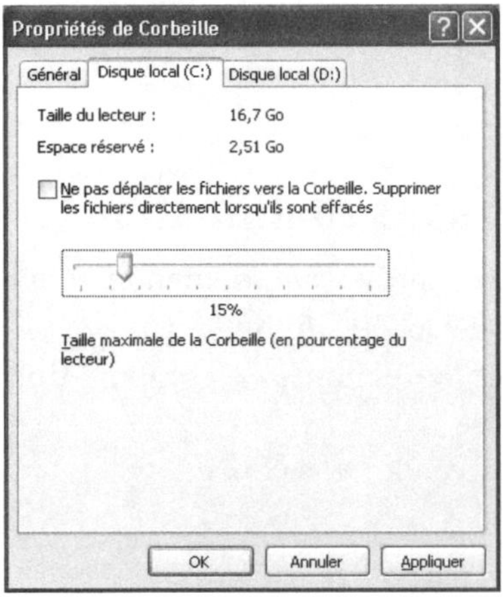

Figure 8-7 Modification de la taille de la Corbeille d'un disque.

Astuce Si vous ne désirez pas contourner systématiquement la Corbeille, vous pouvez supprimer des fichiers définitivement avec la combinaison de touches **Maj+Suppr**.

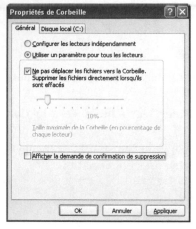

Figure 8-8 Inhibition de la Corbeille.

Supprimer les fichiers sans confirmation

À chaque suppression, Windows, prévoyant, demande confirmation. Passez outre si cela vous semble inutile.

1. Décochez l'option **Afficher la demande de confirmation de suppression** (figure 8-8).

2. Cliquez le bouton **OK** pour valider vos choix.

Sauvegarder vos données

Dans un ordinateur, seuls les documents sont importants. En effet, vous serez toujours en possession des disquettes ou des CD-ROM des logiciels que vous avez installés. En cas de panne, vous pourrez les réinstaller à partir de ces supports. Il n'en va pas de même pour vos documents. Ceux-ci sont précieux car ils représentent des heures, des jours, voire des mois de travail. Vous devez donc en conserver des copies sur des supports amovibles, c'est-à-dire en dehors de votre ordinateur, au cas où le disque dur serait endommagé.

Dans ce chapitre

- Créer des dossiers compressés
- Utiliser des disquettes
- Utiliser des CD-R/RW
- Sauvegarder et restaurer des fichiers avec Backup

Unités de sauvegarde

Il existe plusieurs types d'unités de sauvegarde. Le lecteur de disquettes fut longtemps le plus utilisé, mais ce support tend aujourd'hui à se raréfier. En effet, bien que les disquettes permettent d'échanger vos données avec d'autres personnes, ou d'effectuer des copies de sauvegarde de votre travail, leur capacité est malheureusement limitée à 1,4 Mo. Tant que vous les utilisez pour enregistrer des textes ou des feuilles de calcul, cette capacité est suffisante, mais n'espérez pas y stocker, par exemple, des images de bonne qualité. Le tableau 9-1 donne un ordre d'idée sur la taille des fichiers.

Logiciel ou document	Pour	Taille
Windows XP	Installation par défaut	1 Go
Office 2003 standard (Word, Excel, PowerPoint)	Installation par défaut	120 Mo
Office 2003 professionnel (Word, Excel, PowerPoint, Access, *etc.*)	Installation complète	400 Mo
Word 2003	Un texte de 10 pages	80 ko
Word 2003	Le livre que vous avez entre les mains (sans les images)	2 Mo
Excel 2003	Un tableau de 100 lignes sur 100 colonnes	100 ko
Image non compressée	Une image couleur de 1 024 × 1 536 points au format BMP	4,5 Mo
Images compressée	Une image couleur de 1 024 × 1 536 points au format JPEG	0,5 Mo

Tableau 9-1 Taille des fichiers des logiciels et des documents

Logiciel ou document	Pour	Taille
Textes et images	Le livre que vous avez entre les mains (y compris les images en N&B)	30 Mo
Vidéo	Un fichier MPEG-2 (format DVD) de 1 minute	45 Mo
Vidéo	Un fichier AVI (format DV des Caméscopes numériques) de 1 minute	220 Mo
Vidéo	Un film de 1h30 au format DivX	700 Mo
Musique non compressée	Un morceau de musique de 4 minutes au format Wave (format des CD Audio)	35 Mo
Musique compressée	Un morceau de musique de 4 minutes au format MP3	6 Mo

Tableau 9-1 Taille des fichiers des logiciels et des documents *(suite)*

Aujourd'hui, les ordinateurs sont de plus en plus fréquemment livrés avec une nouvelle unité de sauvegarde : le graveur de CD. Celui-ci pallie le grand défaut des disquettes : il peut contenir jusqu'à 800 Mo de données, de quoi satisfaire la gourmandise des fichiers multimédias et, en particulier, celle des fichiers vidéo. En utilisant des CD-RW, le graveur se comporte comme un disque dur, sans toutefois être aussi rapide.

Définition **CD-R** et **CD-RW**. Les CD-R sont des CD inscriptibles une seule fois. Une fois gravés, vous pouvez uniquement les lire. Les CD-RW sont des CD réinscriptibles un millier de fois.

Aujourd'hui, les graveurs de CD sont remplacés en standard par des graveurs de DVD qui, eux, proposent une capacité de 4,3 Go (figure 9-1).

Figure 9-1 Graveur de DVD.

Compresser des fichiers

La compression des fichiers permet de gagner de la place sur votre disque dur, mais aussi d'ajouter plus de données sur les supports comme les disquettes. Elle s'effectue dans le Poste de travail.

Créer un dossier compressé

1. Ouvrez le Poste de travail.

2. Sélectionnez le disque ou le dossier qui doit contenir le dossier compressé.

3. Cliquez le menu **Fichier → Nouveau → Dossier compressé**.

4. Tapez immédiatement le nom du nouveau dossier compressé et validez avec la touche **Entrée**.

Note Pour renommer un dossier, consultez le chapitre 5.

Les dossiers compressés sont représentés par l'icône (figure 9-2).

Note Les dossiers compressés sont en réalité des fichiers Zip. Vous pouvez les échanger avec d'autres utilisateurs qui possèdent ce logiciel d'archivage ou les versions XP et Me de Windows.

Figure 9-2 Dossier compressé.

Copier des fichiers dans un dossier compressé

Une fois que le dossier compressé est créé, ajoutez-lui des fichiers, maintenant ou ultérieurement en fonction de vos besoins.

1. Sélectionnez les fichiers à copier dans le dossier compressé.

2. Cliquez et faites glisser la sélection vers le dossier compressé (figure 9-3).

Les fichiers sont copiés et non déplacés dans le dossier compressé. Pour gagner de la place, vous devez supprimer les fichiers d'origine.

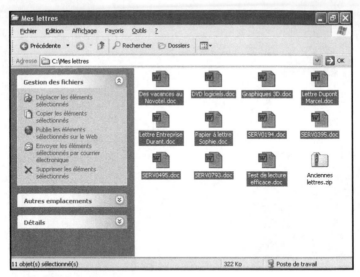

Figure 9-3 Copie dans un dossier compressé.

Compresser directement des fichiers

Vous pouvez compresser rapidement des fichiers dans le but, par exemple, d'en faire une copie sur disquette.

1. Sélectionnez les fichiers à compresser.

2. Cliquez le menu **Fichier → Envoyer vers → Dossier compressé** (figure 9-4).

Le dossier compressé porte le nom du dernier fichier sélectionné. Vous pouvez bien sûr le renommer.

Vous pourrez ensuite copier ce dossier compressé sur un support amovible comme une disquette ou un CD-R.

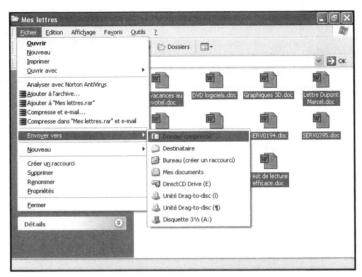

Figure 9-4 Compression de fichiers.

Compresser des disques NTFS

Si vous désirez gagner de la place sur votre disque dur for-
maté en NTFS (voir note ci-dessous), Windows permet de
compresser des fichiers, des dossiers, voire l'intégralité d'un
disque.

> **Note** Pour vérifier si vous disposez d'un disque NTFS, ouvrez
> l'Explorateur, cliquez le disque avec le bouton droit, puis
> choisissez la commande **Propriétés** dans le menu con-
> textuel. L'onglet Général indique le type de format du
> disque dans la zone **Système de fichiers** (FAT32 ou
> NTFS – voir figure 9-7).

Compresser un fichier ou un dossier

Pour gagner un peu de place sur votre disque, compressez les
fichiers et les dossiers volumineux.

> **Note** La compression de permet pas de gagner d'espace sur le disque dur de manière significative pour les fichiers ou les dossiers contenant des données déjà fortement compressées comme les images JPG ou les vidéos MPG et AVI.

1. Dans l'Explorateur, cliquez avec le bouton droit le fichier ou le dossier à compresser.

2. Cliquez **Propriétés** dans le menu contextuel.

3. Dans l'onglet Général, cliquez le bouton **Avancé**.

4. Cochez la case **Compresser le contenu...** (figure 9-5).

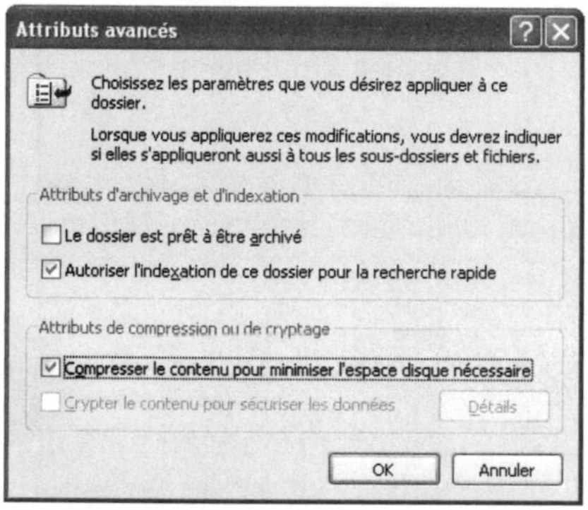

Figure 9-5 Compression de fichier ou dossier NTFS.

5. Cliquez le bouton **OK** dans la boîte Attributs avancés.

6. Cliquez le bouton **OK** dans la boîte Propriétés.

    Si vous avez choisi un dossier à l'étape **1**, Windows affiche une boîte qui vous permet de compresser aussi les sous-dossiers (choix par défaut).

7. Éventuellement, cochez l'option **Appliquer les modifications uniquement à ce dossier** (figure 9-6).

8. Cliquez le bouton **OK**.

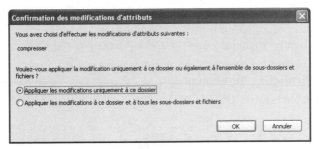

Figure 9-6 Compression des sous-dossiers.

Compresser un disque

Si vous manquez cruellement de place, il est temps d'activer la compression de l'intégralité de votre disque dur NTFS. En contrepartie, la lecture et l'écriture seront légèrement ralenties.

1. Dans l'Explorateur, cliquez avec le bouton droit le disque NTFS à compresser.

2. Cochez la case **Compresser le lecteur...** (figure 9-7).

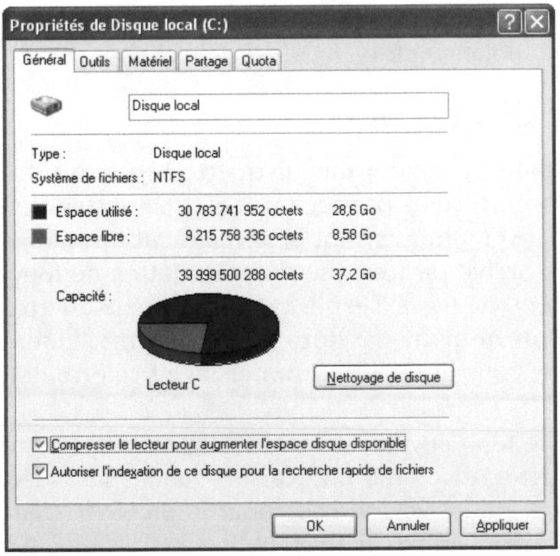

Figure 9-7 Compression d'un disque NTFS.

3. Cliquez le bouton **OK** dans la boîte Propriétés.

   Windows affiche une boîte qui vous permet de compresser aussi les sous-dossiers (choix par défaut).

4. Éventuellement, cochez l'option **Appliquer les modifications uniquement à....**

5. Cliquez le bouton **OK**.

Sauvegarder des fichiers sur disquettes

Comme nous le disions plus haut, les disquettes on longtemps fait partie des supports les plus répandus, mais leur usage tend désormais à se raréfier. Elles permettent d'échanger des fichiers avec d'autres personnes en possession d'un PC, mais aussi avec les utilisateurs d'un Mac de la société Apple.

Attention! Les disquettes sont des supports fragiles. Ne les stockez pas près d'une source magnétique (haut-parleur, écran, photocopieuse, *etc.*) ou près d'une source de chaleur (dessus d'écran, radiateur, *etc.*).

Formater une disquette

Le formatage consiste à préparer une disquette à recevoir des informations dans un format particulier. Les disquettes que vous achetez dans le commerce sont généralement formatées pour le PC. Mais il arrive parfois que des disquettes ne fonctionnent plus correctement. Si c'est le cas, ou si les disquettes en votre possession ne sont pas formatées ou proviennent d'un autre système, vous devez les formater ou les reformater.

Note Les disquettes peuvent être protégées physiquement contre l'écriture comme une cassette audio ou vidéo. Poussez le loquet vers le haut pour la protéger. Deux trous sont alors visibles (figure 9-8).

1. Insérez la disquette dans le lecteur.

Figure 9-8 Disquette protégée (à gauche) et disquette non protégée (à droite).

Attention! Le formatage supprime toutes les données des disquettes. Insérez uniquement des disquettes ne contenant pas de fichiers importants ou celles que vous ne pouvez plus lire et qui nécessitent obligatoirement un formatage.

2. Dans le Poste de travail, cliquez avec le bouton droit le lecteur de disquettes **A:**.

3. Cliquez la commande **Formater** dans le menu contextuel.

   Windows ouvre la boîte de dialogue Formater Disquette.

4. Cliquez le bouton **Démarrer** (figure 9-9).

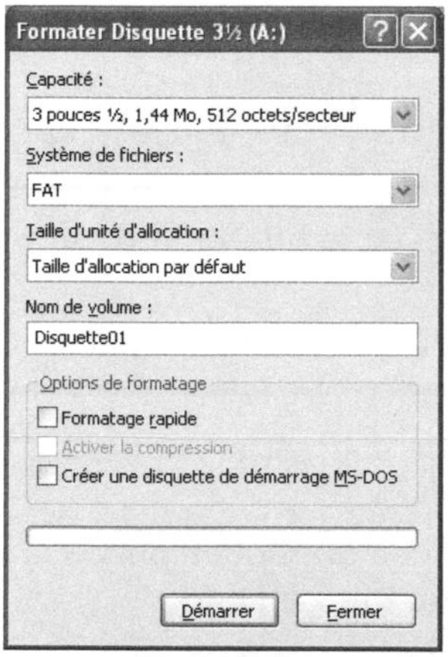

Figure 9-9 Formatage d'une disquette.

Windows vous avertit de la perte des données après un formatage.

5. Cliquez le bouton **OK** pour débuter le formatage.

6. Dès que le formatage est terminé, cliquez le bouton **OK**.

7. Cliquez le bouton **Fermer** dans la boîte Formater Disquette.

Vous pouvez maintenant utiliser votre disquette pour enregistrer vos documents.

> **Note** Si Windows affiche un message d'erreur pendant le formatage, votre disquette est très endommagée et le formatage n'y changera pas grand-chose. Vous ne pouvez plus l'utiliser.

Copier des fichiers ou des dossiers

La copie de fichiers ou de dossiers s'effectue comme pour les disques durs.

1. Sélectionnez les fichiers ou les dossiers à copier, y compris les dossiers compressés (voir plus haut dans ce chapitre).

2. Cliquez et faites glisser la sélection vers le lecteur de disquettes.

Dupliquer une disquette

Même avec un seul lecteur de disquettes, vous pouvez dupliquer une de vos disquettes.

1. Dans le Poste de travail, cliquez avec le bouton droit le lecteur de disquettes **A:**.

2. Cliquez la commande **Copie de disquette** dans le menu contextuel.

3. Dans la boîte de dialogue Copie de disquette, cliquez le bouton **Démarrer**.

4. Insérez dans le lecteur la disquette à dupliquer, puis cliquez le bouton **OK** dans la boîte qui s'affiche.

5. Insérez dans le lecteur la disquette de destination, puis cliquez **OK** dans la boîte qui s'affiche (figure 9-10).

Figure 9-10 Duplication d'une disquette.

6. Cliquez le bouton **Fermer** dans la boîte Copie de disquette.

Conseil Pour éviter des erreurs de manipulation, protégez en écriture la disquette à copier, et déprotégez la disquette de destination.

Graver des fichiers sur CD-R ou CD-RW

Si vous êtes l'heureux possesseur d'un graveur de CD/DVD, profitez de l'opportunité pour conserver durablement vos documents.

Préparer la gravure

1. Ouvrez le Poste de travail.

2. Éventuellement, cliquez le bouton 📁 Dossiers pour afficher la liste des lecteurs et des dossiers.

3. Insérez un CD-R ou un CD-RW dans le graveur.

Note Si une boîte de dialogue vous demande l'action à effectuer, cliquez l'icône **Ne rien faire**, puis cliquez le bouton **OK**. Si une fenêtre affiche le contenu du CD, cliquez le bouton ❎.

4. Sélectionnez les fichiers ou les dossiers à copier, y compris les dossiers compressés (voir plus haut dans ce chapitre).

5. Cliquez et faites glisser la sélection vers le graveur de CD.

Figure 9-11 Sélection des fichiers à graver.

6. Répétez les étapes **4** et **5** pour d'autres documents ou d'autres fichiers.

Conseil Chaque fois que vous gravez des fichiers sur un CD, vous créez une nouvelle session. Or, une session utilise environ 20 Mo du disque. Il est donc préférable de copier en une seule fois le maximum de fichiers pour faire un meilleur usage de l'espace de stockage.

7. Cliquez l'icône du graveur ou la bulle d'information de la barre des tâches (figure 9-11).

La liste de droite affiche les fichiers en attente de gravure.

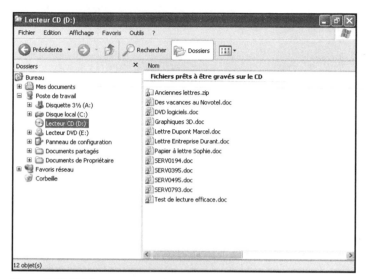

Figure 9-12 Fichiers en attente de gravure.

Graver les fichiers

8. Cliquez avec le bouton de droite l'icône du graveur.

9. Cliquez **Graver ces fichiers sur le CD-ROM** dans le menu contextuel.

> *Note* Si vous avez cliqué la bulle à l'étape **7**, le panneau de commandes s'affiche dans la partie gauche du Poste de travail. Cliquez dans ce cas la commande **Graver ces fichiers sur le CD-ROM** dans ce panneau puis passez à l'étape **10**.

Windows affiche un assistant (une suite de boîtes de dialogue) pour réaliser la gravure.

10. Tapez un nom pour le CD. Par défaut, c'est la date du jour qui est proposée.

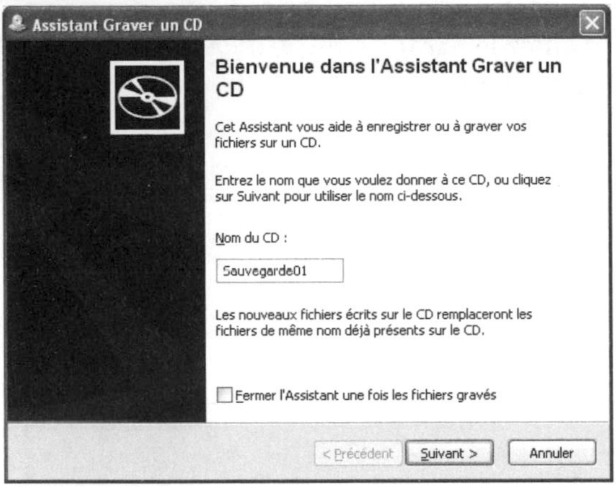

Figure 9-13 Assistant de gravure.

11. Cliquez le bouton **Suivant**.

Windows commence la gravure des fichiers sur le CD-R ou le CD-RW (figure 9-14).

Conseil Évitez d'utiliser en même temps des logiciels qui sollicitent fortement le microprocesseur ou le disque dur afin de ne pas faire échouer la gravure.

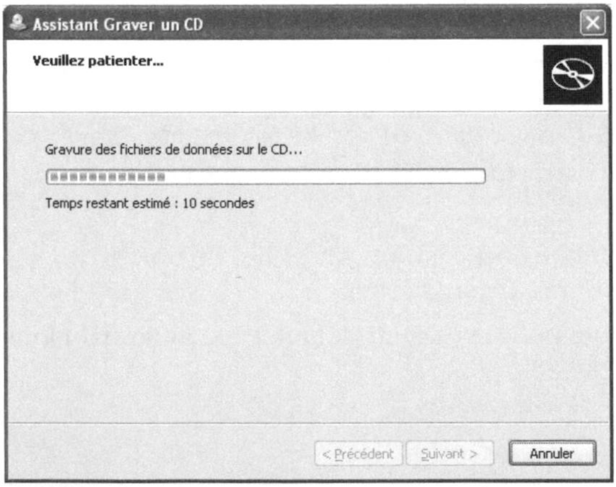

Figure 9-14 Gravure de fichiers sur un CD.

Dès que la gravure est terminée, le disque est éjecté du graveur (consultez le paragraphe « Modifier les options de gravure » plus bas dans ce chapitre pour éviter l'éjection).

Astuce Pour graver plusieurs CD identiques, insérez un CD vierge à la place de celui qui vient d'être éjecté, cochez la case **Oui, graver ces fichiers...** puis cliquez le bouton **Suivant**.

12. Cliquez le bouton **Terminer**.

Effacer les fichiers temporaires

Si les fichiers n'ont pas été gravés, ils restent dans un dossier temporaire (cela ne concerne pas les fichiers originaux). Supprimez-les pour gagner de la place sur votre disque dur (consultez le paragraphe « Modifier les options de gravure » plus bas dans ce chapitre pour définir le disque de stockage).

1. Ouvrez le Poste de travail.
2. Double-cliquez le lecteur de CD.
3. Dans le panneau de gauche, cliquez la commande **Supprimer les fichiers temporaires** (figure 9-15).

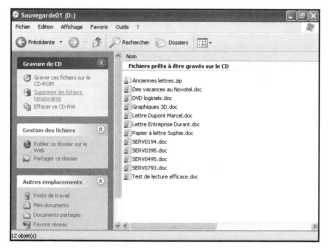

Figure 9-15 Suppression des fichiers temporaires.

4.   Cliquez **Oui** pour confirmer la suppression.

Effacer les CD-RW

Si vous n'avez plus besoin des données d'un CD réinscriptible, effacez son contenu pour récupérer la place pour d'autres sauvegardes.

1.   Insérez le CD-RW à effacer dans le graveur.

2.   Dans le Poste de travail, cliquez avec le bouton droit le graveur de CD.

3.   Cliquez la commande **Effacer ce CD-RW** dans le menu contextuel (figure 9-16).

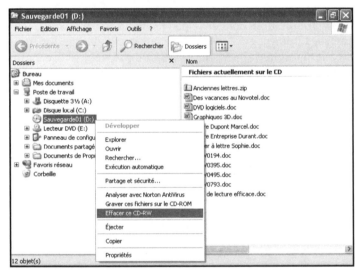

Figure 9-16 Effacement d'un CD-RW.

Windows affiche un assistant pour effacer le CD-RW.

4.   Cliquez le bouton **Suivant**.

5.   Dès que le CD-RW est effacé, cliquez le bouton **Terminer**.

Modifier les options de gravure

Pour gérer plus efficacement la gravure des CD, modifiez les options utilisées par l'assistant.

1.　Dans le Poste de travail, cliquez avec le bouton droit le graveur de CD.

2.　Cliquez la commande **Propriétés** dans le menu contextuel.

3.　Cliquez l'onglet **Enregistrement** (figure 9-17).

4.　Si vous avez un autre logiciel de gravure et que vous ne souhaitiez pas utiliser celui proposé par Windows XP, décochez la case **Activer l'écriture…**.

5.　Si vous avez plusieurs disques durs et que vous ne désiriez pas utiliser le disque C: pour les fichiers temporaires, sélectionnez-en un autre dans la liste **Sélectionnez le lecteur…**.

6.　Si vous désirez utiliser une vitesse de gravure particulière, sélectionnez-la dans la liste **Sélectionnez une vitesse…**.

7.　Si le disque ne doit pas être éjecté après la gravure, décochez la case **Éjecter automatiquement…**.

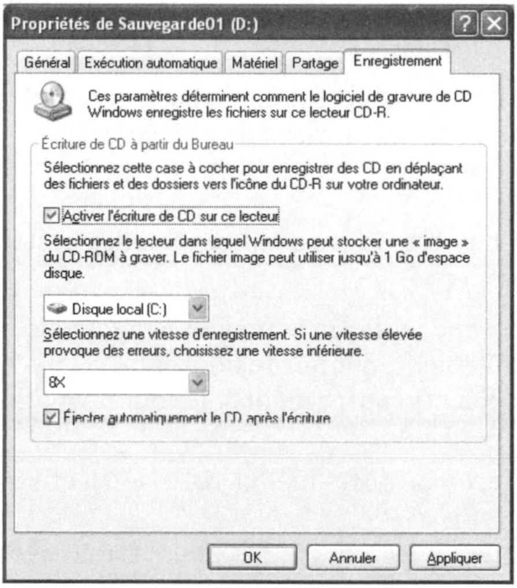

Figure 9-17 Options de gravure des CD.

8.　Cliquez le bouton **OK**.

Utiliser Backup

Il est impératif de sauvegarder vos documents régulièrement. L'application Backup accomplit cette tâche en copiant les données sur un ou plusieurs médias.

1. Cliquez le bouton **démarrer** ➜ **Tous les programmes** ➜ **Accessoires** ➜ **Outils système** ➜ **Backup** ou **Utilitaire de sauvegarde**.

2. Si la boîte de l'assistant s'affiche, cliquez le lien **Mode avancé** pour ne pas l'utiliser.

Sauvegarder des fichiers

3. Cliquez l'onglet **Sauvegarder**.

4. Cliquez le bouton ⊞ du lecteur qui contient les données à sauvegarder.

5. Pour sélectionner tous les fichiers d'un dossier, cochez la case du dossier à sauvegarder.

> **Note** Quand le dossier est intégralement sélectionné, la coche est bleue. Quand il est partiellement sélectionné, la coche est grise.

6. Pour sélectionner certains fichiers d'un dossier, cliquez le nom du dossier, puis cochez les cases des fichiers à sauvegarder (figure 9-18).

> **Conseil** Pour limiter le nombre de médias, sauvegardez plutôt des dossiers compressés.

7. La zone **Nom du fichier...** indique le nom et le média de sauvegarde. Éventuellement, cliquez le bouton **Parcourir...** pour utiliser un autre média ou pour changer de nom.

8. Insérez une disquette, ou un autre média, dans son lecteur.

> **Conseil** Mettez des étiquettes sur vos médias pour les retrouver plus facilement lors d'une restauration.

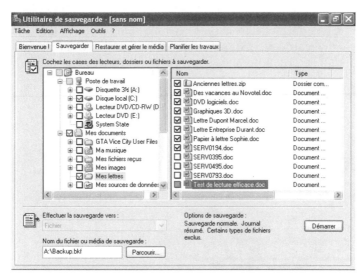

Figure 9-18 Sélection des dossiers et des fichiers à sauvegarder.

9. Cliquez le bouton **Démarrer**.

    Si vous avez déjà réalisé des sauvegardes sur le même support, vous pouvez prendre en compte uniquement les fichiers nouveaux ou modifiés.

10. Éventuellement, cochez l'option **Remplacer les données...** (figure 9-19).

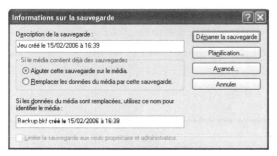

Figure 9-19 Options de sauvegarde.

11. Cliquez le bouton **Démarrer la sauvegarde**.

La sauvegarde débute. Les différents éléments de la boîte vous informent de sa progression (figure 9-20). Si la sauvegarde ne peut tenir sur un seul média, vous devrez en insérer d'autres.

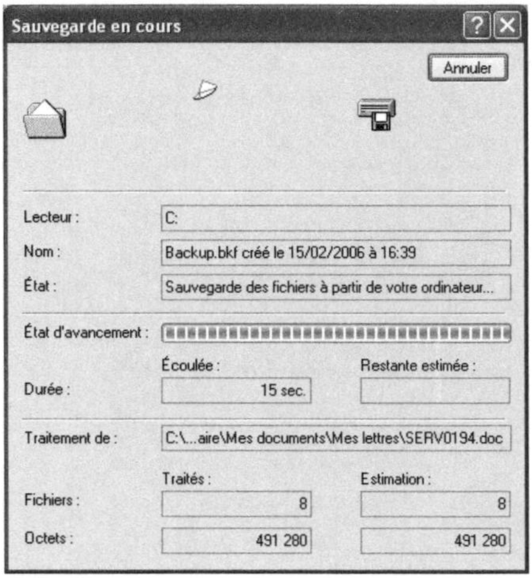

Figure 9-20 Sauvegarde des fichiers.

12. Cliquez le bouton **Fermer** quand la sauvegarde est terminée.

Restaurer des fichiers

En cas de problèmes (fichiers supprimés, panne de disque dur, *etc.*), vous devez restaurer les sauvegardes.

1. Cliquez l'onglet **Restaurer et gérer le média**.

2. Cliquez le bouton ⊞ en regard de **Fichier** pour développer l'arborescence (partie de gauche).

3. Cliquez le bouton ⊞ en regard de la sauvegarde qui contient les fichiers à restaurer (partie de gauche).

4. Comme pour la sauvegarde, sélectionnez les dossiers et les fichiers à restaurer (figure 9-21).

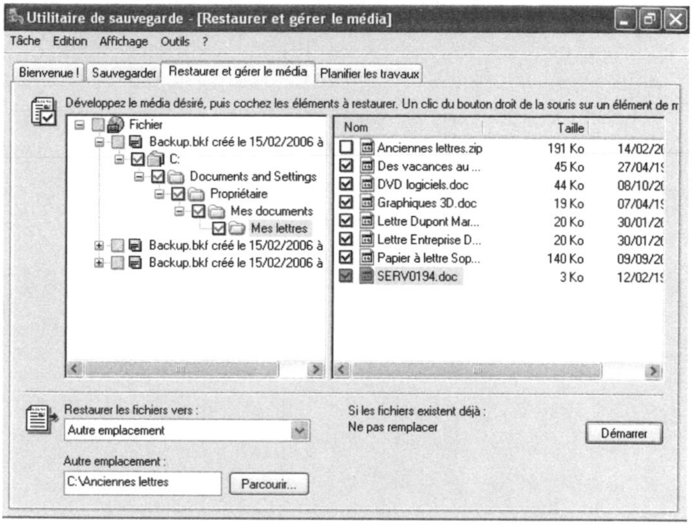

Figure 9-21 Sélection des dossiers et des fichiers à restaurer.

5. Éventuellement, sélectionnez un autre emplacement de restauration que celui de la sauvegarde dans la liste **Restaurer les fichiers vers**.

6. Si vous avez modifié la liste **Restaurer les fichiers vers** à l'étape **5**, tapez la destination dans la zone **Autre emplacement** ou cliquez le bouton **Parcourir…** en regard pour la choisir.

7. Cliquez le bouton **Démarrer**.

8. Insérez le média de la sauvegarde dans son lecteur.

> **Note** Le bouton **Avancé…** permet de choisir la manière dont sont restaurés les fichiers.

Figure 9-22 Confirmation de restauration.

9. Cliquez le bouton **OK** pour débuter la restauration.

   La restauration débute. Les différents éléments de la boîte vous informent de sa progression (figure 9-23). Si la sauvegarde a été réalisée sur plusieurs médias, vous devrez insérer les suivants.

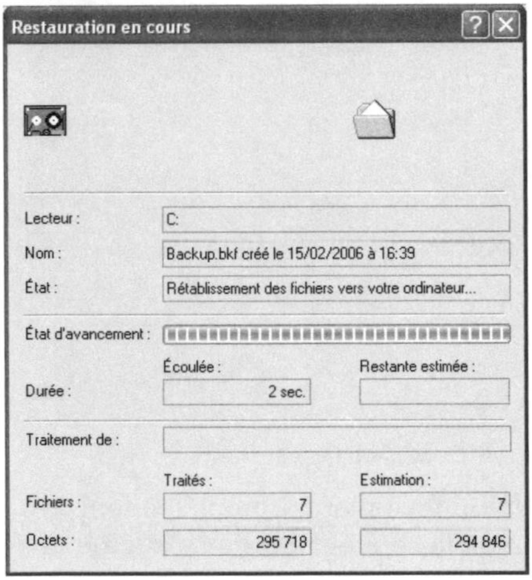

Figure 9-23 Restauration d'une sauvegarde.

10. Cliquez le bouton **Fermer** quand la sauvegarde est terminée.

Planifier les sauvegardes

Pour être assuré que vos données sont régulièrement sauvées, planifiez des sauvegardes automatiques.

1. Cliquez l'onglet **Planifier les travaux**.

2. Cliquez le jour de la sauvegarde dans le calendrier (figure 9-24).

3. Cliquez le bouton **Ajouter une opération** pour exécuter l'assistant des sauvegardes.

4. Suivez les instructions de l'assistant.

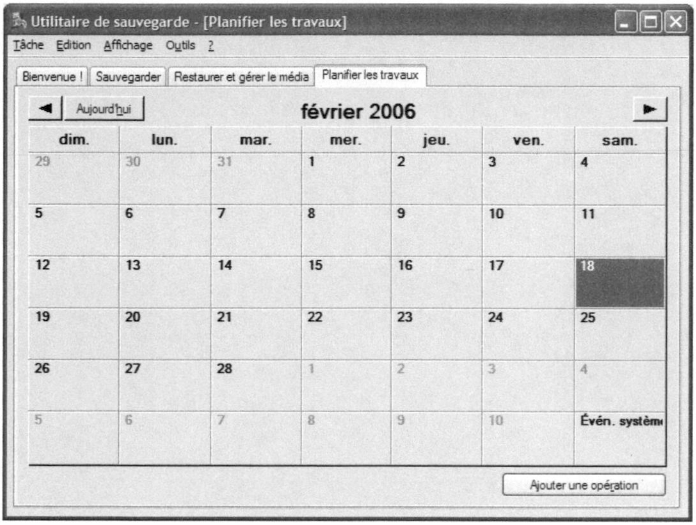

Figure 9-24 Planification d'une sauvegarde.

Partie III

Loisirs et multimédia

Exploiter les images et les photographies

Avec l'apparition des scanners et des appareils numériques, l'ordinateur est devenu un outil indispensable pour les amateurs de photographies et d'images. Il remplace à lui seul le laboratoire de développement, le studio de retouches et l'armoire de stockage.

Windows XP a été conçu pour vous faciliter la tâche dans ce domaine, en proposant des outils pour transférer, capturer ou scanner des images, mais aussi les classer, les visionner et les imprimer.

Dans ce chapitre

- Transférer les photos d'un appareil photo numérique
- Scanner des images

- Prendre des photos avec une webcam
- Consulter des images
- Afficher un diaporama

Transférer les photos d'un appareil numérique

Pour les consulter, les retoucher ou les imprimer, vous devez transférer les photos actuellement dans votre appareil numérique vers l'ordinateur.

Connecter l'appareil photo

En fonction du modèle, il existe trois solutions pour transférer vos photos vers l'ordinateur.

Port USB (Universal Serial Bus)

C'est sûrement le moyen le plus simple et le plus courant. Dès que le câble USB est connecté et que l'appareil photo est en marche, Windows le détecte automatiquement.

Figure 10-1 Câble USB.

Les connecteurs USB se présentent comme dans la figure 10-1. Le connecteur le plus grand (à gauche dans la figure 10-1) se branche sur un des ports USB de l'ordinateur. L'autre partie du câble se branche sur l'appareil photo. En fonction du modèle, le connecteur peut être différent de celui présenté dans la figure 10-1. Il peut s'agir, par exemple, d'une prise DIN ronde.

Interface série

Certains modèles plus anciens proposent une connexion série. Cette liaison est lente, mais elle a l'avantage d'être présente sur tous les ordinateurs, même ceux du « siècle dernier ». Les connecteurs série se présentent comme dans la figure 10-2.

Figure 10-2 Câble série.

Carte mémoire

La lecture directe de la carte mémoire de votre appareil photo est le moyen le plus rapide pour effectuer un transfert. Cela nécessite cependant de posséder un lecteur comme celui de la figure 10-3. Ce lecteur apparaît dans l'Explorateur Windows comme un lecteur de disque dur. Le transfert s'effectue alors par un simple glisser-déposer.

Figure 10-3 Lecteur de cartes mémoire.

Note Il existe d'autres solutions pour transférer des photos d'un appareil numérique (liaison sans fil, infrarouge, *etc.*). Consultez la notice de votre appareil pour connaître toutes ses possibilités.

Transférer les photos

1. Branchez et allumez l'appareil photo.

2. Cliquez le bouton **démarrer → Tous les programmes →
   Accessoires → Assist. Scanner-appareil photo**.

Note Si vous êtes actuellement dans le Poste de travail, cliquez
avec le bouton droit l'icône de l'appareil photo, puis cliquez **Obtenir les photos** dans le menu contextuel. Le
Poste de travail est aussi un bon moyen de vérifier que
votre appareil photo est correctement branché.

Si votre appareil photo n'est pas correctement connecté,
la boîte d'erreur de la figure 10-4 s'affiche. Vérifiez la
connexion entre l'ordinateur et l'appareil photo, et
vérifiez aussi que ce dernier est bien allumé.

Figure 10-4 Boîte indiquant que l'appareil photo n'est pas connecté.

3. Si vous avez plusieurs appareils, sélectionnez celui à
   utiliser dans la liste puis cliquez le bouton **OK** (figure 10-5).

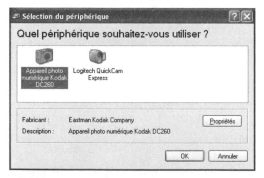

Figure 10-5 Choix d'un appareil numérique.

Windows débute le transfert des photos actuellement dans l'appareil numérique (figure 10-6). Vous devrez peut-être attendre quelques secondes avant qu'elles ne soient toutes affichées, le temps du transfert entre l'appareil photo et l'ordinateur pouvant être assez long.

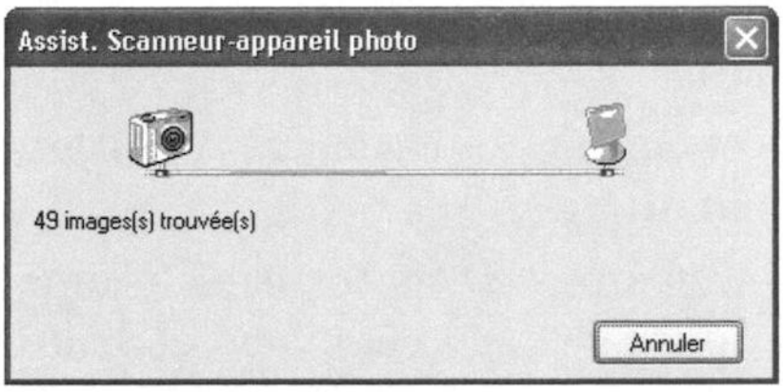

Figure 10-6 Transfert des photos de votre appareil numérique.

Windows ouvre un assistant (une suite de boîtes de dialogue). Le modèle de l'appareil photo apparaît dans la première boîte.

1. Cliquez le bouton **Suivant**.

La boîte de la figure 10-7 affiche toutes les photos actuellement dans l'appareil.

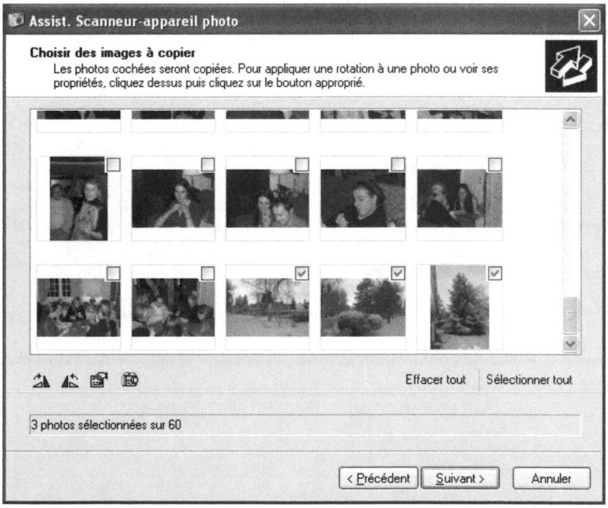

Figure 10-7 Sélection des photos à transférer.

2. Cochez les photos que vous désirez placer sur votre disque dur. Si les photos sont nombreuses, utilisez les boutons **Effacer tout** ou **Sélectionner tout** pour les décocher ou les cocher toutes en même temps.

3. Pour modifier l'orientation d'une photo, cliquez-la pour la sélectionner puis cliquez les boutons 🔄 ou 🔄.

4. Cliquez le bouton **Suivant**.

5. Tapez un nom explicite et court pour les images choisies, dans la zone **Entrez un nom**.

6. L'assistant propose d'enregistrer les photos dans le sous-dossier dont vous avez donné le nom à l'étape précédente. Si vous désirez changer de dossier, cliquez la zone **Choisissez un emplacement**, puis cliquez un dossier dans la liste. Si le dossier que vous souhaitez utiliser n'est pas dans la liste, cliquez le bouton **Parcourir**.

Note Par défaut, les images sont stockées dans des sous-dossiers du dossier Mes images. Pour créer un nouveau dossier, consultez le chapitre 5.

7. Cliquez le bouton **Suivant**.

L'assistant transfère les photos choisies vers le disque dur.

L'étape suivante propose de publier vos images sur le Web, ou de les faire imprimer par une société spécialisée.

8. Cliquez le bouton **Suivant**.

9. Si vous désirez visionner les photos maintenant sans fermer l'assistant, cliquez le lien en bleu.

10. Cliquez le bouton **Terminer**.

Le dossier d'enregistrement s'ouvre dans une nouvelle fenêtre comme dans la figure 10-8.

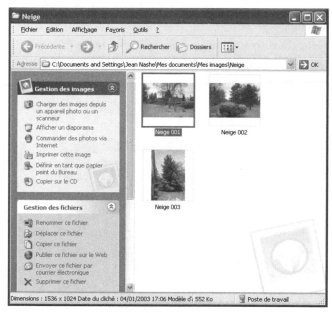

Figure 10-8 Dossier contenant les photos transférées.

Scanner des images

Transférez vos photographies, vos dessins ou vos documents de votre scanner vers un dossier du PC. Vous pourrez ainsi les retoucher, les imprimer et les archiver.

1.   Branchez et allumez le scanner.

2.   Cliquez le bouton **démarrer → Tous les programmes → Accessoires → Assist. Scanner-appareil photo**.

> **Note** Si vous êtes actuellement dans le Poste de travail, cliquez avec le bouton droit l'icône du scanner, puis cliquez **Obtenir les photos** dans le menu contextuel.

3.   Si vous avez plusieurs appareils, sélectionnez celui à utiliser dans la liste puis cliquez le bouton **OK**.

Windows ouvre un assistant (une suite de boîtes de dialogue).

4. Insérez dans le scanner la photographie ou le document.
5. Cliquez le bouton **Suivant**.
6. Cliquez le bouton **Aperçu**.
7. Faites glisser les carrés autour de l'image pour délimiter la partie à scanner (figure 10-9).

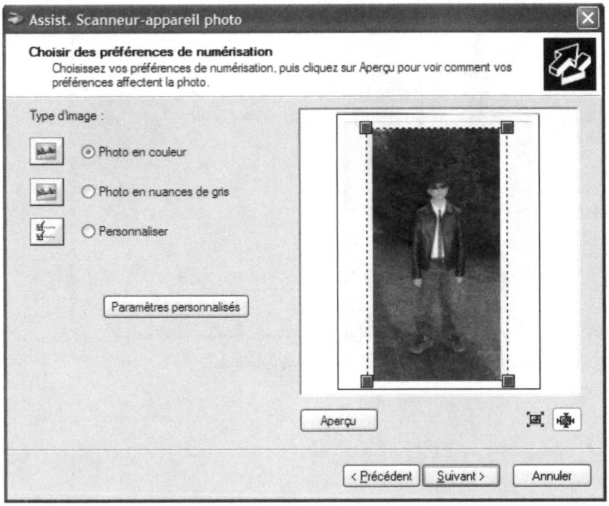

Figure 10-9 Aperçu de l'image avant de la scanner.

8. Cliquez le bouton **Suivant**.
9. Cliquez la zone **Sélectionner un format**, puis cliquez le format d'enregistrement pour l'image scannée.

Attention ! Les images aux formats BMP et TIF sont de bonnes qualités mais prennent énormément de place. Les images au format JPG sont de qualité inférieure, quoique tout à fait acceptable, mais prennent beaucoup moins de place. La plupart des appareils photo numériques enregistrent les clichés dans ce format.

Conseil Pour comprendre le format des images, consultez l'encadré « Compression des images » à la fin de ce chapitre.

10. Tapez un nom explicite et court pour l'image dans la zone **Entrez un nom**.

11. L'assistant propose d'enregistrer l'image dans le sous-dossier dont vous avez donné le nom à l'étape précédente. Si vous désirez changer de dossier, cliquez la zone **Choisissez un emplacement**, puis cliquez un dossier dans la liste. Si le dossier que vous souhaitez utiliser n'est pas dans la liste, cliquez le bouton **Parcourir**.

Note Par défaut, les images sont stockées dans des sous-dossiers du dossier Mes images. Pour créer un nouveau dossier, consultez le chapitre 5.

12. Cliquez le bouton **Suivant**.

L'assistant scanne l'image et la transfère vers le disque dur.

Les étapes suivantes sont les mêmes que pour un appareil photo numérique (voir plus haut dans ce chapitre).

Prendre des photos avec une webcam

Une webcam peut aussi servir d'appareil photo d'appoint pour numériser des documents ou des objets. Les images obtenues sont souvent utilisées pour agrémenter des pages Web, leur qualité étant généralement médiocre comparativement à celle des appareils photo. En contrepartie, les fichiers sont de petite taille, ce qui permet de les utiliser sur Internet.

1. Éventuellement, branchez votre webcam.

2. Cliquez le bouton **démarrer** → **Tous les programmes** → **Accessoires** → **Assist. Scanner-appareil photo**.

Note Si vous êtes actuellement dans le Poste de travail, cliquez avec le bouton droit l'icône de la webcam, puis cliquez **Obtenir les photos** dans le menu contextuel.

3. Si vous avez plusieurs appareils, sélectionnez celui à utiliser dans la liste puis cliquez le bouton **OK**.

Windows ouvre un assistant (une suite de boîtes de
dialogue). Le modèle de webcam apparaît dans la
première boîte.

Webcam pour communiquer par l'image
sur Internet, mais aussi pour prendre des photos.

4. Cliquez le bouton **Suivant**.

5. Pointez la webcam sur l'objet ou la personne à numériser.

6. Cliquez le bouton **Prendre une photo** (figure 10-10).

Figure 10-10 Numérisation d'image avec une webcam.

7. Cochez les photos que vous désirez conserver sur votre disque dur. Si les photos sont nombreuses, utilisez les boutons **Effacer tout** ou **Sélectionner tout** pour les décocher ou les cocher toutes en même temps.

8. Pour modifier l'orientation d'une photo, cliquez-la pour la sélectionner puis cliquez les boutons 🔄 ou 🔄 .

9. Cliquez le bouton **Suivant**.

Les étapes suivantes sont les mêmes que pour un appareil photo numérique (voir plus haut dans ce chapitre).

Consulter des images

Windows propose plusieurs modes pour consulter les images de vos dossiers à partir du Poste de travail.

Ouvrez le Poste de travail (tapez 🪟+**E** pour l'ouvrir rapidement) puis sélectionnez le dossier qui contient les images.

Afficher les caractéristiques d'un cliché

Les appareils photo numériques conservent une foule de renseignements sur vos clichés (vitesse, focale, ouverture, distance, *etc.*) en plus des renseignements habituels sur les images numériques (taille, nombre de couleurs, date, *etc.*). Windows XP permet de consulter ces informations car elles sont enregistrées en même temps que le fichier de l'image.

> **Note** Les renseignements conservés diffèrent d'un appareil à l'autre.

1. Cliquez avec le bouton droit le nom du fichier de la photo.

2. Cliquez **Propriétés** dans le menu contextuel.

3. Cliquez l'onglet **Résumé**.

4. Éventuellement, cliquez le bouton **Avancé >>** (le bouton devient **<< Simple**).

La boîte des Propriétés affiche toutes les informations connues sur votre cliché (figure 10-11).

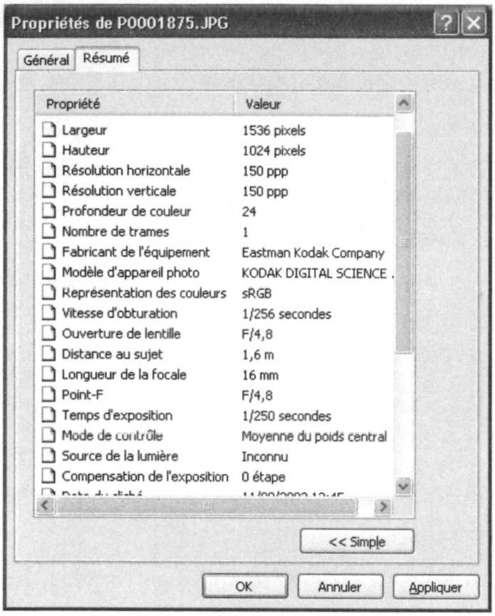

Figure 10-11 Propriétés d'une photo conservées par votre appareil numérique.

Afficher des miniatures

Dans le Poste de travail, cliquez le bouton ▦▾ puis sélectionnez **Miniatures** dans la liste.

Chaque image est présentée sous la forme d'une miniature à la place de son icône et de son nom (mode Icônes, Liste ou Détails du bouton ▦▾).

Afficher les images sous forme de pellicules

Pour faire défiler en miniatures les images et consulter en grand format l'image sélectionnée, passez en mode « pellicules ».

1. Cliquez le bouton ▦▾ puis sélectionnez **Pellicule** dans la liste.

    Chaque image est présentée en bas de la fenêtre sous la forme d'une miniature. L'image sélectionnée est en grand format (figure 10-13).

2. Cliquez les boutons ⓞ ou ⓞ pour changer d'image, ou utilisez la barre de défilement horizontale.

3. Cliquez les boutons 🔺 et 🔺 pour modifier l'orientation de l'image sélectionnée.

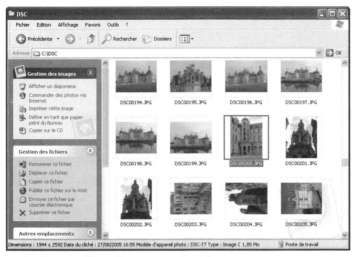

Figure 10-12 Images sous forme de miniatures.

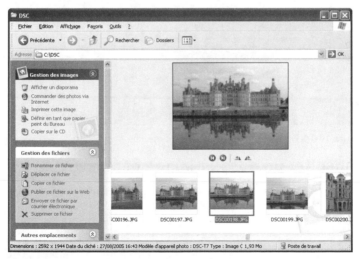

Figure 10-13 Images sous forme de pellicules.

Afficher un diaporama

Pour faire défiler les images en plein écran, demandez à Windows de lancer un diaporama.

1. Dans la partie de gauche, cliquez le texte **Afficher un diaporama**.

2. Pour accéder aux boutons de commande, déplacez la souris. Des boutons apparaissent en haut à droite.

3. Cliquez les boutons de commande pour, respectivement, lire le diaporama, le mettre en pause, passer à l'image précédente ou suivante, ou arrêter le diaporama (voir figure 10-14).

Figure 10-14 Diaporama des images d'un dossier.

Consulter un dossier image par image

Windows XP permet de visionner plus précisément chaque image d'un dossier, et d'effectuer certaines manipulations (zoom, rotation, suppression, copie, modification, *etc.*).

Quel que soit le mode d'affichage actuel, double-cliquez une image du dossier.

L'image s'ouvre dans une nouvelle fenêtre. Les boutons en bas permettent d'effectuer des actions sur l'image. Pointez chaque bouton pour afficher une info-bulle et connaître leur rôle (figure 10-15).

Figure 10-15 Aperçu des images d'un dossier.

Imprimer des photographies

L'impression de photographies nécessite l'aide d'un assistant. En effet, le coût du papier de qualité photo étant élevé, il est préférable d'imprimer plusieurs photos sur la même page. Par exemple, l'impression d'une seule image au format 9 × 13 sur une feuille A4 engendre une perte de 75 % du papier : il est en effet possible d'y imprimer quatre photos.

1. Dans le dossier qui contient les images à imprimer, sélectionnez une photo.

2. Dans la partie de gauche, cliquez le lien **Imprimer cette image** (figure 10-16).

Figure 10-16 Impression des images d'un dossier.

Windows ouvre l'assistant Impression de photographies.

3. Cliquez le bouton **Suivant**.

4. Cochez les photos à imprimer. Si les photos sont nombreuses, utilisez les boutons **Sélectionner tout** ou **Effacer tout** pour les cocher ou les décocher toutes en même temps.

    Sélectionnez le nombre de photos en fonction de ce que vous voulez imprimer. Par exemple, si vous désirez quatre photos par feuille, choisissez un nombre de photos multiple de quatre (figure 10-17).

5. Cliquez le bouton **Suivant**.

6. Si vous avez plusieurs imprimantes, sélectionnez celle à utiliser dans la liste **Quelle imprimante ?**.

7. Pour modifier la qualité d'impression ou le format du papier, cliquez le bouton **Options d'impression**. La boîte qui s'ouvre correspond uniquement à votre imprimante. Au besoin, consultez sa notice.

8. Cliquez le bouton **Suivant**.

9. Dans la liste **Configurations disponibles**, sélectionnez le format d'impression des photos.

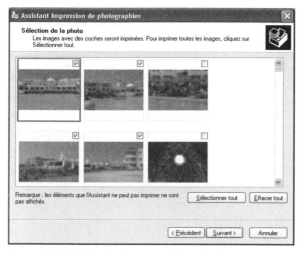

Figure 10-17 Sélection des images à imprimer.

La partie de droite affiche un aperçu de ce qui sera imprimé (figure 10-18).

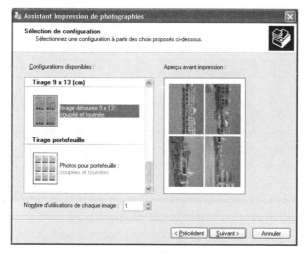

Figure 10-18 Choix du format d'impression et aperçu avant impression.

10. Cliquez le bouton **Suivant**.

Windows imprime les photos.

11. Cliquez le bouton **Terminer** dans la dernière étape de l'assistant.

Établir une image comme papier peint du Bureau

Vous désirez embellir votre Bureau avec une image personnelle ? Ajoutez-la en papier peint.

1. Dans le Poste de travail, cliquez avec le bouton droit l'image à utiliser en fond d'écran du Bureau.

2. Cliquez **Définir en tant que papier peint du Bureau** dans le menu contextuel.

3. Appuyez sur les touches +**D** pour réduire toutes les applications et afficher le Bureau.

Figure 10-19 Image comme papier peint du Bureau.

L'image s'affiche comme fond du Bureau (figure 10-19).

Note Pour modifier les propriétés de l'image (étirement, mosaïque, *etc.*), consultez le chapitre 19.

COMPRESSION DES IMAGES

Les images sont classées en trois grandes catégories :

- **Image Bitmap.** Dans ce format, l'intégralité des points qui constituent l'image est enregistrée. Si l'image a une taille de 100 × 100 points, le fichier a donc une taille de 10 ko environ (10 000 octets) en dégradé de gris ou en 256 couleurs (un octet par point), ou de 30 ko en « vraies couleurs » (trois octets par point en RVB). Ici, l'image n'est pas compressée, elle utilise la taille maximale sur votre disque dur et ralentit les transferts sur Internet si vous devez l'expédier. Ce type d'images porte l'extension BMP dans Windows ou TIF sur Macintosh. L'image de la figure 10-20 est typique. Bien que composé pour l'essentiel de points identiques, le fichier conserve chaque point. Dans le format BMP, elle occupe 500 ko sur le disque dur. Dans un format compressé sans perte, le PNG par exemple, sa taille serait de 10 ko !

Figure 10-20 Image simple qui utilise cependant un demi-mégaoctet au format BMP.

Définition **RVB.** Chaque point à l'écran est constitué de trois couleurs (Rouge, Vert et Bleu). Un octet correspond à une valeur variant de 0 à 255. Chaque couleur peut donc avoir 256 nuances différentes si elle est codée sur un octet. En associant ces trois couleurs, donc trois octets, on obtient une palette de 16 777 216 couleurs (256 × 256 × 256), donc proche de la réalité, d'où le terme « vraies couleurs ».

- **Image compressée sans perte.** Ici, l'image est au format Bitmap, mais le fichier lui-même est compressé. Prenons l'exemple de la photographie de la figure 10-21. Toute la partie du haut est composée de bleu presque uni. Quand le programme de compression trouve plusieurs pixels identiques, il écrit dans le fichier non pas chaque point mais un seul ainsi que le nombre de points répétés. Les informations redondantes sont ainsi éliminées et le fichier final pèse moins lourd. Lors de la décompression, l'image retrouve tous ses points, comme pour une image BMP. L'image de la figure 10-21 pèse 5 Mo en BMP, mais seulement 1,5 Mo au format PNG.

Figure 10-21 Image compressée sans perte.

- **Image compressée avec perte.** Ici, l'image est compressée, mais en outre, pour diminuer la taille, le logiciel de compression omet certaines informations. Dans l'exemple de la figure 10-21, le ciel est presque uniforme. Pour gagner de la place, certains points de couleurs « presque identiques » sont regroupés lors de la compression. Tant que l'on conserve un taux de compression raisonnable, la différence n'est pas visible à l'œil nu. L'essentiel des images compressées avec perte sont au format JPG. Pour l'image de la figure 10-21, le fichier en JPG pèse 300 ko et la différence de qualité avec celle au format BMP de 5 Mo n'est pas visible. Bien sûr, il est possible de diminuer cette taille en augmentant le taux de compression. Dans la figure 10-22, l'image ne pèse plus que 50 ko, mais vous pouvez constater que le ciel présente maintenant des « nuages » dus à une compression excessive. Notez qu'à partir de ce dernier exemple, il n'est plus possible de revenir en arrière, c'est-à-dire de l'image de la figure 10-22 à l'image de la figure 10-21. Les informations omises sont définitivement perdues.

Figure 10-22 Image compressée avec perte.

Profiter de la musique et de la vidéo

Ce chapitre vous fait découvrir la deuxième partie du monde du multimédia avec Windows XP : la musique et la vidéo. Une fois de plus, votre ordinateur a toutes les qualités requises pour exploiter ces deux supports.

Avec le Lecteur Windows Media, vous pourrez écouter de la musique, créer vos propres compilations pour votre baladeur ou votre autoradio, visionner des films téléchargés ou lire des DVD.

Avec Windows Movie Maker, vous pourrez capturer des séquences vidéo à partir de votre Caméscope, puis effectuer un montage pour réaliser un film complet.

Dans ce chapitre

- Découvrir le Lecteur Windows Media
- Lire un fichier audio ou vidéo
- Lire un DVD
- Écouter un CD audio
- Créer des fichiers WMA et MP3

- Réaliser un CD audio
- Capturer des vidéos
- Monter des vidéos
- Enregistrer un projet vidéo
- Enregistrer des sons

Découvrir le Lecteur Windows Media

Le Lecteur Windows Media est le centre stratégique de toutes les sources multimédias : fichiers son ou vidéo, CD audio, DVD, *etc.*

Cliquez le bouton **démarrer** → **Tous les programmes** → **Lecteur Windows Media**.

> **Note** Pour ouvrir rapidement le Lecteur Windows Media, cliquez le bouton ⬚ dans la barre d'outils Lancement rapide qui se trouve à côté du bouton **démarrer**. Pour afficher la barre d'outils Lancement rapide, consultez le chapitre 18.

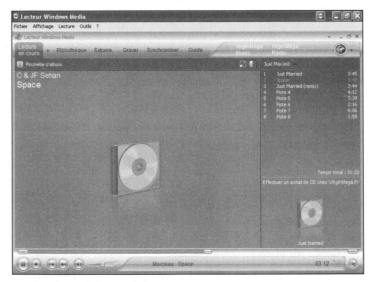

Figure 11-1 Le Lecteur Windows Media (interface complète).

> **Conseil** Nous utilisons ici la version 10 du Lecteur Windows Media. Pour mettre à jour votre version, cliquez le menu **?** → **Vérifier si des mises à jour….**

Découvrir l'interface

L'interface étant à « géométrie variable », quelques explications sont nécessaires pour bien l'utiliser. Le but est d'obtenir un lecteur de petite taille pour lire des CD audio, ou avec la plus grande surface libre pour visionner des vidéos. Pour cela, il est indispensable de masquer certains éléments.

Masquer la barre des menus

Comme l'essentiel des commandes se trouve dans l'interface, la barre des menus n'est pas utile lors des lectures.

1. Cliquez le menu **Affichage → Options de la barre des menus → Masquer automatiquement la barre des menus**.

   La barre des menus est masquée.

2. Pour faire réapparaître momentanément la barre des menus, placez le curseur de souris au-dessus de l'interface.

3. Pour réafficher la barre des menus, cliquez le menu **Affichage → Options de la barre des menus → Afficher la barre des menus**. Si vous avez totalement masqué la barre des menus, cliquez le bouton ⬇ pour accéder à ce menu.

Masquer la barre des tâches

Toutes les fonctions du Lecteur Windows Media sont regroupées par tâches accessibles dans une barre située dans la partie supérieure de l'interface. Lors de la lecture d'un fichier ou d'un disque, cette dernière devient inutile.

1. Cliquez le menu **Affichage → Options de la barre des menus → Masquer la barre des tâches** pour cocher l'option.

   La barre des tâches est masquée, ce qui libère de la place pour la lecture d'une vidéo (figure 11-2).

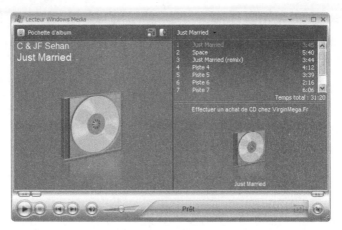

Figure 11-2 Lecteur Windows Media (interface réduite, sans menu ni barre).

2. Cliquez le menu **Affichage → Options de la barre des menus → Masquer la barre des tâches** pour décocher l'option et réafficher la barre des tâches.

Masquer le lecteur dans la barre des tâches de Windows

Pour écouter de la musique ou visualiser une vidéo dans une petite fenêtre, vous pouvez réduire l'interface dans la barre des tâches de Windows.

1. Cliquez avec le bouton droit une zone vide de la barre des tâches.

2. Cliquez **Barres d'outils → Lecteur Windows Media** dans le menu contextuel pour cocher l'option.

Maintenant, si vous réduisez le Lecteur Windows Media avec le bouton ■, ses principales commandes apparaissent dans la barre des tâches (figure 11-3).

Figure 11-3 Lecteur Windows Media réduit dans la barre des tâches de Windows.

Changer l'apparence

La présentation par défaut du Lecteur Windows Media ne vous convient pas ? Choisissez-en une parmi la vingtaine proposée.

1. Cliquez le menu **Affichage** → **Sélecteur d'apparence**.
2. Cliquez une apparence dans la liste de gauche.
3. Cliquez le bouton **Appliquer l'apparence**.

    Le Lecteur Windows Media s'affiche avec l'apparence choisie (figure 11-4).

Figure 11-4 Lecteur Windows Media sous une nouvelle apparence.

4. Cliquez le bouton 🖳 pour basculer en mode complet.
5. Cliquez le bouton 🖳 pour basculer en mode apparence (dernière apparence sélectionnée).

Trouver d'autres apparences

Le bouton **Autres apparences** permet de trouver sur Internet d'autres formes pour le Lecteur Windows Media. Si vous avez une connexion Internet, vous trouverez sur le site des apparences étonnantes.

1. Cliquez le bouton **Autres apparences**.

    Le site de Windows Media s'affiche dans votre navigateur (figure 11-5).

Astuce La page d'accueil propose des liens vers des sites spécialisés dans les apparences pour le Lecteur Windows Media. Consultez-les pour obtenir davantage de choix.

Figure 11-5 Site de téléchargement dédié au Lecteur Windows Media.

2. Consultez dans les pages Web du site les apparences proposées.

3. Cliquez le lien d'une apparence pour la télécharger. (Certaines sont réservées à Windows XP. Vérifiez le nom du lien.)

4. Cliquez le bouton **Ouvrir** dans la boîte de téléchargement.

> **Note** Les apparences pour les lecteurs de média sont appelées « skins » (*peaux* en anglais). Les skins de la version 9 sont compatibles avec la version 10.

5. Après le téléchargement, choisissez dans la liste des apparences celle que vous venez de télécharger.

Figure 11-6 Lecteur Windows Media avec
une apparence téléchargée *via* Internet.

Rôle de la barre des tâches

La liste suivante décrit les boutons de la barre des tâches du
Lecteur Windows Media :

- **Lecture en cours.** Pour lire un CD ou un DVD.
- **Bibliothèque.** Pour classer vos fichiers et vos disques.
- **Extraire.** Pour copier des morceaux de musique sur votre
  disque dur.
- **Graver.** Pour créer une compilation des fichiers de
  musique de votre disque dur vers un CD-R.
- **Synchroniser.** Pour maintenir à jour le contenu de votre
  appareil mobile multimédia.
- **Guide.** Pour trouver des contenus multimédias sur
  Internet.

Ouvrir un fichier multimédia

Le Lecteur Windows Media permet de lire tous les types de
fichiers vidéo (AVI, MPEG, WMV, ASF, DivX, *etc.*) ou musicaux
(MP3, WAV, MID, WMA, AIF, *etc.*). Si le codec correspondant
n'est pas installé, il tente de le trouver directement *via* Internet. Pour certains codecs, comme ceux du DivX, il est préférable de faire l'installation manuellement à partir du site officiel.

Définition **Codec.** Programme de *com*pression et de *dé*compression d'une vidéo ou d'un fichier son. Pour lire un DivX, par exemple, vous devez installer le codec correspondant.

1. Cliquez le menu **Fichier → Ouvrir** ou tapez **Ctrl+O**.

   Si le menu n'apparaît pas, cliquez le bouton ▼.

2. Sélectionnez dans la zone **Regarder dans** le dossier qui contient les fichiers audio ou vidéo.

3. Sélectionnez le ou les fichiers à lire. Pour sélectionner plusieurs fichiers en même temps, utilisez les touches **Ctrl** et **Maj** comme dans le Poste de travail (au besoin, consultez le chapitre 6).

4. Cliquez le bouton **Ouvrir**.

Le fichier audio ou vidéo est ouvert dans le lecteur. Utilisez les boutons en bas de l'interface pour le piloter comme vous le faites d'habitude avec un lecteur de CD ou de DVD. Le curseur permet de choisir une position particulière dans la musique ou la vidéo.

Figure 11-7 Lecture d'une vidéo avec le Lecteur Windows Media.

Si vous avez sélectionné plusieurs fichiers à l'étape **3**, leur nom apparaît dans la partie de droite de l'interface. Double-cliquez-les pour passer de l'un à l'autre.

Si vous avez choisi une vidéo, vous pouvez la lire en plein écran.

1. Cliquez le bouton 🖼.

2. Pour accéder aux boutons de commande du lecteur, déplacez la souris.

Figure 11-8 Lecture d'une vidéo en plein écran.

3. Pour revenir à l'interface standard, cliquez le bouton 🗗 (figure 11-8).

Lire un DVD vidéo

Les DVD vidéo font maintenant partie de la vie courante. Votre PC sait aussi lire ce type de médias.

1. Insérez le DVD dans le lecteur.

2. Cliquez le bouton de lecture en bas de l'interface.

Pour changer de menu, vous pouvez cliquer les liens : ils ont les mêmes fonctions que les traditionnels boutons de navigation de la télécommande d'un lecteur de DVD de salon.

La partie de droite affiche les chapitres du DVD. Vous pouvez donc accéder directement à un chapitre d'un titre sans utiliser les menus. Vous y découvrirez peut-être des bonus cachés. Cliquez les signes plus (+) en regard des titres pour afficher la liste des chapitres, puis double-cliquez un chapitre pour le lire (figure 11-9).

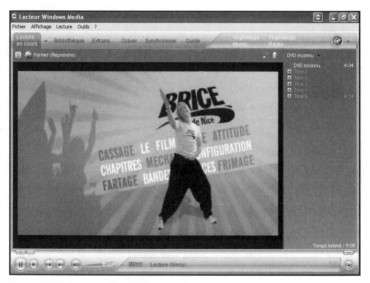

Figure 11-9 Lecture d'un DVD.

Attention ! Pour lire un DVD, il est nécessaire de posséder un décodeur matériel ou logiciel. Ce dernier n'est pas fourni avec Windows XP. Pour vous procurer un décodeur, recherchez le mot « DVD » dans l'aide en ligne (bouton **démarrer → Aide et support**), puis cliquez la rubrique **Si vous n'avez pas de décodeur DVD**.

Écouter un CD audio

Le Lecteur Windows Media ne se contente pas seulement de lire les CD audio. Si vous êtes connecté à Internet, il peut retrouver le titre d'un album, le nom de l'interprète et les titres des morceaux. Pour certains disques, il peut aussi obtenir la jaquette du boîtier, des informations et des critiques du disque, la biographie et la discographie de l'auteur, ainsi que des liens vers des pages Web.

Lire un CD audio

1. Insérez le CD audio dans le lecteur.
2. Cliquez le bouton de lecture en bas de l'interface.

Utilisez les boutons en bas de l'interface pour changer de morceau comme vous le faites d'habitude avec un lecteur de CD ou de DVD.

Si vous êtes connecté à Internet, le Lecteur Windows Media recherche automatiquement la référence du CD et affiche la liste des titres dans la partie de droite de l'interface. Au centre, il affiche la jaquette du boîtier comme dans la figure 11-10 (cette information met parfois un peu de temps à s'afficher).

Note Si vous êtes effectivement connecté à Internet et que la jaquette ne s'affiche pas après plusieurs minutes, cliquez le menu **Affichage** → **Visualisations** → **Pochette d'album** pour vérifier que l'option est bien cochée.

Obtenir des informations sur un CD

1. Cliquez le bouton **Extraire** dans la barre des tâches.
2. Cliquez le bouton **Rechercher les informations sur l'album**.

   La partie inférieure du lecteur affiche les renseignements sur l'album en cours (figure 11-11).

Figure 11-10 Lecture d'un CD audio.

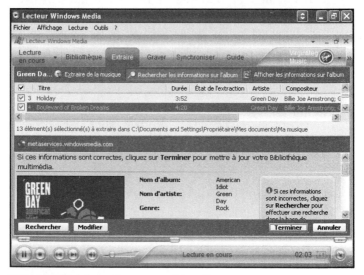

Figure 11-11 Informations sur un CD audio.

3. Cliquez les boutons **Afficher les informations sur l'album** pour obtenir d'autres renseignements.

Certains liens de couleur verte mènent vers des pages Web. Si vous les cliquez, ces pages s'ouvrent dans le navigateur par défaut (généralement, Internet Explorer).

Copier des musiques et créer des CD audio

Vous souhaitez effectuer une copie d'un de vos CD ou réaliser une compilation des meilleurs titres de votre CDthèque ? Rien de plus simple si vous possédez un graveur de CD.

Définir le format d'encodage

Le Lecteur Windows Media permet de créer des fichiers audio à partir d'un CD dans les formats WMA et MP3. Pour comprendre ces derniers et leurs utilisations, consultez l'encadré ci-après.

Avant de débuter la création des fichiers audio, vous devez définir le format d'encodage.

1. Cliquez le menu **Outils → Options**.

2. Cliquez l'onglet **Extraire de la musique**.

3. Dans la zone **Extraire de la musique à cet emplacement**, cliquez le bouton **Modifier** pour choisir le dossier de sauvegarde des fichiers encodés.

COMPRENDRE LES FORMATS DE FICHIERS AUDIO

- **Fichiers non compressés.** Sur un CD audio, les fichiers ne sont pas compressés, donc d'excellente qualité. Mais ce type de fichiers prend une place considérable. Une seule minute de musique occupe 9 Mo, soit 540 Mo pour une heure. Ce format n'est pas exploitable dans un ordinateur, sauf pour quelques fichiers. Sur PC, les fichiers correspondants sont au format WAV.

- **Fichiers compressés.** Pour pallier le problème de la taille des fichiers, il existe plusieurs formats compressés. Mais ces fichiers sont compressés avec perte. Plus la compression est élevée, plus le son est de mauvaise qualité. Cela veut dire que vous devez effectuer des choix au moment de la conversion. En fait, le choix est simple : ou vous privilégiez la qualité du son, ou vous privilégiez la taille des fichiers. À vous de voir !

- **Format MP3** (*MPEG Audio Layer-3*). C'est le format le plus courant des fichiers audio compressés. Il est utilisé dans les PC, mais aussi par les lecteurs extérieurs, comme les platines de salon ou les baladeurs. Le MP3 compresse les données de trois façons différentes. La première filtre les fréquences pour éliminer celles qui ne sont pas audibles par l'oreille humaine (en dehors de la plage 20-20 000 Hz). La deuxième utilise une méthode psycho-acoustique pour éliminer les sons qui ne sont pas perceptibles. C'est le cas, par exemple, d'un son très bas qui succède immédiatement à un son élevé. La troisième méthode compresse les données en éliminant les données redondantes.

- **Format WMA** (*Windows Media Audio*). C'est le format proposé par Microsoft pour contrer le MP3. Lisible sur PC, Windows oblige, il est accepté aussi par la plupart des lecteurs DivX et les baladeurs MP3. Il utilise deux fois moins de place, mais pour une qualité légèrement inférieure.

- **Débit binaire.** Le débit, c'est-à-dire le nombre d'informations par seconde nécessaires à la restitution du son, est exprimé en kbit/s (kilobitbits par seconde). Plus le débit est important, meilleure est la qualité sonore. Le tableau ci-dessous vous donne le rapport débit/qualité.

MP3	WMA	Qualité
<= 96 kbit/s	48 kbit/s	Très mauvaise qualité. 64 kbit/s en MP3 correspond à la qualité d'une radio FM.
112 et 128 kbit/s	64 et 96 kbit/s	Bonne qualité audio. Utilisez ce format pour des transferts sur Internet.
160 kbit/s	128 kbit/s	Qualité proche des CD.
192 kbit/s	160 kbit/s	Qualité CD
>= 224 kbit/s	192 kbit/s	Excellente qualité. 256 kbit/s correspond à la qualité studio.

• **Type de débit.** Par défaut, le débit binaire est constant (CBR, *Constant BitRate*). Cela veut dire que le nombre de bits utilisés par seconde est toujours le même, quel que soit le son à traiter, même s'il s'agit d'un silence. Avec un débit variable (VBR, *Variable BitRate*), le nombre de bits utilisés par seconde est fonction du type de son à traiter. Il en résulte une bonne qualité du son dans tous les cas, et une diminution de la taille des WMA.

Définir la qualité des fichiers WMA CBR

1. Sélectionnez **Audio Windows Media** dans la liste **Format**.
2. Faites glisser la barre de défilement horizontale pour choisir la qualité du son.

Un texte au-dessous de la barre de défilement indique le débit choisi ainsi que la taille approximative des fichiers sur le disque dur (figure 11-12).

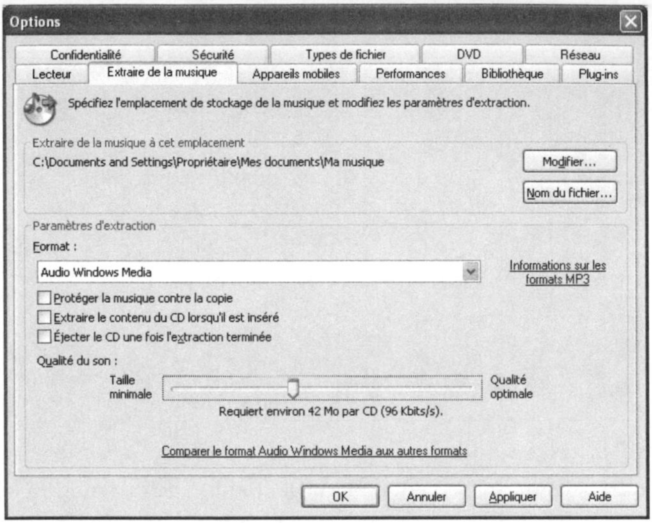

Figure 11-12 Choix de la qualité d'encodage d'un WMA dans Windows Media.

Définir la qualité des fichiers WMA VBR

1. Sélectionnez **Audio Windows Media (taux d'échantillonnage variable)** dans la liste **Format**.

2. Faites glisser la barre de défilement horizontale pour choisir la qualité du son.

Un texte au-dessous de la barre de défilement indique les débits minimal et maximal choisis ainsi que les tailles approximatives des fichiers sur le disque dur.

> **Note** Le format **Audio Windows Media sans perte** force la valeur du débit binaire à son maximum (470 à 940 kbit/s). C'est le format à utiliser si vous désirez uniquement copier ou compiler des CD audio et effacer ensuite les fichiers intermédiaires.

Définir la qualité des fichiers MP3

1. Sélectionnez **MP3** dans la liste **Format**.

2. Faites glisser la barre de défilement horizontale pour choisir la qualité du son.

Un texte au-dessous de la barre de défilement indique le débit choisi ainsi que la taille approximative des fichiers sur le disque dur.

Encoder les fichiers en WMA ou en MP3

Avant de graver un CD, vous devez copier chaque morceau sur le disque dur. Cela vous permettra aussi de les écouter sans réinsérer le CD audio correspondant.

1. Insérez le CD audio dans le lecteur.

2. Cliquez le bouton **Extraire** dans la barre des tâches.

3. Cochez les titres que vous désirez copier.

4. Cliquez le bouton **Extraire la musique**.

   Les morceaux sont copiés du CD audio sur le disque dur.

5. Répétez les étapes **1** à **4** pour ajouter les morceaux d'autres CD.

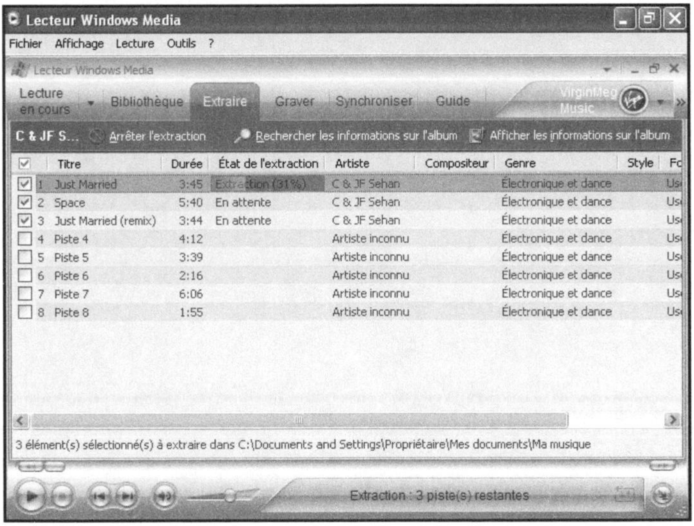

Figure 11-13 Encodage de WMA ou de MP3 avec Windows Media.

Écouter les musiques enregistrées

Les musiques copiées sont placées sur le disque dur dans des sous-dossiers du dossier **Ma musique** correspondant au nom de l'artiste et au nom de l'album. Vous pouvez les écouter comme tout autre fichier audio (consultez le paragraphe « Ouvrir un fichier multimédia » au début de ce chapitre). Mais ces fichiers font aussi partie de la bibliothèque multimédia.

Lors de la copie d'un CD audio dans les formats WMA ou MP3, le Lecteur Windows Media enregistre dans chaque fichier les informations complètes sur le titre (interprète, album, genre, titre, *etc.*). Ces informations sont appelées des « tags ».

1. Cliquez le bouton **Bibliothèque** dans la barre des tâches.

2. Dans l'arborescence de gauche, sélectionnez l'album copié.

   La partie de droite affiche la liste des titres de l'album (figure 11-14).

3. Double-cliquez les titres à écouter.

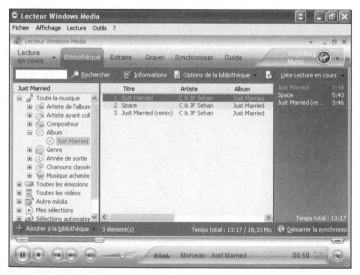

Figure 11-14 Bibliothèque multimédia du Lecteur Windows Media.

Créer un CD audio

Maintenant que vos morceaux sont copiés sur le disque dur et sont présents dans la bibliothèque multimédia, vous pouvez les copier sur un CD-R ou un CD-RW.

1.　Insérez un CD-R ou un CD-RW dans le graveur.
2.　Cliquez le bouton **Graver** dans la barre des tâches.
3.　Cliquez le bouton **Modifier la sélection**, puis sélectionnez l'album.
4.　Cochez les titres à copier sur le CD.
5.　Cliquez le bouton **Démarrer la gravure**.

Conseil Évitez d'utiliser en même temps des logiciels qui sollicitent fortement le microprocesseur ou le disque dur afin de ne pas faire échouer la gravure.

Les titres choisis sont copiés sur le CD.

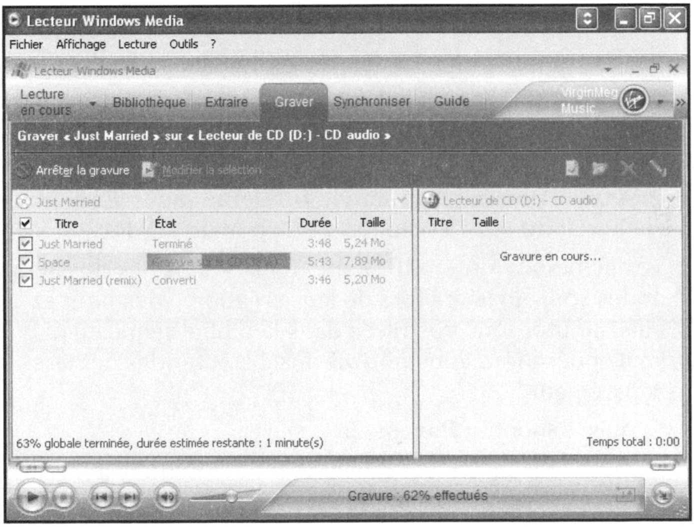

Figure 11-15 Copie de musique sur un CD-R.

COMPATIBILITÉ DES DISQUES GRAVÉS

Les disques gravés ne sont pas toujours reconnus par les lecteurs prévus pour lire des CD pressés industriellement. Cela est généralement signalé sur la notice d'emploi. De plus, la marque de CD-R peut venir en ligne de compte. Vous pourrez peut-être relire les CD d'une marque particulière dans votre autoradio CD, mais pas une autre. Dans ce domaine, il n'y a aucune règle.

Pour vérifier la compatibilité de différents formats et supports avec votre lecteur de DVD de salon, consultez le site `www.videohelp.com` (en anglais). Il présente plus de 6 000 lecteurs et les marques de supports à utiliser.

Gérer la bibliothèque de musique

Pour organiser vos fichiers audio, si cela n'est pas encore fait, vous devez les importer dans la bibliothèque de Windows Media.

1. Cliquez le bouton **Bibliothèque** dans la barre des tâches de Windows Media.

2. Cliquez le bouton **Ajouter à la bibliothèque → En recherchant sur l'ordinateur** ou appuyez sur **F3**.

   Vos fichiers WMA et MP3 sont stockés dans des dossiers et des sous-dossiers lors de leur création. Vous pouvez ainsi ajouter tous vos titres dans la bibliothèque en une seule opération. Vous pouvez aussi ajouter des fichiers séparément.

3. Cliquez le bouton **Parcourir**.

4. Sélectionnez le dossier qui contient vos fichiers audio (MP3 ou WMA).

5. Cliquez le bouton **OK** pour valider.

6. Pour la première mise à jour, cochez l'option **Nouveaux fichiers et tous les fichiers existants**. Pour les mises à jour

suivantes, cochez l'option **Nouveaux fichiers seulement** (figure 11-16).

Ajouter à la bibliothèque en recherchant sur l'ordinateur

Options de recherche

Rechercher sur :   Disque local (C:)

Regarder dans :   C:\Fichiers musicaux\MP3   [Parcourir...]

Pendant l'ajout de nouveaux fichiers de musique à la bibliothèque, mettre à jour les informations sur le média pour :

○ Nouveaux fichiers seulement (rapide)
○ Fichiers nouveaux et existants dans la bibliothèque sans infos sur le média
◉ Nouveaux fichiers et tous les fichiers existants dans la bibliothèque (lent)

[Options avancées >>]   [Rechercher]   [Annuler]   [Aide]

Figure 11-16 Mise à jour de la bibliothèque de Windows Media.

7. Cliquez le bouton **Rechercher**.

8. Cliquez le bouton **Fermer** quand la mise à jour est terminée.

Si vous ne désirez pas choisir les fichiers à ajouter à la média-thèque, vous pouvez demander à Windows Media de les rechercher pour vous dans les dossiers de votre disque dur :

1. Cliquez le bouton **Ajouter à la bibliothèque → En analysant les dossiers**.

2. Cliquez le bouton **Ajouter**.

3. Sélectionnez un dossier qui contient des fichiers audio (MP3, WMA, *etc.*).

4. Cliquez le bouton **OK** pour valider.

5. Répétez les étapes **2** à **4** pour ajouter d'autres dossiers (figure 11-17).

6. Cliquez le bouton **OK** pour débuter la recherche.

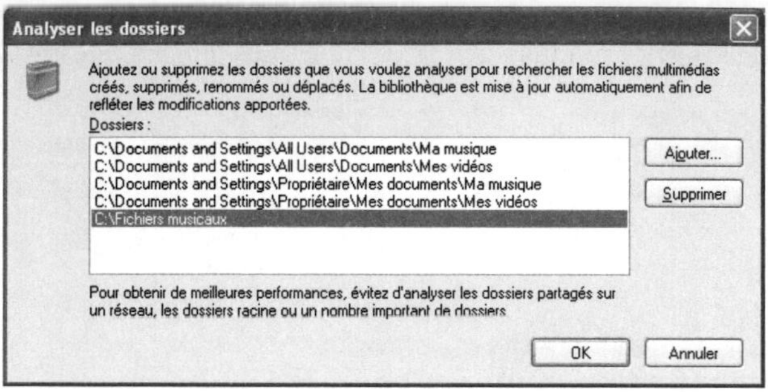

Figure 11-17 Recherche multidossier dans Windows Media.

Lire les fichiers audio de la bibliothèque

Tous les titres sont classés par artistes, albums, genres, *etc.*

1. Développez ou réduisez l'arborescence en cliquant les symboles ⊞ ou ⊟.

2. Cliquez l'artiste ou l'album à lire dans l'arborescence.

3. Pour écouter un titre, double-cliquez-le dans la liste de droite (figure 11-18).

Figure 11-18 Bibliothèque de titres dans Windows Media.

Les dossiers « Inconnu » dans l'arborescence sont des titres qui n'ont pas pu être classés car leurs tags sont incomplets, voire inexistants.

Modifier les tags

Si les tags sont incomplets, vous pouvez les modifier manuellement.

1. Cliquez un titre avec le bouton droit.

2. Cliquez **Éditeur de balises avancé** dans le menu contextuel.

3. Modifiez les données dans les divers onglets (figure 11-19).

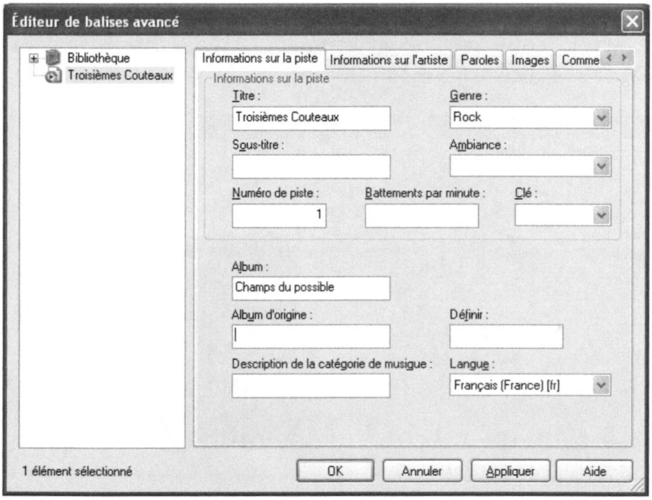

Figure 11-19 Modification des tags d'un titre dans Windows Media.

4. Cliquez le bouton **OK** pour valider.

Créer des films

Windows XP propose un logiciel simple mais efficace pour créer vos vidéos : Movie Maker. Il permet de capturer des clips à partir d'un Caméscope ou d'une autre source vidéo, de les découper, de les assembler, puis de créer un film complet.

Matériel nécessaire

La source vidéo est un appareil extérieur à l'ordinateur, comme un Caméscope ou un magnétoscope numérique ou analogique. Pour le relier au PC, ce dernier doit donc contenir une carte d'interface. Pour les Caméscopes numériques (DV ou Digital 8), vous devez installer une carte IEEE-1394, appelée aussi FireWire ou i-Link. Pour les Caméscopes analogiques (VHS ou HI-8), vous devez installer une carte d'acquisition analogique. La liaison entre les deux est réalisée avec des câbles, fournis avec les cartes d'interfaces. Si vous avez besoin d'explications sur les connexions, demandez conseil à votre revendeur.

Pour afficher la fenêtre de Movie Maker, cliquez le bouton **démarrer** → **Tous les programmes** → **Accessoires** → **Windows Movie Maker** (figure 11-20).

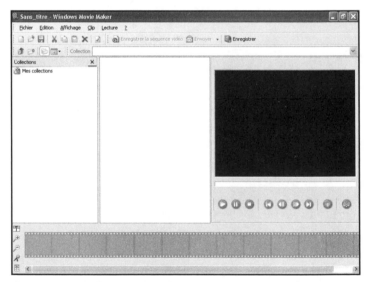

Figure 11-20 Windows Movie Maker.

Capturer des vidéos

1. Cliquez le bouton **Enregistrer** dans la barre d'outils.

   La boîte de capture s'affiche.

2. Si vous possédez plusieurs sources vidéo, cliquez le bouton **Modifier le périphérique**, puis faites votre choix dans la boîte qui s'ouvre.

3. Cliquez la zone **Paramètres**, puis choisissez la qualité de la capture. Si vous avez choisi **Autre**, sélectionnez dans la liste au-dessous une autre qualité.

Conseil La taille des fichiers vidéo dépend du type de qualité. Meilleure est la qualité, plus gros sera le fichier. Ne choisissez donc pas, par exemple, une bonne qualité si vous destinez votre film à une diffusion sur Internet. Une vidéo au format DV occupe 220 Mo par minute sur votre disque dur. Prévoyez de la place pour ce type de fichier.

La réalisation de la capture est fonction du type de Caméscope.

Caméscope numérique

Si vous possédez un Caméscope numérique, allumez-le en le mettant en mode **Magnétoscope**, **Lecteur** ou **Player**. Il n'est pas nécessaire d'utiliser les boutons comme Lecture ou Pause : ils sont présents dans la boîte de capture. Vous pouvez donc piloter le Caméscope directement à partir du PC. Utilisez les boutons de commande de Movie Maker pour rechercher la séquence à capturer.

1. Cliquez le bouton **Enregistrer**. Movie Maker se charge de mettre en route le Caméscope.

2. Dès que la séquence est capturée, cliquez le bouton **Arrêt**. Movie Maker se charge d'arrêter le Caméscope.

Caméscope analogique

Pour un Caméscope analogique, recherchez manuellement la séquence à capturer, puis placez-vous en **Pause**.

1. Appuyez sur le bouton **Lecture** du Caméscope.

2. Cliquez immédiatement sur le bouton **Enregistrer** dans Movie Maker.

3. Dès que la séquence est capturée, cliquez le bouton **Arrêt** dans Movie Maker.

4. Appuyez sur le bouton **Pause** ou **Arrêt** du Caméscope.

Figure 11-21 Capture de vidéo avec Movie Maker.

Dès la fin de la capture, Movie Maker ouvre une boîte qui permet d'enregistrer la séquence.

1. Par défaut, les vidéos sont enregistrées dans le dossier Mes vidéos. Cliquez la zone **Enregistrer dans** si vous désirez sauvegarder le fichier à un autre emplacement.

2. Tapez le nom de la séquence dans la zone **Nom du fichier**.

3. Cliquez le bouton **Enregistrer** (figure 11-22).

Consulter les vidéos

Après la capture d'une vidéo, Movie Maker revient à l'interface principale.

La liste de gauche affiche toutes les séquences capturées dans des dossiers de « collections ».

1. Cliquez le nom d'une collection.

   Movie Maker divise automatiquement chaque vidéo en segments plus petits appelés « clips ». Un clip est créé dans le film d'origine lors de la prise de vue, chaque fois que vous mettez en pause ou arrêtez le Caméscope. Les

noms des clips sont alors remplacés par la date et
l'heure. Cela ne s'applique qu'aux vidéos numériques.

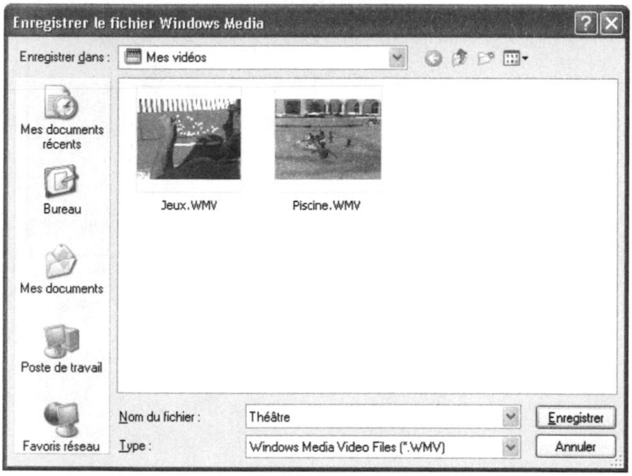

Figure 11-22 Enregistrement d'une vidéo.

2.   Cliquez un clip dans une collection pour le sélectionner.

3.   Utilisez les boutons au-dessous de la fenêtre de
     visualisation pour lire le clip choisi.

> **Note** Vous pouvez ajouter au projet des vidéos existantes ou
> des images. Cliquez pour cela le menu **Fichier → Impor-
> ter.**

Monter les vidéos

Maintenant que vous avez des clips, vous pouvez les mettre
bout à bout et dans l'ordre qui vous plaît pour créer un film
complet.

1.   Cliquez et faites glisser le clip de votre choix vers la
     pellicule en bas de la fenêtre. (Cette zone s'appelle la
     « table de montage ».)

2.   Répétez l'étape **1** pour tous les clips à utiliser. Vous pouvez
     entre-temps changer de collection.

Figure 11-23 Ajout de clips à la table de montage.

Si, après coup, l'ordre ne vous convient pas, modifiez-le : cliquez et faites glisser le clip à déplacer dans la table de montage pour modifier l'ordre.

Découper et associer des clips

Si le début ou la fin d'un clip n'est pas indispensable, vous pouvez le scinder en deux parties pour ne conserver que la partie qui vous intéresse. Vous pouvez aussi assembler deux clips pour n'en former qu'un seul.

Pour scinder un clip :

1. Cliquez le clip dans la liste des collections.
2. Utilisez les boutons au-dessous de la fenêtre de visualisation pour trouver la position de coupure.
3. Cliquez le menu **Clip → Fractionner**.

Note Movie Maker ne coupe pas vos vidéos si vous fractionnez un clip en deux parties. Les fichiers des vidéos capturées ne sont pas modifiés. Movie Maker conserve juste les positions des clips à l'intérieur de la vidéo. Il utilise ces informations au moment de créer le film complet.

Pour associer deux clips :

1. Cliquez le premier clip dans la liste des collections.
2. Maintenez la touche **Ctrl** enfoncée puis cliquez le second clip.
3. Cliquez la sélection avec le bouton droit de la souris.
4. Cliquez **Associer** dans le menu contextuel.

Conseil Vous ne pouvez associer que deux clips qui se suivent. Si ce n'est pas le cas, commencez par les déplacer dans la table de montage.

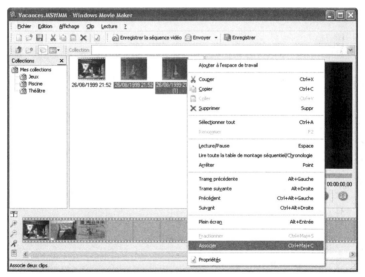

Figure 11-24 Association de deux clips.

Enregistrer un projet

Comme toutes les applications, Movie Maker permet d'enregistrer des « documents ». Il s'agit ici de conserver toutes les informations sur le projet, c'est-à-dire la liste des vidéos capturées, la position et la durée de chaque clip dans les vidéos, et leur position dans la table de montage. Le projet ne conserve pas les vidéos elles-mêmes, puisqu'elles sont déjà sur le disque dur.

1. Cliquez le menu **Fichier** → **Enregistrer** ou tapez **Ctrl** ı**S**.
2. Éventuellement, sélectionnez dans la zone **Enregistrer dans** le dossier de sauvegarde.
3. Tapez un nom pour le projet dans la zone **Nom du fichier**.
4. Cliquez le bouton **Enregistrer**.

> **Note** Pour créer un nouveau dossier, consultez le chapitre 5. Pour plus de renseignements sur l'enregistrement des documents, consultez le chapitre 2.

Lire le film

Avant d'enregistrer le film complet, visionnez-le intégralement.

1. Dans la table de montage, cliquez une zone sans clip.
2. Utilisez les boutons au-dessous de la fenêtre de visualisation pour lire le film tel qu'il sera enregistré.

Enregistrer le film

C'est maintenant le moment d'enregistrer le film complet, c'est-à-dire un seul fichier vidéo créé à partir des clips et lisible dans le Lecteur Windows Media.

1. Cliquez le bouton **Enregistrer la séquence vidéo**.

   La boîte Enregistrer la séquence vidéo s'affiche.
2. Cliquez la zone **Paramètre**, puis choisissez la qualité de la vidéo. Si vous avez choisi **Autre**, sélectionnez dans la liste **Profil** une autre qualité.

   Les zones au-dessous affichent le format d'enregistrement de la vidéo, ainsi que les temps de téléchargement (si vous la destinez à une diffusion sur Internet).
3. Tapez dans la zone **Afficher les informations** les renseignements sur la vidéo (titre, auteur, date, *etc.*).
4. Cliquez le bouton **OK** (figure 11-25).

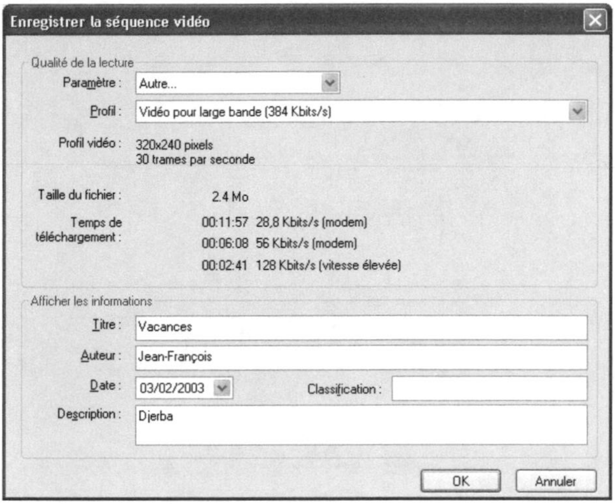

Figure 11-25 Enregistrement du fichier vidéo final.

5.   Par défaut, la vidéo est enregistrée dans le dossier Mes vidéos comme les vidéos capturées. Cliquez la zone **Enregistrer dans** si vous voulez sauvegarder le fichier à un autre emplacement.

6.   Tapez le nom de la vidéo dans la zone **Nom du fichier**.

7.   Cliquez le bouton **Enregistrer**.

Dès que le fichier est enregistré, Movie Maker propose de l'ouvrir avec le Lecteur Windows Media.

8.   Cliquez le bouton **Oui** pour lire la vidéo.

La vidéo est immédiatement lue avec le Lecteur Windows Media (figure 11-26).

Figure 11-26 Lecture de la vidéo dans le Lecteur Windows Media.

Enregistrer des sons avec le magnétophone

Le magnétophone permet d'enregistrer des sons en provenance d'un lecteur de CD, d'un microphone ou de toute autre source audio branchée sur la carte son de votre ordinateur. Il est par exemple possible d'enregistrer une émission de radio sur le Web. Pour cela, cliquez le bouton **démarrer** → **Tous les programmes** → **Accessoires** → **Divertissement** → **Magnétophone**.

Définir la source sonore

Avant de débuter l'enregistrement, vous devez choisir la source du son.

1.   Cliquez le menu **Édition** → **Propriétés audio**.

2.   Dans la boîte Propriétés audio, cliquez le bouton **Volume** de la zone Enregistrement audio.

3.   Cochez la case **Sélectionner** de la source audio, puis faites glisser le curseur correspondant pour choisir le volume d'enregistrement (figure 11–27).

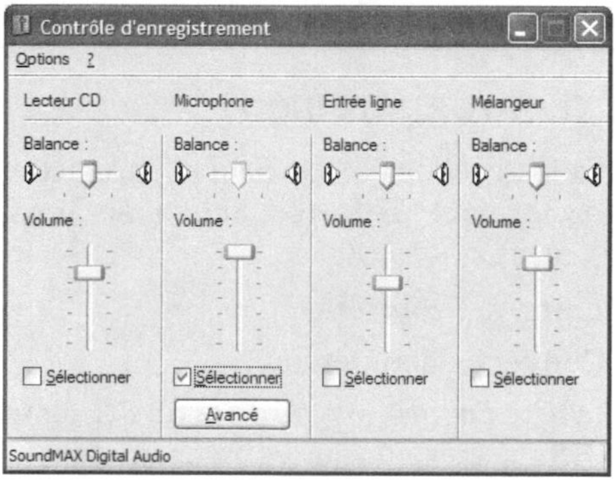

Figure 11-27 Choix de la source à enregistrer.

Si la source à utiliser n'est pas présente dans la boîte de la figure 11-27, suivez ces étapes :

1.   Dans la boîte Contrôle d'enregistrement, cliquez le menu **Options → Propriétés**.

2.   Cochez l'option **Enregistrement**.

3.   Cochez les sources que vous désirez utiliser (figure 11-28).

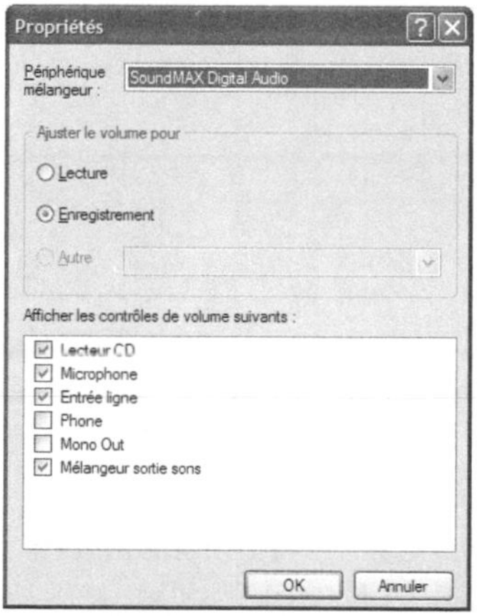

Figure 11-28 Liste des sources disponibles dans votre ordinateur.

Astuce La source Mélangeur sortie sons correspond au son diffusé sur vos haut-parleurs. Cela permet d'enregistrer tous les sons, y compris ceux diffusés, par exemple, par une radio Internet.

Définir le format d'enregistrement

Le magnétophone permet de choisir le format d'enregistrement des sons. Certains formats sont prédéfinis, mais il est possible d'en choisir d'autres.

1. Cliquez le menu **Fichier → Propriétés**.

2. Cliquez le bouton **Convertir maintenant**.

3. Sélectionnez dans la liste **Format** le type de fichier (la liste est fonction des CODECs présents sur votre ordinateur).

4. Sélectionnez dans la liste **Attribut** la qualité du son (figure 11-29).

Note Pour choisir des formats prédéfinis, sélectionnez-les dans la liste **Nom**. Vous pouvez aussi sauvegarder le format sélectionné en cliquant le bouton **Enregistrer sous**.

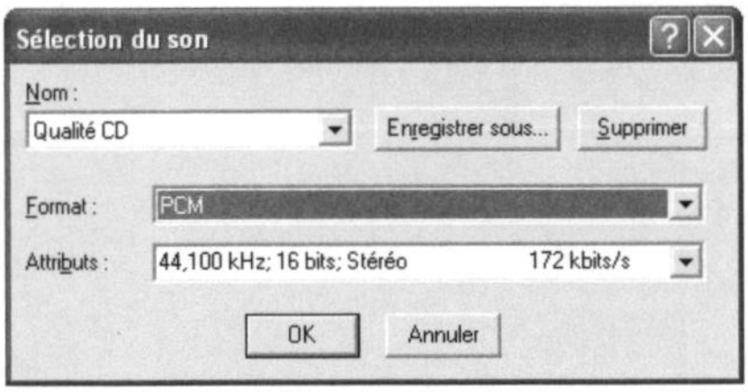

Figure 11-29 Choix de la qualité du son.

Enregistrer des sons

Dès que vous avez choisi la source et le format d'enregistrement, vous pouvez débuter l'enregistrement.

1. Cliquez le bouton [●] pour débuter l'enregistrement.

   La zone centrale de l'interface du magnétophone affiche un graphique des sons enregistrés (figure 11-30).

Figure 11-30 Enregistrement d'un son.

2. Cliquez le bouton ■ pour arrêter l'enregistrement.

3. Cliquez le bouton ► pour écouter l'enregistrement.

4. Faites glisser le curseur pour vous placer à un endroit précis du son.

5. Cliquez le bouton ◄◄ pour revenir au début du son.

• En cliquant le menu **Effets**, vous pouvez modifier le son (volume, écho, *etc.*).

• Pour insérer un fichier au milieu de l'enregistrement en cours, placez le curseur à la position d'insertion, puis utilisez le menu **Édition → Insérer un fichier**.

• Pour mixer deux fichiers son, utilisez le menu **Édition → Mélanger avec un fichier**.

Partie IV

Exploiter les richesses d'Internet

Naviguer sur Internet

Internet offre de multiples facettes. De la simple navigation dans des pages Web à la messagerie, cet outil n'est pas près de cesser de vous étonner. Une fois votre connexion établie, vous pouvez visiter les millions de pages proposées par les sites du monde entier. Les internautes appellent cela « surfer » : vous vous déplacez de page en page grâce aux liens proposés pour approfondir le sujet qui vous intéresse ou en découvrir de nouveaux. Ce chapitre vous explique le moyen d'effectuer des recherches et d'organiser vos liens vers les sites que vous consultez fréquemment, ainsi que l'exploitation du contenu des pages pour les conserver durablement. N'oubliez pas qu'Internet est en perpétuelle évolution, et certaines pages peuvent disparaître d'un jour à l'autre.

Dans ce chapitre

- Se connecter à Internet
- Visiter des sites Web
- Conserver des adresses

- Utiliser l'historique
- Effectuer des recherches
- Exploiter les pages Web

Se connecter à Internet

Pour se connecter à Internet, vous devez installer un modem. Celui-ci permet de transférer des données *via* le réseau téléphonique. Les modems les plus courants se connectent à un port USB ou un port série à l'arrière du boîtier. Il existe aussi des modems internes, dont l'installation nécessite d'ouvrir l'unité centrale. Pour tous ces branchements, consultez leur notice ou demandez conseil à votre revendeur.

> ***Définition*** **Internet.** Ensemble de réseaux interconnectés à travers le monde. Internet est donc le réseau des réseaux. En vous connectant à Internet, votre ordinateur fait partie de ce réseau.

Installer un modem

Si votre modem est « plug and play » (c'est généralement le cas des modèles USB ou internes), Windows XP le détectera immédiatement et se chargera d'installer les logiciels nécessaires à son fonctionnement. Si le modèle est très récent, il vous demandera peut-être d'insérer la disquette ou le CD-ROM fourni par le constructeur.

Figure 12-1 Modem ADSL USB.

> ***Définition*** **ADSL.** Connexion Internet très rapide qui utilise votre ligne de téléphone mais vous laisse quand même la possibilité de téléphoner. C'est donc une avancée technologique importante par rapport aux connexions traditionnelles, qui sont lentes et occupent la ligne télé-

phonique. De plus, l'abonnement étant illimité, vous pouvez vous connecter quand vous le désirez, voire 24 heures sur 24.

Si votre modem est ancien (c'est le cas des modèles qui se connectent au port série), Windows risque de ne pas le détecter. Dans ce cas, vous devez utiliser un assistant qui se chargera de le trouver et d'installer les logiciels *ad hoc*.

1. Cliquez le bouton **démarrer** ➔ **Panneau de configuration**.

2. Si la page Choisissez une catégorie est affichée, cliquez **Imprimantes et autres périphériques** puis cliquez **Options de modems et téléphonie**. Dans les autres cas, double-cliquez directement **Options de modems et téléphonie**.

3. Cliquez l'onglet **Modems**.

4. Si votre modem apparaît dans la liste, il est déjà installé. Cliquez dans ce cas le bouton **Annuler**.

5. Si votre modem n'apparaît pas dans la liste, cliquez le bouton **Ajouter...** (figure 12-2).

Figure 12-2 Boîte d'ajout d'un modem.

Windows ouvre un assistant.

1. Si votre modem possède sa propre alimentation, allumez-le. (Les modèles internes et USB sont alimentés par l'ordinateur.)

2. Cliquez le bouton **Suivant**.

   Windows tente de détecter votre modem plug and play. En réalité, s'il ne l'a pas détecté précédemment, il y a peu de chances qu'il le trouve maintenant. S'il le trouve effectivement, cliquez **Terminer** dans la dernière boîte de l'assistant.

3. Cliquez le bouton **Suivant**.

4. Cliquez le modèle dans la liste de droite (figure 12-3).

> **Note** Si votre modem n'apparaît pas dans la liste, insérez la disquette ou le CD-ROM fourni par le constructeur, puis cliquez le bouton **Disque fourni**. Sachez cependant que presque tous les modems sont standard. Regardez le boîtier : il y a sûrement un nombre inscrit qui correspond à sa vitesse. Par exemple, si vous voyez le chiffre 28 800, sélectionnez le modèle Modem standard 28800 bps. Un modem 56K ou V90 correspond à un modèle 56000 bps.

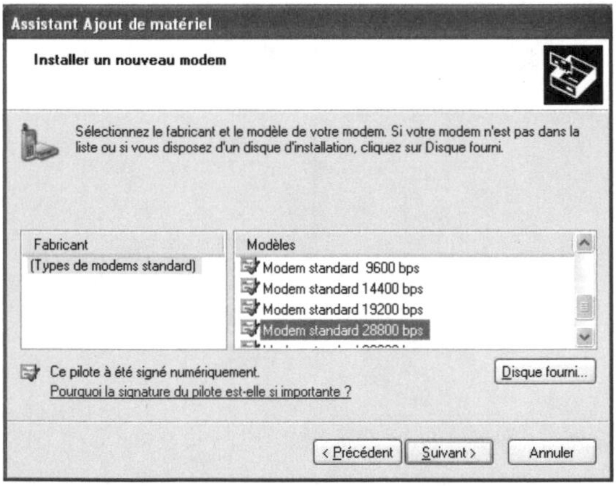

Figure 12-3 Sélection du type de modem.

5. Cliquez le bouton **Suivant**.

6. Cliquez dans la liste des ports celui sur lequel est branché le modem.

Astuce Les modems externes sont connectés aux ports série nommés COM1 et COM2. Ces derniers correspondent aux prises série à l'arrière du PC. Si l'assistant vous en propose plusieurs et que vous ne sachiez pas lequel est utilisé, choisissez le port COM1. Si le modem ne fonctionne pas, supprimez-le dans la boîte Options de modems, puis réinstallez-le en utilisant le port COM2.

7. Cliquez le bouton **Suivant**.
8. Cliquez le bouton **Terminer** après l'installation.

Définir les données de connexion

Pour établir une connexion, vous devez souscrire un abonnement à un fournisseur d'accès Internet (FAI). Il existe de nombreux FAI (qui vous ont sûrement déjà sollicité par leur publicité) : Club-Internet, Free, Wanadoo, AOL, *etc*. Si vous ne savez pas encore si Internet peut vous apporter quelque chose, souscrivez un petit forfait, vous pourrez toujours le changer ultérieurement. Certains FAI proposent même des mois d'accès gratuits. Profitez-en.

Si votre FAI vous a fourni un CD-ROM, insérez-le dans le lecteur, puis suivez les instructions à l'écran.

Dans les autres cas, l'installation de la connexion s'effectue avec un assistant.

1. Cliquez le bouton **démarrer → Tous les programmes → Accessoires → Communications → Assistant nouvelle connexion**.
2. Cliquez le bouton **Suivant** pour commencer la création de la connexion.
3. Cliquez l'option **Établir une connexion à Internet**.
4. Cliquez le bouton **Suivant**.
5. Cliquez l'option **Configurer ma connexion manuellement**.
6. Cliquez le bouton **Suivant**.

Cette étape permet de choisir le type de connexion en fonction du type de modem.

7. Si vous avez un modem standard, cochez la première option. Si vous avez un modem ADSL, cochez la deuxième option. Si vous utilisez le câble, cochez la troisième option (figure 12-4).

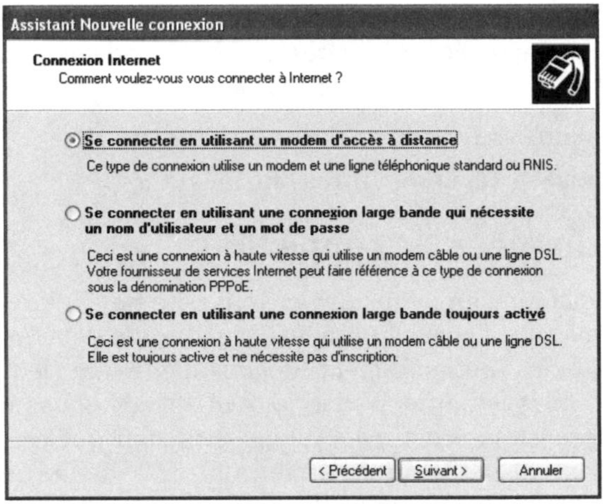

Figure 12-4 Choix du type de connexion.

8. Cliquez le bouton **Suivant**.

Tous les renseignements des étapes suivantes de l'assistant vous ont été communiqués par courrier par votre FAI. Consultez ces documents pour répondre aux dernières questions de l'assistant.

Se connecter

Maintenant que le modem est installé et la connexion créée, vous pouvez vous connecter à Internet.

1. Cliquez le bouton **démarrer → Connexions** puis le nom de la connexion.

Note Il est possible qu'une application qui a besoin d'un accès à Internet demande elle-même la connexion. Dans ce cas, la boîte de dialogue de la figure 12-5 s'affiche automatiquement.

2. Si les zones **Nom d'utilisateur** et **Mot de passe** ne sont pas renseignées, tapez les données fournies par votre FAI.

3. Pour ne pas retaper les données de l'étape **2**, cochez la case **Enregistrer....**

4. Cliquez le bouton **Numéroter**. Si vous avez l'ADSL, cliquez le bouton **Se connecter**.

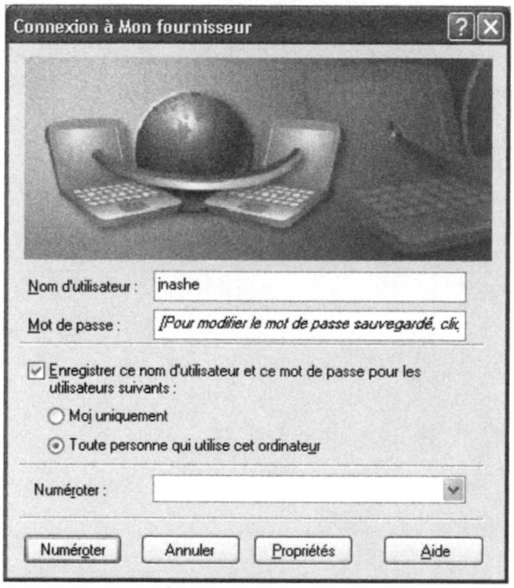

Figure 12-5 Boîte de connexion à Internet.

L'icône ▨ s'affiche dans la partie droite de la barre des tâches (zone de notification). Elle indique que vous êtes connecté à Internet.

Se déconnecter

Si vous avez un forfait Internet et non une connexion illimitée, vous devez penser à vous déconnecter pour ne pas gâcher des minutes qui vous sont facturées.

1. Double-cliquez l'icône ▨ dans la partie droite de la barre des tâches (zone de notification).

   Cette boîte affiche l'état de la connexion actuelle.

2. Cliquez le bouton **Se déconnecter**.

Définition IP. Adresse composée de quatre groupes de chiffres de 0 à 255 qui identifie de façon unique votre ordinateur sur le réseau.

Conseil Si vous avez besoin de connaître un jour votre adresse IP, par exemple pour des applications comme NetMeeting, cliquez l'onglet **Détails** de la boîte de dialogue **État de…** (figure 12-6). La zone **Adresse IP du client** vous donne l'IP de votre connexion.

Figure 12-6 État de la connexion Internet.

Visiter des sites Web

La navigation sur le Web est la principale activité des internautes. Son principe est très simple : vous saisissez l'adresse d'un site, puis vous cliquez les liens proposés pour « naviguer » ou « surfer » de page en page sur les sujets qui vous intéressent.

Définition World Wide Web ou tout simplement Web. Service sur Internet qui permet de consulter des pages au format HTML. Les adresses des sites qui utilisent ce service commencent par les lettres « www ».

Définition HTML (*HyperText Markup Language*). Langage pour décrire des pages Web avec des fonctions qui n'existent pas dans un texte ordinaire : liens vers d'autres pages ou sites, insertions de tableaux ou d'images, sons, animations, vidéos, *etc.*

1. Cliquez le bouton **démarrer** → **Internet Explorer**.

Note Pour surfer, vous devez être connecté. Vous pouvez aussi naviguer « hors connexion », mais seulement pour les dernières pages que vous avez visitées.

Vous êtes maintenant dans l'interface d'Internet Explorer, qui va vous permettre de découvrir toutes les possibilités du Web.

2. Cliquez la zone **Adresse**.

3. Tapez l'adresse du site et appuyez sur la touche **Entrée**.

Conseil Il n'est pas nécessaire de faire précéder l'adresse du protocole http://. Pour les adresses se terminant par .com, tapez uniquement le nom du site et appuyez sur **Ctrl+Entrée**. L'adresse est automatiquement complétée : par exemple, google devient www.google.com.

La page correspondant à l'adresse saisie est affichée. Si vous avez tapé uniquement l'adresse du site, c'est la page principale qui s'affiche (figure 12-7).

Maintenant, vous pouvez naviguer de page en page. Comment ? Tout simplement en recherchant les liens qui vous dirigent vers d'autres pages. Certains liens sont facilement reconnaissables : ils ont une couleur différente du reste du texte et sont généralement soulignés. Mais ce n'est pas toujours le cas. Pour repérer un lien, déplacez la souris. Si le curseur prend la forme 🖑, il s'agit d'un lien. Dans ce cas, cliquez-le pour passer à une autre page ou à une autre partie de la page en cours.

Figure 12-7 Page Web affichée dans Internet Explorer.

Si l'adresse saisie n'est pas disponible, c'est peut-être tout simplement qu'elle est mal orthographiée. Corrigez dans ce cas votre saisie, puis appuyez sur **Entrée**.

Si vous avez cliqué le mauvais lien ou si vous désirez parcourir les pages déjà visitées, Internet Explorer vous propose des boutons pour accéder aux pages suivantes et précédentes, mais aussi à une page précise.

1. Pour revenir à la page précédente, cliquez le bouton ⬅ · .

2. Pour voir la page suivante, cliquez le bouton ➡ · .

    Ces boutons ne sont disponibles que si vous avez déjà consulté au minimum deux pages depuis l'ouverture d'Internet Explorer.

3. Pour choisir une page précise, cliquez les flèches en regard des boutons ⬅ · et ➡ · puis cliquez le nom de la page dans la liste qui s'ouvre.

Conserver les adresses

Avec le temps, vous verrez que l'on revient très souvent sur les mêmes sites. Généralement parce qu'ils correspondent à des hobbies, des informations pour le travail, ou des sites marchands que l'on privilégie.

Pour ne pas retaper les adresses de ces sites, vous pouvez les conserver dans un dossier appelé « favoris ».

Ajouter une adresse aux favoris

1. Affichez la page dont vous désirez conserver l'adresse.
2. Cliquez le menu **Favoris → Ajouter aux Favoris**.
3. Éventuellement, cliquez le bouton **Créer dans >>>** pour afficher la liste des dossiers.
4. Tapez le nom du site ou de la page dans la zone **Nom**. Ce nom n'a aucune influence sur le lien.
5. Cliquez le dossier qui doit contenir l'adresse (figure 12-8).

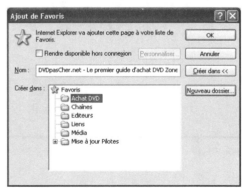

Figure 12-8 Ajout de la page Web en cours dans les favoris.

6. Cliquez le bouton **OK**.

Utiliser une adresse des favoris

Tous les liens ajoutés sont disponibles dans un menu. Vous pouvez donc y accéder très facilement.

1. Cliquez le menu **Favoris**.

2. Éventuellement, pointez le dossier dans lequel se trouve le lien.

3. Cliquez le lien de la page à afficher.

Si vous trouvez le menu Favoris difficile d'emploi, affichez le volet des favoris : cliquez le bouton **Favoris**, ou cliquez le menu **Affichage → Volet d'exploration → Favoris**. Cette solution permet de continuer à naviguer dans la partie de droite d'Internet Explorer tout en ayant la liste des liens dans la partie de gauche.

Figure 12-9 Menu et volet des favoris.

Organiser les favoris

Pour ne pas être submergé par une quantité importante de liens, mieux vaut les organiser en les classant par thèmes dans des dossiers.

1. Cliquez **Favoris** → **Organiser les Favoris**.

   La boîte qui s'affiche permet de créer, de renommer ou de supprimer des dossiers. Il s'agit d'une arborescence semblable à celle de votre disque dur.

2. Utilisez les boutons correspondants pour modifier les dossiers (figure 12-10).

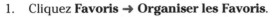

Figure 12-10 Organisation du menu des favoris.

Définir la page de démarrage

Si vous consultez toujours la même page à chaque connexion, définissez-la comme page par défaut.

1. Affichez la page à utiliser par défaut.

2. Cliquez le menu **Outils** → **Options Internet**.

3. Cliquez l'onglet **Général** (figure 12-11).

4. Cliquez le bouton **Page actuelle** pour qu'elle devienne la page de démarrage.

Note Si vous cliquez le bouton **Page par défaut**, le site de MSN ou celui du constructeur de l'ordinateur sera ouvert au démarrage. Si vous cliquez le bouton **Page vierge**, vous n'aurez pas de site affiché à l'ouverture d'Internet Explorer.

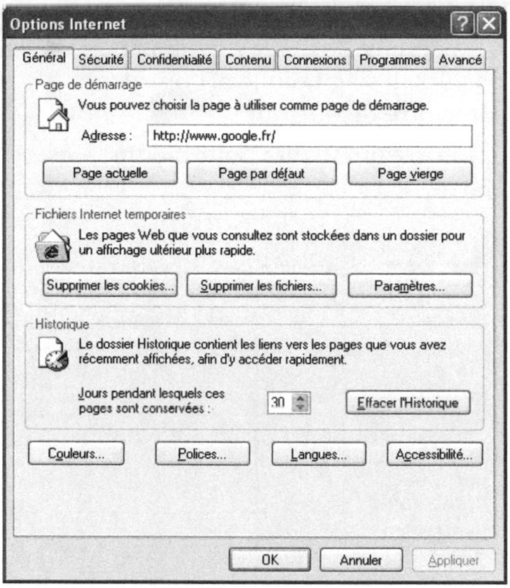

Figure 12-11 Choix de la page de démarrage.

5. Cliquez le bouton **OK**.

Utiliser l'historique

Internet Explorer conserve les adresses des dernières pages visitées. Elles sont regroupées par semaines, et par jours pour la dernière semaine.

1. Cliquez le menu **Affichage → Volet d'exploration → Historique**.

   Le volet Historique s'affiche dans la partie gauche d'Internet Explorer.

2. Cliquez le jour ou la semaine à consulter.

   Chaque dossier correspond à un site visité.

3. Cliquez un dossier pour l'ouvrir.

   Chaque lien correspond à une page visitée.

4. Cliquez un lien pour afficher la page correspondante.

   La page s'ouvre dans la partie de droite d'Internet Explorer.

5. Cliquez le bouton en forme de croix pour fermer le volet
    Historique.

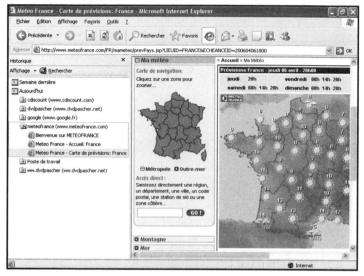

Figure 12-12 Historique des pages visitées.

Effectuer des recherches

Si vous ne disposez pas de l'adresse Web d'un site, vous devez
effectuer une recherche.

1. Cliquez le bouton **Rechercher** dans la barre d'outils.

    Internet Explorer ouvre un nouveau volet dans la partie
    de gauche.

2. Tapez dans la zone de recherche des mots clés
    correspondant au site auquel vous désirez accéder.

3. Cliquez le bouton **Rechercher (OK**, **Aller**, *etc.*) ou appuyez
    sur la touche **Entrée**.

    Le volet **Rechercher** vous propose alors plusieurs liens
    correspondant aux mots clés de votre recherche.

4. Cliquez un lien pour l'ouvrir dans la partie de droite.

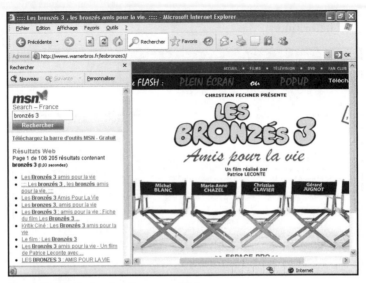

Figure 12-13 Recherche d'une page Web.

Utiliser directement les moteurs de recherche

Les *moteurs de recherche* permettent de retrouver des pages Web en fonction de mots clés. Ce sont en fait des sites comme tous les autres. Il suffit donc de taper leur adresse dans la barre Adresse pour y accéder. Voici quelques adresses indispensables :

- `www.google.com`
- `www.voila.fr`
- `www.yahoo.fr`
- `www.nomade.fr`
- `www.lycos.fr`.

Ces sites proposent généralement une aide pour affiner votre recherche. Consultez-la pour accéder plus facilement à l'information que vous désirez consulter.

Effectuer une recherche avec Google

Le moteur de recherche Google répertorie actuellement plus de huit milliards de pages Web. C'est le meilleur moyen de trouver rapidement l'information qui vous manque.

Recherche simple

1. Tapez www.google.fr dans la barre Adresse puis cliquez **Entrée**.

2. Tapez le ou les mots clés de la recherche.

   Note L'encadré qui suit donne des conseils sur l'utilisation des mots clés.

3. Cochez une des options proposées pour effectuer une recherche précise (toutes les langues, langue française ou site français).

Figure 12-14 Page d'accueil de Google.

4. Cliquez le bouton **Recherche Google** pour afficher tous les liens vers les pages concernées. Cliquez le bouton **J'ai de la chance** pour afficher la page la plus pertinente.

   Google affiche une liste de liens vers les pages qui contiennent les mots clés saisis à l'étape **2**.

Figure 12-15 Pages proposées par Google.

5. Cliquez le lien dont vous désirez consulter la page.

6. Si vous ne trouvez pas de lien intéressant, cliquez le lien **Suivant** pour en afficher d'autres.

AMÉLIORER LES RECHERCHES AVEC GOOGLE

- Google recherche les pages contenant tous les mots que vous avez saisis. Cependant, ces derniers ne sont pas forcément dans l'ordre où vous les avez tapés, et ne sont pas obligatoirement les uns à la suite des autres.

- Pour rechercher une expression complète, par exemple le titre d'un film ou d'un livre, placez les mots entre guillemets ("star wars").

- Pour exclure un mot de la recherche, faites-le précéder d'un signe moins (–).

- Google ne tient pas compte des chiffres et des lettres seules, ainsi que des mots de liaison (de, la, etc.). Pour forcer la recherche avec ces derniers, faites-les précéder du signe plus (+).

- Google ne tient pas compte des majuscules. Il est donc inutile de les saisir.

Recherche avancée

1. Ouvrez la page d'accueil de Google.

2. Cliquez le lien **Recherche avancée**.

3. Saisissez les renseignements de la recherche dans la page qui s'affiche (figure 12-16).

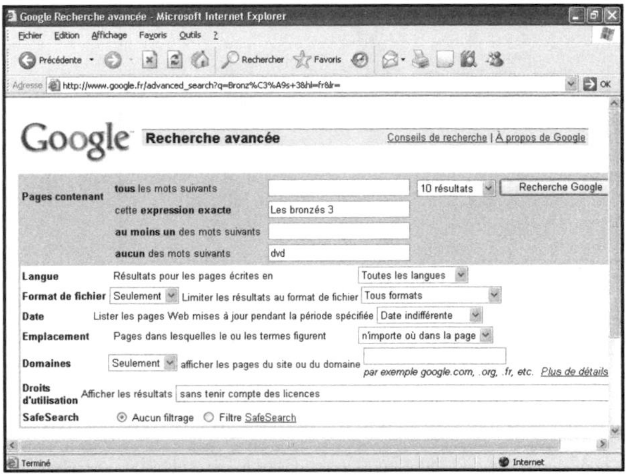

Figure 12-16 Recherche avancée avec Google.

4. Cliquez le bouton **Recherche Google**.

Rechercher des images

1. Ouvrez la page d'accueil de Google.

2. Cliquez le lien **Image**.

3. Tapez le ou les mots clés de la recherche.

4. Cliquez le bouton **Recherche Google (**figure 12-17).

   Google affiche les images correspondant aux mots clés saisis.

5. Cliquez l'Image pour la visualiser dans sa page d'origine.

Note Pour limiter le nombre d'images en fonction de la taille, cliquez les liens **Grandes**, **Moyennes** ou **petites**.

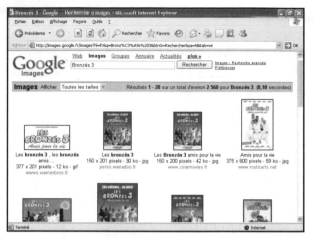

Figure 12-17 Recherche d'images avec Google.

Effectuer une recherche dans un site

Les grands sites proposent eux aussi une zone de recherche pour vous permettre de trouver une donnée ou un produit. Ils utilisent généralement le système de mots clés pour vous donner accès à l'information. Mais, parfois, ils proposent des listes dans lesquelles vous pouvez sélectionner des thèmes.

Conseil Les pages Web sont généralement « intuitives ». C'est donc à vous de les parcourir et de rechercher les informations qui vous intéressent. Comme tous les sites ont leur propre interface, il serait vain d'expliquer ici le fonctionnement des millions de pages disponibles sur Internet. Ayez donc de « l'intuition » et n'hésitez pas à user de votre souris.

Exploiter les pages Web

Pour exploiter les pages en dehors de la navigation, vous pouvez les enregistrer sur votre disque dur, les imprimer, ou copier des portions de texte vers un autre logiciel.

Rechercher un texte

La recherche d'un texte permet de se positionner directement à un endroit précis, quelle que soit la longueur de la page. Cette recherche se limite à la page en cours.

1. Cliquez le menu **Edition → Rechercher**. Pour aller plus vite, utilisez le raccourci **Ctrl+F**.

2. Dans la boîte qui s'affiche, tapez le texte à trouver dans la zone **Rechercher** et choisissez d'éventuelles options (figure 12-18).

Figure 12-18 Recherche d'un texte dans une page Web.

3. Cliquez le bouton **Suivant**.

   Le texte trouvé est en surbrillance à l'intérieur de la page Web.

4. Cliquez le bouton **Suivant** pour trouver une nouvelle occurrence du texte. Cliquez le bouton **Annuler** à tout moment pour arrêter la recherche.

Sélectionner et copier un texte

En sélectionnant une portion de page, vous pourrez copier ou imprimer cette sélection.

1. Cliquez avant le premier caractère du texte, puis, sans relâcher le bouton de souris, faites glisser jusqu'au dernier caractère.

2. Tapez **Ctrl+C** pour copier la sélection dans le presse-papiers (figure 12-19).

3. Ouvrez l'application et le document (ou un document vierge) qui doit contenir le texte copié.

> ***Note*** Toutes les applications n'acceptent pas ce type de copie. Faites des tests avec la vôtre.

Figure 12-19 Sélection et copie d'un texte dans une page Web.

4.   Cliquez la position d'insertion.

5.   Tapez **Ctrl**+**V** pour coller le contenu du presse-papiers à la position du curseur.

Le texte de la page Web est inséré dans le document de votre application (figure 12-20).

6.   Éventuellement, mettez en forme le texte avec votre application.

Conseil Il est parfois difficile de sélectionner uniquement du texte car les pages Web contiennent souvent des images. Si nécessaire, copiez le texte en plusieurs fois. Certains textes sont en réalité des images. Vous pourrez donc seulement copier l'image et vous ne pourrez pas la modifier comme du texte après collage.

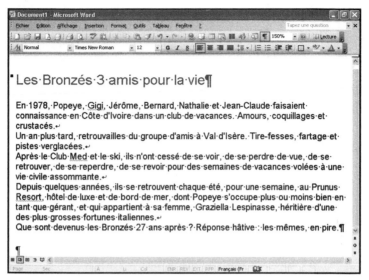

Figure 12-20 Copie d'un texte d'une page Web dans un document Word.

Enregistrer une page

Internet Explorer ne conserve les pages visitées que dans la limite de la taille allouée sur le disque. Pour être sûr de conserver durablement une page, vous devez l'enregistrer.

1. Cliquez le menu **Fichier → Enregistrer sous**.

2. Sélectionnez le dossier de destination dans la zone **Enregistrer dans**.

3. Tapez le nom de la page dans la zone **Nom du fichier**.

4. Dans la liste Type, sélectionnez **Page Web complète** pour enregistrer les éléments de la page dans un dossier séparé. Sélectionnez **Archive Web** pour enregistrer tous les éléments dans un unique fichier.

5. Cliquez le bouton **Enregistrer** (figure 12-21).

À tout moment, vous pourrez accéder à la page enregistrée en cliquant le menu **Fichier → Ouvrir**.

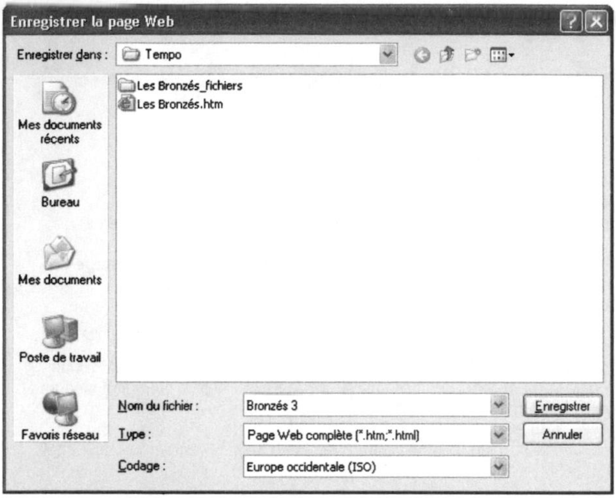

Figure 12-21 Enregistrement d'une page Web.

Imprimer une page

Pour conserver une trace d'une page Web, par exemple une commande ou une facture, imprimez-la. Internet Explorer propose une mise en page complète avant l'impression.

Définir la mise en page

1. Cliquez le menu **Fichier → Mise en page**.
2. Sélectionnez le format du papier dans la liste **Taille**.
3. Tapez dans les zones **En-têtes** et **Pied de page** le texte à imprimer en haut et en bas de chaque page. Pour ajouter des informations particulières, utilisez les codes du tableau 12-1.

Codes	Informations imprimées
&b	Centrer le texte qui suit
&b texte1 &b texte 2	Texte 1 centré et texte 2 aligné à droite
&d	Date abrégée
&D	Date format long

Tableau 12-1 Codes à utiliser pour les en-têtes et les pieds de page

Codes	Informations imprimées
&p	Numéro de la page
&P	Nombre de pages
&t	Heure au format par défaut
&T	Heure sur 24 heures (*t* pour *time*)
&&	Pour afficher le symbole &
&u	Adresse de la page (*u* pour *URL*)
&w	Titre de la fenêtre (*w* pour *window*)

Tableau 12-1 Codes à utiliser pour les en-têtes et les pieds de page *(suite)*

4.   Cochez l'orientation de la page : **Portrait** pour une impression verticale et **Paysage** pour une impression horizontale.

Conseil Il est presque toujours nécessaire d'imprimer en mode **Paysage** pour adapter l'impression à la largeur des pages.

5.   Tapez dans les zones **Gauche**, **Droite**, **Haut** et **Bas** les marges non imprimables (figure 12-22).

Figure 12-22 Mise en page avant l'impression.

6.   Cliquez le bouton **OK**.

Imprimer une page

Pour imprimer une page :

1. Cliquez le menu **Fichier → Imprimer**.

2. Dans la zone **Sélection de l'imprimante**, choisissez celle à utiliser (le symbole ✅ indique l'imprimante par défaut).

3. Cliquez le bouton **Préférences** si vous souhaitez modifier les options de l'imprimante (résolution d'impression, taille du papier, *etc.*).

4. Sélectionnez les pages à imprimer. Si vous choisissez l'option **Pages**, tapez le numéro de la première page, un tiret puis le numéro de la dernière page. L'option **Sélection** est disponible si une partie de la page Web est sélectionnée.

5. Sélectionnez le nombre de copies à imprimer Si vous avez choisi d'en imprimer plusieurs, cochez l'option **Copies assemblées** pour obtenir des pages triées (pages 1, 2, 3, *etc.*, puis 1, 2, 3, *etc.*) ou décochez l'option pour une impression plus rapide (pages 1, 1, *etc.*, puis 2, 2, *etc.*).

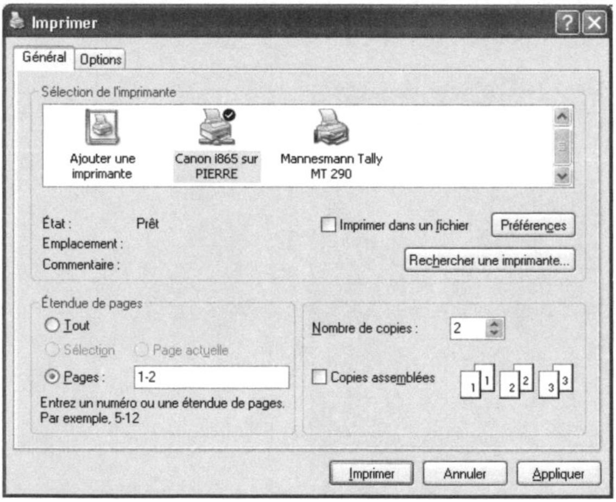

Figure 12-23 Impression de pages Web.

6. Cliquez le bouton **Imprimer**.

Exploiter les images des pages Web

Vous êtes intéressé par une image ? Conservez-la sur votre disque dur, sur papier ou expédiez-la à un ami par e-mail.

Imprimer une image

1. Cliquez avec le bouton droit l'image à imprimer.
2. Cliquez la commande **Imprimer l'image** dans le menu contextuel (figure 12-24).

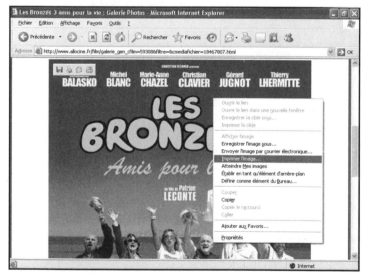

Figure 12-24 Utilisation du menu contextuel pour exploiter une image d'une page Web.

3. Modifiez les options proposées (consultez le paragraphe précédent).
4. Cliquez le bouton **Imprimer**.

Enregistrer une image

En enregistrant une image, vous pourrez l'utiliser ultérieurement pour l'insérer dans un document ou pour l'imprimer.

1. Cliquez avec le bouton droit l'image à conserver.

2. Cliquez **Enregistrer l'image sous** dans le menu contextuel.

3. Sélectionnez dans la zone **Enregistrer dans** le dossier de destination. Par défaut, l'image est enregistrée dans le dossier Mes images.

4. Tapez dans la zone **Nom du fichier** le nom de l'image. Vous pouvez aussi conserver le nom d'origine (figure 12-25).

Figure 12-25 Sauvegarde d'une image.

5. Cliquez le bouton **Enregistrer**.

Expédier une image par courrier électronique

Si vous avez trouvé l'image que tout le monde cherche, expédiez-la par e-mail à vos amis.

1. Cliquez avec le bouton droit l'image à expédier.

2. Cliquez **Envoyer l'image par courrier électronique** dans le menu contextuel.

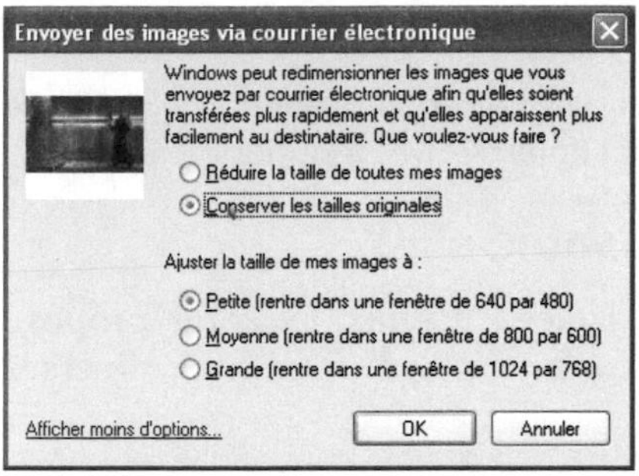

Figure 12-26 Redimensionnement des images avant l'expédition par e-mail.

3. Comme l'image peut être de taille imposante, la boîte de la figure 12-26 s'affiche. Indiquez dans ce cas ce que vous souhaitez faire en cliquant les options proposées, puis cliquez le bouton **OK**.

   Le nom du fichier de l'image apparaît dans la zone Joindre.

4. Tapez le nom ou l'adresse e-mail du destinataire dans la zone **À**.

5. Éventuellement, modifiez la zone **Objet**.

6. Éventuellement, tapez un commentaire dans la zone du bas (figure 12-27).

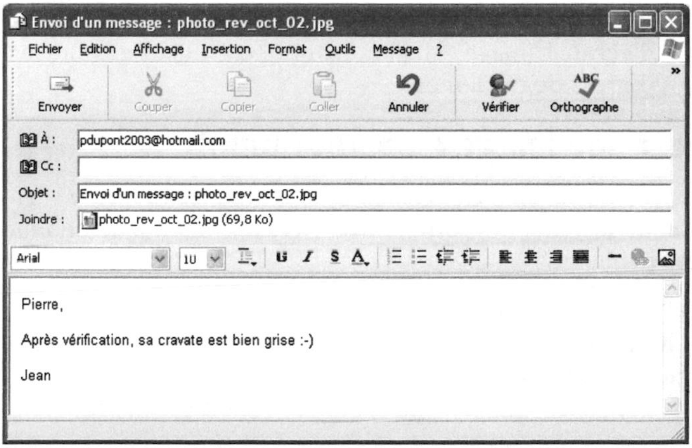

Figure 12-27 Expédition d'une image par e-mail.

7. Cliquez le bouton **Envoyer**.

> **Note** Si vous n'êtes pas actuellement connecté, le message reste dans le dossier Boîte d'envoi d'Outlook Express.

Utiliser une image isolée

Dans le cas d'une image isolée, Internet Explorer propose directement des boutons sur l'image pour exécuter diverses actions.

1. Pointez l'image désirée.

   Internet Explorer affiche une ou deux barres d'outils sur l'image.

2. Cliquez l'un des boutons ci-après.

   – Bouton 🖫 : pour enregistrer l'image sur votre disque dur ou sur une disquette.

   – Bouton 🖨 : pour imprimer l'image (consultez le chapitre xxx pour des informations complémentaires sur l'impression).

   – Bouton 🖾 : pour ouvrir Outlook Express et ajouter en pièce jointe l'image sélectionnée.

   – Bouton 🗐 : pour ouvrir le dossier Mes images (dossier de sauvegarde par défaut des images).

   – Bouton 🔀 : pour afficher en grand format l'image si la taille de celle-ci a été réduite faute de place à l'écran. L'image est alors tronquée. Utilisez ensuite les barres de défilement.

Placer une image en papier peint

On trouve sur le Web de plus en plus d'images. Changez régulièrement le fond de votre Bureau en les installant comme papier peint.

1. Cliquez avec le bouton droit l'image qui vous intéresse.

2. Cliquez **Établir en tant qu'élément d'arrière-plan** dans le menu contextuel (figure 12-28).

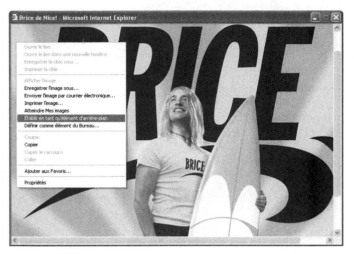

Figure 12-28 Enregistrement d'une image comme papier peint.

3. Réduisez la fenêtre d'Internet Explorer pour voir le Bureau.

L'image apparaît en fond d'écran.

> **Note** Pour définir la taille de l'image (Centrer, Mosaïque ou Éti-rer), cliquez avec le bouton droit le fond du Bureau puis cliquez **Propriétés**. Dans l'onglet **Bureau**, cliquez la zone **Position** puis cliquez une option. Pour plus de précisions, consultez le chapitre 19.

Exploiter les ressources d'Internet

Le multimédia est probablement la partie la plus attirante d'Internet. Les nouvelles technologies permettent d'aller au-delà de la simple consultation d'images, de sons ou de vidéos. Vous pouvez écouter les stations de radio du monde entier, regarder des chaînes de télévision ou vous offrir une séance de cinéma avec le film de votre choix.

Nul doute que le nombre de sites proposant des médias à la carte ne cessera d'augmenter de jour en jour. Profitez dès à présent de votre connexion pour exploiter tous les médias qui vous sont proposés.

Ce chapitre est complété par l'utilisation des blogs, une nouvelle façon de communiquer sur Internet.

Dans ce chapitre

- Écouter de la musique
- Visionner des vidéos
- Écouter la radio
- Télécharger et acheter de la musique

- Télécharger des fichiers
- Publier des fichiers
- Utiliser les blogs
- Valider votre version de Windows XP

Écouter de la musique

Même si Windows propose une alternative avec le Windows Media, le format RealMedia est devenu incontournable sur Internet. Il permet de lire des vidéos et des sons en continu : une petite partie du début du film ou du son est téléchargée, puis la lecture commence. La suite du film ou du son est téléchargée en même temps que vous regardez ou que vous écoutez les parties déjà chargées. On appelle cela le « streaming ».

Il est donc indispensable d'installer RealPlayer pour écouter de la musique ou regarder des vidéos, et ce, pour une grande majorité des sites Web.

Installer RealPlayer

Le lecteur simple est téléchargeable gratuitement sur Internet (RealPlayer). La version complète est payante (RealPlayer Plus), mais elle permet de lire plus d'une cinquantaine de formats différents, dont les DVD. Elle permet aussi de graver des CD au format MP3.

1. Ouvrez le site **france.real.com**.
2. Téléchargez sur le site la dernière version de RealPlayer (figure 13-1).
3. Suivez les instructions pour l'installation du logiciel.

Même la version simple permet de lire une multitude de formats différents (images, sons et vidéo). Pour les connaître, cliquez le menu **Fichier → Ouvrir** puis le bouton **Parcourir**. Cliquez la zone **Fichiers de type** pour lister ceux pris en charge.

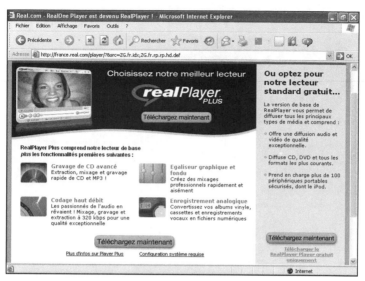

Figure 13-1 Site de téléchargement de RealPlayer.

Écouter de la musique sur un site

Après l'installation du lecteur RealPlayer, vous pouvez écouter de la musique à partir de la plupart des sites. Les autres formats sont pris en charge par le lecteur par défaut, Windows Media.

1. Recherchez une page qui propose de la musique.

2. Cliquez le lien pour lancer la lecture.

Dans le cas d'un format Real Media, la musique est lue dans une fenêtre séparée, proposant parfois une image correspondant au morceau écouté (figure 13-2). Cependant, certains sites intègrent directement le lecteur dans la page Web.

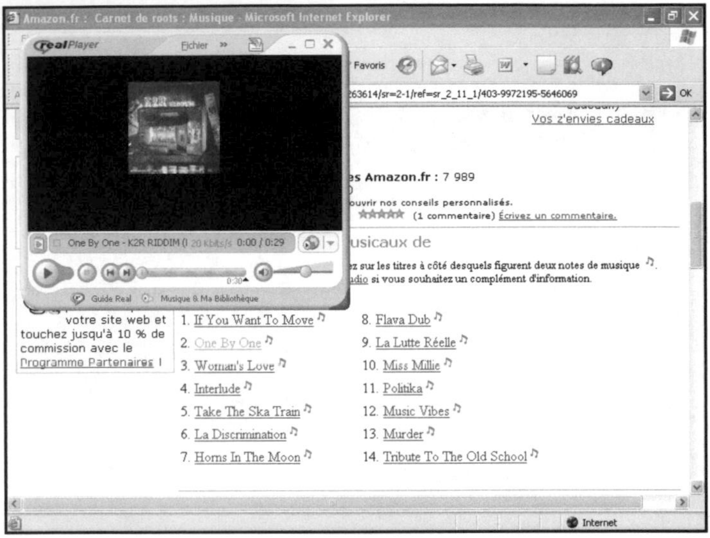

Figure 13-2 Lecture d'un morceau de musique avec RealPlayer.

Pour les formats pris en charge par le Lecteur Windows Media, la lecture s'effectue directement dans la partie de gauche de la fenêtre d'Internet Explorer.

Le Lecteur s'utilise comme un lecteur habituel de CD ou de DVD : pilotez l'écoute des musiques, mais aussi le visionnage des vidéos, avec les boutons Lecture, Pause, *etc*.

Conseil Certains sites proposent plusieurs qualités d'enregistrement qui correspondent à la vitesse de votre modem (28 kbit/s ou 56 kbit/s pour un modem classique, 256 kbit/s pour le câble ou l'ADSL). Choisissez une vitesse raisonnable par rapport à la vitesse de votre modem pour que la musique ou la vidéo soit « fluide ». Avant de commencer la lecture, une partie de la musique ou de la vidéo est chargée en mémoire. Soyez patient !

Visionner des vidéos

Comme pour la musique, les sites proposent des vidéos. Les chaînes de télévision mettent à votre disposition des émissions déjà diffusées, et particulièrement les journaux télévisés. Vous pouvez donc regarder votre émission préférée à l'heure qui vous convient, et bénéficier de l'information télévisuelle en continu comme avec le câble ou le satellite.

Avec l'arrivée de l'ADSL, cette technologie devrait prendre un essor important et engendrer la naissance d'une multitude de sites proposant des émissions de télévision et des films. Avec une connexion classique, n'espérez pas obtenir une qualité d'image acceptable.

Regarder la télévision

Outre les chaînes nationales, Internet met à votre portée des dizaines de chaînes de télévision dans les domaines les plus variés et dans toutes les langues. Si vous êtes à l'étranger, vous pouvez suivre vos émissions préférées ou vous tenir au courant de l'actualité de votre pays.

Pour les chaînes payantes, vous devez souscrire à un abonnement, généralement au mois, au trimestre ou à l'année. À titre d'exemple, la chaîne d'information LCI coûte 10 € par mois, 20 € par trimestre et 60 € pour l'année. Son accès est limité aux possesseurs d'une connexion haut débit de 512 kbit/s au minimum (www.lci.fr).

Pour visionner ces émissions, Real Player (voir plus haut dans ce chapitre) ou le Lecteur Windows Media doivent être installés sur votre ordinateur.

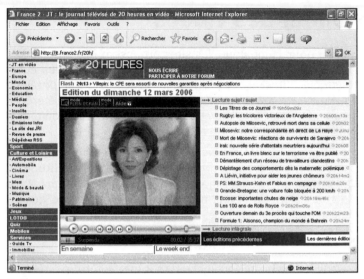

Figure 13-3 Journal télévisé d'une chaîne nationale.

Voici la liste des sites des chaînes hertziennes nationales :

- `www.tf1.fr`
- `www.france2.fr`
- `www.france3.fr`
- `ww.canalplus.fr`
- `www.france5.fr`
- `www.arte-tv.com`
- `www.m6.fr.`

Projeter des films

Et si vous alliez au cinéma ? Maintenant, avec Internet, vous pouvez regarder les films récents sans vous déplacer. Là aussi, il est nécessaire d'avoir une connexion haut débit ADSL ou câble (512 kbit/s).

Le principe est simple : vous vous inscrivez, vous téléchargez les films de votre choix, puis vous les regardez dans les 24 heures. À titre d'exemple, sur le site `www.canalplay.com`, un film récent coûte 4,99 € et un film plus ancien, 3,99 €.

Figure 13-4 Site proposant des films à la carte.

Écouter la radio

Vous désirez écouter les radios françaises que vous ne captez pas habituellement, voire les radios du monde entier ? Aujourd'hui, la quasi-totalité des stations de radio ont leur propre site Web. Vous pouvez donc les écouter en direct avec votre PC *via* votre connexion Internet. Il existe même des stations de radio qui n'« émettent » que sur Internet.

1. Cliquez le menu **Favoris → Média → Guide des stations de radio** (figure 13-5).

Note Si le lien n'existe plus, tapez windowsmedia.com/radiotuner dans la barre **Adresse** et appuyez sur **Entrée**.

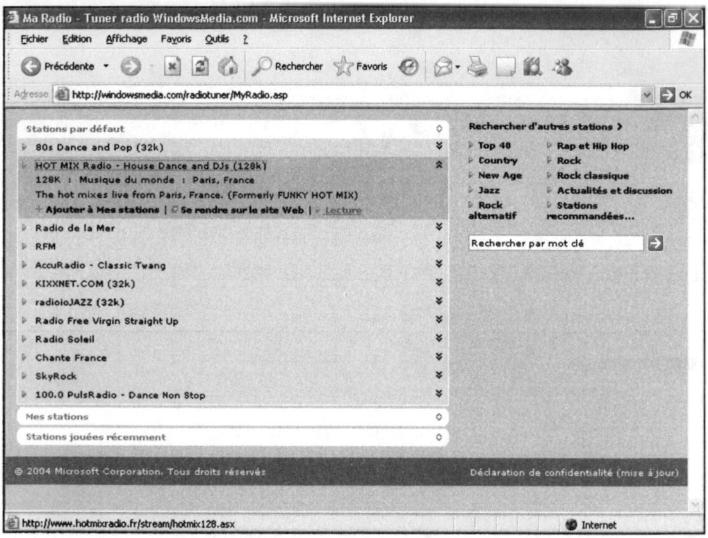

Figure 13-5 Le site de Windowsmedia.com.

Le site correspondant s'affiche.

2.   Cliquez la station de radio à écouter.

3.   Cliquez le lien **Lecture** ou le lien **Se rendre sur le site Web**.

Note Utilisez la zone de recherche du site pour trouver d'autres stations de radio dans le monde.

Toutes les radios ne sont pas proposées par le site Windows-media.com. Pour écouter d'autres radios, effectuez des recherches avec Internet Explorer et le moteur de recherche www.google.fr. Tapez, par exemple, les mots clés « Radio FM Rire Chansons » pour trouver la radio Rire & Chansons.

Figure 13-6 Site d'une radio FM.

Les sites des radios proposent généralement un lecteur personnalisé. Ce dernier offre l'avantage de vous donner des informations sur la musique que vous écoutez actuellement (nom du groupe ou du chanteur, nom du morceau, pochette d'album, dates des prochains concerts, *etc.*).

Figure 13-7 Stations de radio dans Internet Explorer.

Utiliser le Lecteur Windows Media

Depuis la version 10 de Windows Media, il n'existe plus de
liens directs vers les radios du Web, mais des liens commerciaux pour des radios comme RFM ou Europe 2.

Il existe encore, cependant, une solution pour écouter des
radios avec Windows Media.

1.   Cliquez le bouton **Guide**.

2.   Cliquez le lien **Tuner radio** dans la page qui s'affiche.

Vous retrouvez la page Web de la figure 13-5 tout en restant
dans l'interface de Windows Media.

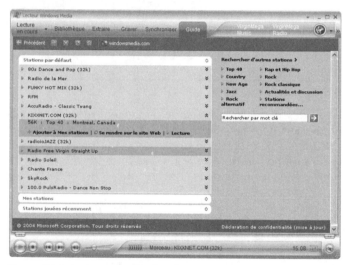

Figure 13-8 Stations de radio dans le Lecteur Windows Media.

Télécharger des musiques sur Internet

Internet est une mine d'or pour les audiophiles. On peut y
trouver « presque » toutes les musiques, dans tous les genres
et de toutes les époques. Vous trouverez dans les sections qui

suivent tous les moyens mis à votre disposition pour télécharger des titres sur les sites commerciaux et les sites gratuits.

Acheter de la musique sur Internet

Les sites de vente de musique sur Internet sont une alternative à l'achat de CD audio. Comme il n'y a plus de supports physiques, les prix sont logiquement inférieurs. Nous disons « logiquement », car certains marchands pratiquent des tarifs élevés, et il n'est pas rare de constater que le téléchargement de tous les morceaux d'un album revient plus cher que le CD audio lui-même !

Pour vous aider à faire vos choix, nous répertorions ici les sites les plus connus en commentant leurs avantages et leurs inconvénients, ainsi que les tarifs pratiqués.

Virgin Megastore : www.virginmega.fr

Simple d'emploi et très complet, le site de Virgin Megastore propose plus de 750 000 titres. Les albums complets sont à 9,99 € et chaque titre à 0,99 €.

Le site est accessible directement dans Windows Media en cliquant le bouton ⊙. Les pages s'affichent directement dans le Lecteur sans ouvrir de navigateur. Vous pouvez écouter les trente premières secondes de chaque titre.

Pour faciliter vos achats, il est plus simple d'ouvrir directement le site dans Internet Explorer.

Les fichiers téléchargés sont au format WMA protégé en DRM. La protection limite à 5 transferts vers un baladeur ou un autre ordinateur et à 7 gravures sur CD.

Définition   DRM (*Digital Rights Management*). Système de protection contre la copie des fichiers musicaux achetés sur Internet. Les fichiers WMA utilisent cette technologie.

Figure 13-9 Le site de Virgin Megastore dans Windows Media.

Alice Musique : http://musique.aliceadsl.fr

Le site de l'opérateur téléphonique italien propose plus d'un million de titres, tout en restant dans la norme de prix de ses concurrents : à partir de 0,99 € le titre et 9,99 € pour un album. Si vous désirez seulement écouter un album complet, sans sauvegarde (stream), il vous en coûtera de 0,10 € à 0,40 €, et seulement 0,01 € pour un titre seul, soit 10 € pour 1 000 titres ! Le site propose plusieurs formules très intéressantes (jusqu'à 7 500 titres pour 60 €). Vous pouvez aussi écouter gratuitement les trente premières secondes de chaque titre. Le site est d'un accès facile, et les recherches s'effectuent par artistes ou par titres.

Wanadoo Music : www.wanadoo.fr

Comme les concurrents, Wanadoo s'aligne sur les prix du moment : 0,99 € par titre et 9,99 € pour un album complet. Il propose en plus un abonnement illimité en stream pour seulement 7,99 € par mois. Si vous êtes abonné à Wanadoo, vous pouvez régler directement sur votre facture mensuelle. Le télécharchement des titres nécessite l'installation du plug-in « Jukebox ».

Figure 13-10 Le site Alice Musique.

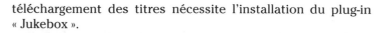

Figure 13-11 Le site Wanadoo Music.

Fnac Music : www.fnacmusic.com

Le site de la Fnac ne se distingue pas des autres sites et propose des prix presque identiques : de 0,99 € le titre à 1,19 € pour les nouveautés, et 9,99 € pour un album. Quelques formules permettent de grappiller des centimes, comme le pack de 26 titres à 24,90 €, ou celui de 44 titres à 39,90 € mais seulement si vous êtes adhérent.

Figure 13-12 Le site de Fnac Music.

e-Compil : www.ecompil.fr

Le site e-Compil propose des formules moyennement attrayantes au niveau du coût mais qui peuvent intéresser certains. Le site propose des forfaits pour 10 titres par mois à 8 € ou 20 titres par mois à 15,5 €. L'abonnement vous engage pour 6 mois. Il propose aussi des formules sans engagement pour 20 titres à 18 € et 50 titres à 44 €. Les morceaux téléchargés sont gravables sur CD ou transférables sur un baladeur.

Figure 13-13 Le site e-Compil.

Magnatune : www.magnatune.com

Ce site de téléchargement est très intéressant par sa formule : vous téléchargez un album, et vous payez le prix que vous désirez (entre 4 € et 14 € avec un prix conseillé de 6 €). 50 % du prix d'achat est reversé aux artistes (dans l'industrie du disque, les droits sont de 9 % !). Vous pouvez écouter gratuitement l'intégralité des albums, et ce, dans une très bonne qualité (MP3 128 kbit/s à 44 kHz). Les fichiers en téléchargement sont proposés dans les formats les plus courants et sans aucune restriction : MP3, WAV, *etc.*

Bien sûr, le catalogue est assez réduit, mais permet d'écouter des artistes peu connus.

Figure 13-14 Le site Magnatune.

Écouter ou télécharger des musiques gratuitement

Il existe des sites qui proposent de télécharger gratuitement de la musique. Ceci est tout à fait légal puisque le partage est fait avec l'autorisation des artistes. C'est pour eux un moyen de se faire connaître, autant du grand public, que des maisons de disques.

Winamp : www.winamp.com

Winamp ne se contente pas de proposer le lecteur de MP3 le plus populaire (que vous pouvez télécharger gratuitement sur le site). Il offre en plus des pages de téléchargement de musique. Les fichiers sont proposés en MP3 en 16 ou 64 kbit/s.

MP3.com : www.mp3.com

Ce site répertorie les musiques disponibles en téléchargement et propose quelques titres que vous pouvez écouter gratuitement. La lecture s'effectue avec Windows Media dans une fenêtre d'Internet Explorer (généralement avec une publicité dans la partie de droite). Pour les téléchargements, vous êtes redirigé vers des sites comme iTunes Music Store, Music-match ou Napster.

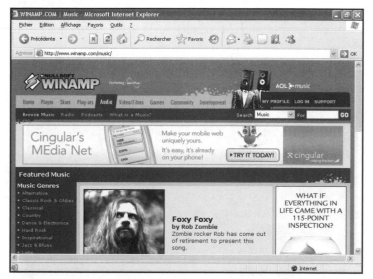

Figure 13-15 Le site de Winamp.

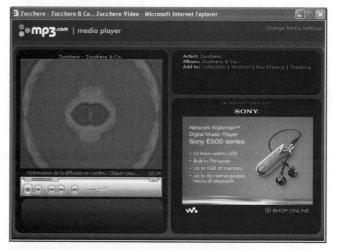

Figure 13-16 Lecture d'un album *via* le site MP3.com.

Sites des artistes

Certains artistes mettent à votre disposition leurs œuvres sur le site qui leur est dédié. Faites une recherche avec Google pour trouver le site de votre groupe ou de votre chanteur préféré, mais peu connu, et vérifier les téléchargements possibles.

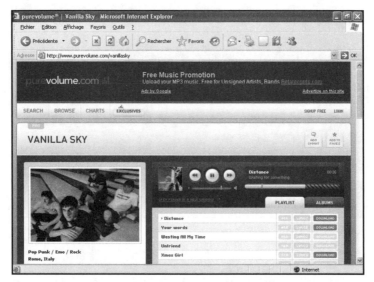

Figure 13-17 Site PureVolume.com qui propose en téléchargement des artistes peu connus.

Télécharger des fichiers sur le Web

Dans des temps plus reculés, les téléchargements s'effectuaient à partir de sites spécialisés : les sites FTP (*File Transfert Protocol*). Pour simplifier la procédure de téléchargement, les sites Web permettent aujourd'hui d'enregistrer des fichiers sur votre disque dur ou d'ouvrir directement des documents.

1. Recherchez sur le Web le fichier à télécharger (musique, vidéo, programme, *etc.*)

2. Cliquez avec le bouton droit le lien de téléchargement.

3. Cliquez **Enregistrer la cible sous** dans le menu contextuel pour enregistrer le fichier sur votre disque dur. Vous pouvez aussi cliquer la commande **Ouvrir** pour exécuter le programme ou ouvrir le document dans l'application appropriée.

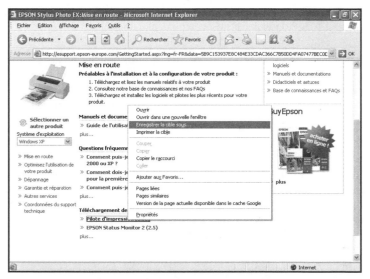

Figure 13-18 Téléchargement d'un fichier sur un site Web.

Si vous avez choisi d'enregistrer la cible, une boîte de dialogue s'ouvre pour définir l'emplacement du fichier sur votre disque dur.

1. Sélectionnez dans la zone **Enregistrer dans** le dossier de destination.

2. Tapez le nom du fichier dans la zone **Nom du fichier**. Vous pouvez aussi conserver celui d'origine.

3. Cliquez le bouton **Enregistrer**.

Le fichier est téléchargé, puis enregistré. Une boîte affiche la progression de l'opération (figure 13-19).

Figure 13-19 Progression du téléchargement d'un fichier.

Astuce Vous pouvez télécharger d'autres fichiers en même temps, sans attendre la fin du téléchargement des premiers. Plusieurs boîtes s'ouvriront dans ce cas. Cela permet d'utiliser au maximum votre connexion Internet.

Si vous avez cliqué directement un lien ou un bouton, Internet Explorer affiche une boîte permettant de choisir l'action à effectuer. Cela concerne essentiellement les programmes (fichier avec l'extension .exe) ou les documents non reconnus. Certains fichiers comme les vidéos ou les musiques s'ouvrent directement dans le Lecteur Windows Media ou RealPlayer, sans vous proposer de les enregistrer. Cliquez le bouton **Exécuter** ou **Enregistrer**, selon l'action désirée (figure 13-20).

Figure 13-20 Boîte pour choisir l'enregistrement ou l'ouverture d'un fichier téléchargé.

> **Conseil** Il est préférable d'utiliser le bouton droit pour avoir le choix de l'action à effectuer. Si vous avez des doutes sur le contenu du fichier à télécharger, enregistrez-le, puis vérifiez-le avec un logiciel antivirus. Si votre logiciel antivirus tourne en tâche de fond, le fichier sera vérifié automatiquement dès l'enregistrement.

Télécharger des fichiers sur un site FTP public

Pour les sites FTP publics dont l'accès est anonyme (pas de nom d'utilisateur ni de mot de passe), vous pouvez utiliser Internet Explorer. Vous serez ici limité au téléchargement.

1. Tapez l'adresse du site FTP comme une adresse Web. Il n'est pas nécessaire de faire précéder l'adresse du protocole ftp://.

   Le site affiche le ou les dossiers disponibles.

2. Double-cliquez les dossiers pour les ouvrir, comme dans l'Explorateur Windows, et recherchez le fichier à télécharger.

3. Cliquez avec le bouton droit le fichier à télécharger.

4. Dans le menu contextuel, cliquez la commande **Ouvrir** pour lire le fichier dans l'application correspondante, ou cliquez la commande **Copier dans un dossier** pour en conserver une copie.

5. Sélectionnez le dossier de destination du fichier.

6. Cliquez le bouton **OK** pour lancer le téléchargement du fichier.

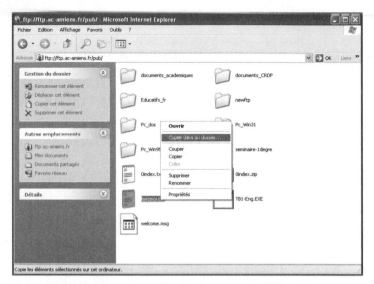

Figure 13-21 Téléchargement d'un fichier sur un site FTP public.

Publier des fichiers sur Internet

Pourquoi poster avec la messagerie le même document à vos amis ou relations chaque fois qu'ils en font la demande ? Publiez plutôt ce document sur Internet pour qu'il soit disponible à partir d'une simple adresse sur le Web.

1. Cliquez le bouton **démarrer → Poste de travail**.
2. Sélectionnez le ou les documents à publier (figure 13-22).
3. Dans le volet de gauche, cliquez **Publier ce document sur le Web** ou **Publier les éléments sélectionnés sur le Web**.

La publication s'effectue avec un assistant. Suivez pas à pas cet assistant en saisissant les renseignements nécessaires. N'oubliez pas de noter l'adresse de publication fournie à la dernière étape. C'est cette adresse que vous devez donner à vos amis.

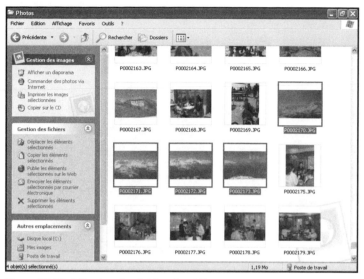

Figure 13-22 Sélection des fichiers à publier.

Publier vos photos numériques

Si vous désirez mettre vos photos à la disposition de vos proches et de vos amis, il existe sur le Web des dizaines de sites qui sont prêts à vous héberger. L'avantage de ces sites commerciaux est de proposer 100, 200, voire 400 Mo pour le stockage de vos clichés. Chacun pourra les consulter, et, bien sûr, en demander un tirage papier moyennant quelques euros.

Les photos peuvent provenir d'un appareil numérique ou de tirages argentiques préalablement scannés.

Voici quelques sites qui proposent ce service :

- www.photoweb.fr
- www.photoreflex.com
- www.photostation.fr
- www.photoservice.com
- www.photoways.com
- www.photosapiens.com

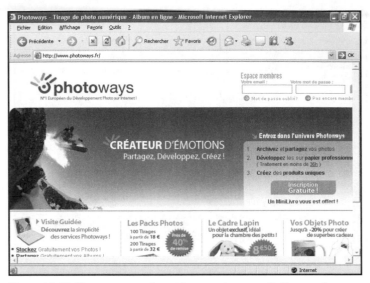

Figure 13-23 Site proposant de stocker vos photos et d'effectuer des tirages papier.

Télécharger et publier des fichiers

Pour utiliser intégralement un site FTP, c'est-à-dire télécharger et transférer des fichiers, il est préférable d'utiliser un logiciel spécialisé. Cela est nécessaire si vous désirez publier votre propre site.

Un tel logiciel est simple à utiliser. Vous donnez l'adresse du site FTP, votre nom d'utilisateur et votre mot de passe. Après connexion, le logiciel affiche l'arborescence de votre disque et celui du site. Il suffit de faire glisser vos fichiers vers un dossier du site pour en effectuer le transfert, ou de faire glisser les fichiers du site vers un dossier de votre disque dur pour les télécharger.

Il existe beaucoup de logiciels FTP. Nous vous conseillons File-Zilla, un outil simple d'emploi et qui a l'avantage d'être en freeware (figure 13-24). Vous pouvez le télécharger sur le site de `sourceforge.net`, ou effectuer une recherche avec le mot clé « FileZilla » sur `google.fr`.

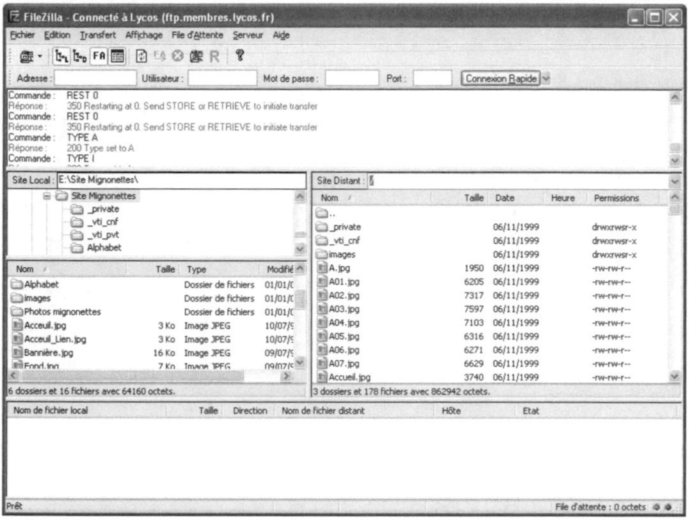

Figure 13-24 FileZilla, un logiciel pour accéder aux sites FTP.

Utiliser les blogs

Les *blogs*, appelés aussi « blogues » ou « joueb » (journal Web), sont des journaux ou des carnets de bord mis à jour régulièrement. Ils peuvent contenir tous les sujets, du journal intime aux opinions politiques, en passant par la musique, le cinéma ou la broderie.

Ils ont l'avantage d'être plus simples de mise en œuvre que les sites Web avec des pages personnelles. Pour l'administrateur du blog, appelé aussi « blogueur », « carnetier » (carnet de bord) ou « diariste » (journal intime), il suffit de placer ses textes et ses photos dans un environnement prédéfini. Il n'est pas nécessaire de connaître le HTML ou d'utiliser des logiciels complexes de création de sites (Dreamweaver, FrontPage, *etc.*).

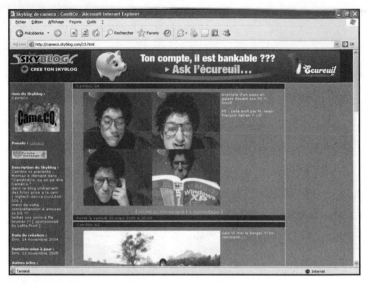

Figure 13-25 Blog avec des textes et des images.

Trouver des blogs

Dans la grande majorité des cas, les adresses des blogs vous seront communiquées par des proches et des amis. Si vous trouvez ces blogs intéressants, c'est à vous de communiquer ces adresses au plus grand nombre.

De plus en plus de sites proposent des liens vers des blogs en rapport avec le sujet traité, comme ils l'ont toujours fait vers d'autres sites. Vérifiez dans les pages de vos sites favoris s'il existe de tels liens.

Les sites qui hébergent les blogs proposent généralement une zone de recherche. Rendez-vous sur ces sites pour trouver les sujets qui vous intéressent ou en découvrir de nouveaux (consultez la section suivante, « Créer votre blog », pour trouver ces sites).

Pour trouver des blogs qui correspondent à vos sujets de prédilection, il est plus simple d'effectuer une recherche sur le Web. Tapez simplement dans le moteur de recherche le mot « blog », ainsi qu'un mot clé correspondant au sujet désiré.

Une recherche sur Google avec les simples mots clés « blog cinéma » aura pour résultat plus d'un million de pages.

Le phénomène des blogs est maintenant si répandu que Google a décidé de créer un moteur de recherche uniquement pour eux (en version de test pour l'instant). Vous pouvez y accéder par l'adresse `www.google.fr/blogsearch` (figure 13-26).

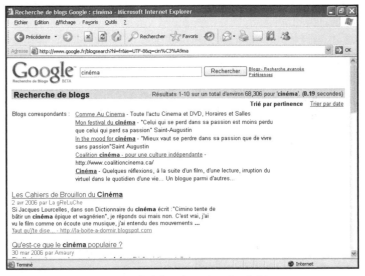

Figure 13-26 Moteur spécialisé dans la recherche de blogs.

Consulter les blogs et y participer

Les articles sont placés les uns en dessous des autres, en commençant par les derniers postés dans la majorité des cas. Les articles sont datés et signés car un blog peut être géré par plusieurs personnes. Pour chaque article, vous pouvez laisser un commentaire en cliquant le lien correspondant. Avant d'ajouter votre prose, lisez les conditions d'utilisation sur le site d'hébergement.

Créer votre blog

Si vous désirez partager une passion, ou tout simplement partager votre vie de tous les jours (postez fréquemment de nouveaux textes pour conserver votre auditoire), vous pouvez très facilement créer votre blog. Dans un premier temps, vous devez choisir un hébergeur, c'est-à-dire un site qui gère des blogs. Vous en trouverez des milliers en effectuant une recherche sur le Web avec les mots clés « créer blog ». L'hébergement des blogs est proposé gratuitement, sauf si vous désirez un nom de domaine, des centaines de mégaoctets de stockage, *etc*. Voici une liste de sites :

* www.blogger.com (Google)
* www.over-blog.com
* www.u-blog.net
* www.novoblog.com
* www.blogg.org
* www.oldiblog.com
* www.iziblog.net
* www.skyblog.com (radio Skyrock)
* www.nrjblog.fr (radio NRJ)
* www.one2blog.fr (site payant hébergeant des blogs d'entreprises)

Suivez les instructions de chaque site pour créer votre blog. C'est généralement simple et rapide.

Valider votre version de Windows XP

Pour bénéficier de certains avantages, comme le téléchargement gratuit d'outils complémentaires et de mise à jour, vous devez valider votre version de Windows XP.

Cette validation s'effectue sur le site de Microsoft. Ouvrez la page `www.microsoft.com/genuine/default.mspx?displaylang=fr` ou recherchez « Genuine » sur le site `www.microsoft.com/france` (figure 13-27).

Figure 13-27 Page de validation de votre version de Windows.

1. Cliquez le lien **Validez votre version de Windows aujourd'hui** (figure 13-27).

2. Cliquez le bouton **Validez maintenant** en bas de la page qui s'affiche.

3. Cliquez le bouton **Oui** pour télécharger le logiciel de validation (figure 13-28).

Figure 13-28 Installation du logiciel de validation de version de Windows.

4.   Suivez les instructions d'installation sur le site de Microsoft.

Communiquer avec Windows et MSN Messenger

La messagerie instantanée est incontestablement l'innovation Internet la plus importante dans Windows XP. Outre envoyer des messages instantanés et expédier des fichiers, vous pouvez prendre le contrôle à distance des applications de vos correspondants, et même modifier leurs documents. Le logiciel spécialisé **Windows Messenger** propose également des conversations vocales et vidéo avec une webcam, les jeux en ligne, et probablement d'autres innovations à venir.

Dans ce chapitre

- Obtenir un passeport
- Ajouter des contacts
- Envoyer un message instantané
- Transférer un fichier
- Partager des applications
- Demander une assistance à distance

- Configurer votre matériel audio et vidéo
- Converser vocalement ou par webcam
- MSN Messenger
- Messenger Plus!

Logiciels de messagerie instantanée

Windows et MSN Messenger

Installé par défaut avec Windows XP, Windows Messenger permet d'accéder à toutes les fonctionnalités présentées dans l'introduction de ce chapitre. Sachez cependant que Windows Messenger est disponible gratuitement sur le site `www.messenger.msn.fr` pour les versions 95, 98, NT4, 2000 et Me. Dites-le à vos contacts pour qu'ils téléchargent la dernière version sur ce site.

Si Windows Messenger est le nom de la version installée par défaut avec Windows XP, il existe une version « parallèle », nommée MSN Messenger, disponible en téléchargement sur Internet (figure 14-1). Ces deux logiciels sont compatibles. Si le début de ce chapitre montre les écrans de Windows Messenger, toutes les descriptions s'appliquent aussi à MSN Messenger. La fin de ce chapitre regroupe les fonctionnalités supplémentaires de ce dernier.

Figure 14-1 MSN Messenger.

NetMeeting

NetMeeting est le logiciel de conférence proposé dans les anciennes versions de Windows (figure 14-2). À partir de Windows XP, NetMeeting est avantageusement remplacé par Windows et MSN Messenger. Pour des raisons de compatibilité avec les anciennes versions, NetMeeting est toujours proposé dans Windows XP.

Si vous désirez utiliser NetMeeting à partir de Windows XP, exécutez les étapes suivantes :

1. Cliquez **démarrer** → **Exécuter** ou tapez ▦ + **R**.

2. Tapez Conf puis appuyez sur **Entrée** dans la boîte Exécuter.

3. Suivez les étapes proposées par l'assistant.

> **Note** Le programme NetMeeting se trouve dans le dossier C:\ Program Files\NetMeeting\Conf.exe. Vous pouvez aussi créer un raccourci à partir de ce chemin.

Figure 14-2 NetMeeting.

Obtenir un passeport pour Windows et MSN Messenger

Pour converser avec d'autres personnes *via* Windows ou MSN Messenger, vous devez posséder une adresse électronique particulière, appelée Passport.NET. Sa création est rapide et gratuite. Vous pouvez aussi utiliser votre adresse e-mail actuelle.

Conseil Pour simplifier l'installation et l'utilisation de Messenger, créez directement une adresse sur le site `www.hotmail.com`. Comme il est préférable de ne pas mélanger votre courrier et Messenger, nous vous conseillons vivement cette solution.

1. Ouvrez Windows Messenger en double-cliquant l'icône 🖳 dans la zone de notification (à côté de l'heure). Si l'icône n'est pas présente dans la zone de notification, cliquez **démarrer → Tous les programmes → Windows Messenger**.

Note Pour afficher les icônes actuellement masquées de la zone de notification, cliquez le bouton 🔘 dans la barre des tâches.

2. Cliquez le lien **Cliquez ici** pour ouvrir une session.

Astuce Vous pouvez créer plusieurs comptes. Dans Windows Messenger, fermez la session en cours (menu **Fichier → Fermer la session**), puis cliquez le lien **Pour vous connecter en utilisant un lien différent**. Dans la boîte Connexion aux services de messagerie, cochez la case **Service de messagerie .Net** puis cliquez **OK**. Cliquez le lien **Obtenez un passeport** dans la boîte de connexion. Pour MSN Messenger, cliquez le lien **Créer un nouveau compte** après la déconnexion (menu **Fichier → Se déconnecter**).

Comme vous n'avez pas encore de compte, l'assistant de Messenger vous propose d'en créer un immédiatement.

Figure 14-3 Assistant de Messenger pour obtenir un passeport.

3. Cliquez le bouton **Suivant**.

4. Comme vous avez déjà probablement une adresse de messagerie, cochez l'option **Oui** puis cliquez le bouton **Suivant**.

> **Note** Si vous désirez ouvrir un compte sur MSN.com, cliquez **Non** puis le bouton **Suivant**.

5. Si vous avez un passeport ou un compte Hotmail, cochez **Oui**. Si vous désirez utiliser votre adresse e-mail actuelle, cochez **Non**. Cliquez ensuite le bouton **Suivant**.

    Si vous avez choisi d'utiliser votre adresse e-mail actuelle, vous serez redirigé vers le site .Net Passport. Suivez les instructions sur ces pages Web, puis revenez à l'assistant.

6. Tapez votre adresse et votre mot de passe.

7. Cliquez le bouton **Suivant**.

8. Cliquez **Terminer** dans la dernière boîte de l'assistant.

La fenêtre de Windows Messenger s'affiche. Vous êtes maintenant en ligne pour communiquer avec tous vos correspondants actuellement connectés.

Ajouter des contacts

Sans contacts, point de communication. Ajoutez vos relations pour rester en communication avec elles. Ces dernières doivent vous fournir l'adresse électronique correspondant à leur passeport.

Figure 14-4 Messenger avant l'ajout de vos contacts.

1. En bas de la fenêtre de Messenger, cliquez le lien **Ajouter un contact** (figure 14-4).

2. Cochez **Par adresse de messagerie** si vous connaissez le passeport du contact. Cochez **Rechercher un contact** pour le rechercher sur Internet.

3. Cliquez le bouton **Suivant**.

4. Tapez l'adresse e-mail correspondant au passeport du contact puis cliquez le bouton **Suivant** (figure 14-5).

    La boîte suivante vous indique que le contact est bien ajouté. Si ce n'est pas le cas, cliquez le bouton **Précédent** et vérifiez l'adresse que vous avez tapée.

5. Cliquez le bouton **Terminer** si vous n'avez plus de contact à ajouter. Dans le cas contraire, cliquez le bouton **Suivant**.

Messenger affiche la liste de vos contacts en ligne ou hors ligne (figure 14-6).

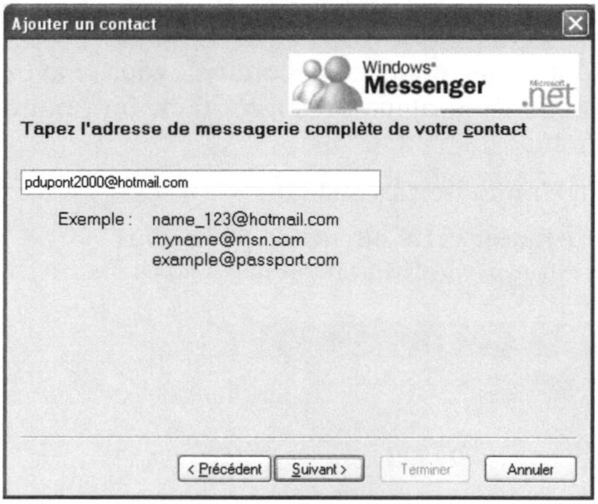

Figure 14-5 Ajout d'un contact dans Messenger.

Note Les nouveaux contacts ne s'affichent en ligne qu'après leur autorisation d'accès (voir ci-après).

Figure 14-6 Messenger après l'ajout de vos contacts.

Conseil Pour afficher un nom plus convivial que votre adresse e-mail, cliquez le menu **Outils → Options**, puis saisissez votre nom ou votre prénom dans la zone **Tapez votre nom**.

Confirmer un nouveau contact

Quand une personne se connecte, comme vous l'avez demandé précédemment en ajoutant un contact, une boîte d'autorisation s'affiche.

1. Cochez l'option **L'autoriser à vous voir**.

2. Cochez la case **Ajouter cette personne** pour vous épargner de le faire manuellement (figure 14-7).

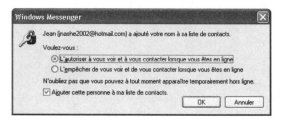

Figure 14-7 Autorisation d'accès d'un nouveau contact.

3. Cliquez le bouton **OK**.

Quand une personne refuse de vous ajouter à sa liste de contacts, une boîte de dialogue vous en avertit.

> **Note** Si vous avez coché l'option **Ajouter cette personne**, le contact est aussi ajouté au carnet d'adresses.

Ouvrir une nouvelle session

Si vous avez plusieurs adresses e-mail ou si plusieurs personnes utilisent le même ordinateur, vous pouvez choisir un compte à l'ouverture de Messenger.

1. Cliquez le lien **Pour se connecter en utilisant un compte différent** dans la boîte d'ouverture.

2. Sélectionnez le compte à utiliser dans la liste **Adresse email**.

3. Tapez le mot de passe (figure 14-8).

Figure 14-8 Ouverture d'une nouvelle session.

> **Note** Cochez **Ouvrir ma session automatiquement** pour utiliser par défaut le compte choisi à l'ouverture de Messenger. Pour fermer la session en cours et changer de compte, cliquez le menu **Fichier → Fermer la session**.

4. Cliquez le bouton **OK**.

Engager une conversation

À tout moment, vous pouvez expédier des messages aux personnes en ligne et débuter une nouvelle conversation.

1. Double-cliquez le nom du destinataire du message instantané.

    Une fenêtre de conversation s'affiche.

2. Cliquez la zone en bas de la fenêtre et tapez votre message.

3. Cliquez le bouton **Envoyer** ou appuyez sur la touche **Entrée**.

> **Conseil** Pour passer à la ligne dans votre message sans l'expédier, utilisez les touches **Maj+Entrée**.

Les messages expédiés et leurs réponses s'affichent dans la fenêtre de conversation. La barre d'état affiche la date et l'heure du dernier message reçu ou si le correspondant est en train de taper une réponse.

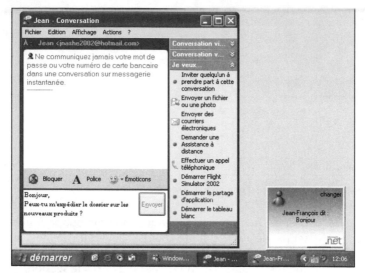

Figure 14-9 Début d'une conversation.

Recevoir un message

Lorsque vous recevez un message (en dehors de la conversation en cours), une petite fenêtre s'affiche en bas à droite de l'écran comme dans la figure 14-9. Cliquez la petite fenêtre pour répondre au message.

Note Si la petite fenêtre est fermée, cliquez le bouton **Conversation** dans la barre des tâches.

Personnaliser vos messages

Pour distinguer vos messages des autres personnes, modifiez les caractères de votre texte (police, couleur, *etc.*).

1.   Cliquez le bouton **Police**.

2.   Sélectionnez le type de caractères à utiliser dans les listes **Police**, **Style**, **Taille** et **Couleur** (figure 14-10).

3.   Cliquez le bouton **OK**.

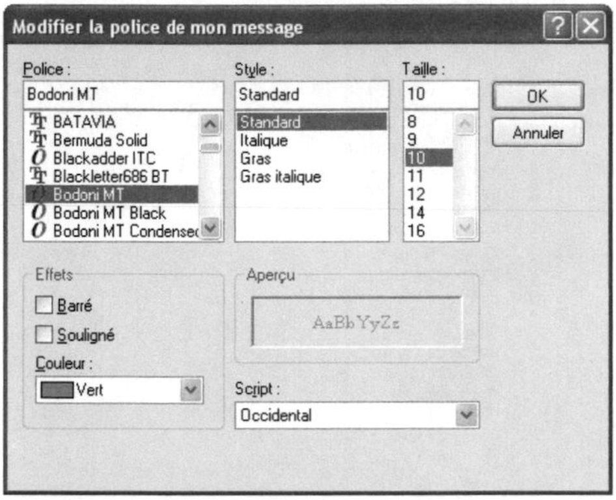

Figure 14-10 Modification de la police des messages.

Ajouter des émoticônes

Pour exprimer vos émotions, ajoutez des émoticônes.

Définition **Émoticône, émoticon** ou **smiley**. Suite de caractères qui indiquent vos émotions. Par exemple, la suite :-) correspond à « heureux » ou à un « sourire ». Windows Messenger transforme automatiquement ces suites par une icône (😊 dans notre exemple) et permet de les insérer directement à partir d'une liste.

1. Tapez le début du message.
2. Cliquez le bouton **Émoticons** (figure 14-11).
3. Cliquez l'émoticône à insérer dans le message.

    Dans la liste des émoticônes, cliquez le dernier bouton (trois points) pour afficher la liste complète et les codes associés.

Figure 14-11 Insertion d'une émoticône dans un message.

Conseil

Vous pouvez aussi saisir directement les codes du tableau 14-1.

Pour obtenir...	Tapez...	Pour obtenir...	Tapez...
	(y)		(a)
	(n)		(l)
	(b)		(u)
	(d)		(k)
	(x)		(g)

Tableau 14-1 Liste des codes des émoticônes par défaut

Pour obtenir...	Tapez...	Pour obtenir...	Tapez...
	(z)		(f)
	:[		(w)
	(})		(p)
	(6)		(~)
	({)		(t)
	:)		(@)
	:d		(&)
	:o		(c)
	:p		(i)
	;)		(S)
	:(		(*)
	:s		(8)
	:|		(e)
	:'(		(^)
	:$		(o)
	(h)		(m)
	:@		

Tableau 14-1 Liste des codes des émoticônes par défaut *(suite)*

Inviter une autre personne à la conversation en cours

Pourquoi se limiter à deux personnes ? Windows Messenger vous permet d'inviter d'autres contacts dans la conversation en cours.

1. Cliquez le lien **Inviter quelqu'un...** dans la partie droite de la fenêtre de conversation.

2. Cliquez la personne à inviter dans la liste des contacts (figure 14-12).

Figure 14-12 Ajout d'une personne à la conversation en cours.

3. Cliquez le bouton **OK**.

> **Note** L'onglet **Autre** permet d'ajouter une personne qui n'est pas présente dans la liste de vos contacts.

La zone **À**, en haut de la fenêtre, affiche les personnes qui participent actuellement à la conversation.

À tout moment, vous pouvez supprimer un invité de la conversation en cliquant le bouton **Bloquer** puis en sélectionnant son nom.

Définir votre statut actuel

Même si vous êtes connecté, vous souhaitez peut-être ne pas être dérangé. Modifiez dans ce cas votre statut.

1. Dans la fenêtre principale de Messenger, cliquez votre nom.

2. Cliquez le nouveau statut dans la liste.

Figure 14-13 Modification du statut actuel.

Ce statut apparaîtra dans la fenêtre Windows Messenger de vos contacts.

Vous pouvez aussi définir des paramètres de statut automatiquement.

1. Dans la fenêtre principale de Messenger, cliquez votre nom puis **Paramètres personnels** dans la liste (figure 14-13).

2. Dans l'onglet **Préférences**, de la boîte **Options**, tapez le nombre de minutes après lesquelles vous êtes considéré comme absent dans la zone **Afficher le statut "Absent(e)"**....

3. Cliquez le bouton **OK**.

Bloquer une personne

Si vous ne désirez pas être dérangé par une personne en parti-culier, vous pouvez momentanément la bloquer dans votre liste de contacts, sans toutefois la supprimer définitivement.

1.   Cliquez avec le bouton droit le nom du contact à bloquer.
2.   Cliquez **Bloquer** dans le menu contextuel.

L'icône du contact bloqué est barrée.

Figure 14-14 Blocage d'un contact.

Pour la personne bloquée, vous apparaissez « hors ligne ». Pour la débloquer, répétez les étapes **1** et **2** en choisissant **Débloquer** dans le menu contextuel.

Transmettre des fichiers

Lors d'une conversation, vous pouvez expédier immédiate-ment un fichier à un contact, et cela quelle que soit sa taille.

Astuce Les serveurs de messagerie limitent la taille globale des messages stockés dans votre boîte aux lettres. Il n'est donc pas possible de faire transiter en pièce jointe un film de plusieurs dizaines de mégaoctets par e-mail. Mes-senger est donc une solution mieux adaptée.

1. Dans une conversation, cliquez le lien **Envoyer un fichier**.
2. Sélectionnez l'emplacement du fichier.
3. Cliquez le fichier.
4. Cliquez le bouton **Ouvrir**.

Pour que le fichier soit expédié, le destinataire doit accepter sa réception. Messenger expédie donc une demande de confirmation. La transmission débute dès que le contact accepte la demande. Vous pouvez continuer la conversation en cours pendant ce temps.

> **Note** Pour vérifier les fichiers reçus, cliquez le menu **Fichier →
> Ouvrir le dossier des fichiers reçus**.

Utiliser le tableau blanc

Le tableau blanc est une fenêtre dans laquelle tous les participants d'une conversation peuvent dessiner ou ajouter des copies de leur écran ou de leurs documents.

1. Commencez une conversation.
2. Cliquez le lien **Démarrer le tableau blanc**.

   Vous devez maintenant attendre que l'autre contact accepte votre demande.

   Dès que le contact a accepté, le tableau s'affiche.
3. Dessinez directement sur le tableau en utilisant les outils à gauche (consultez l'aide en ligne pour des précisions).

Vous pouvez coller des parties de documents. Pour cela, sélectionnez les éléments à copier (paragraphes dans Word, cellules dans Excel, portion de dessin ou de photo dans Paint, *etc.*) et tapez **Ctrl**+**C**. Dans le tableau blanc, tapez **Ctrl**+**V** pour coller les éléments préalablement copiés. Étant donné que les possibilités du tableau blanc sont assez vastes, nous vous conseillons de consulter l'aide en ligne.

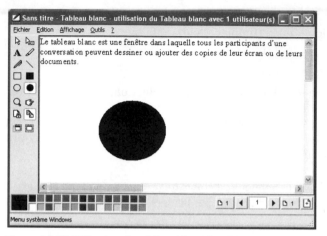

Figure 14-15 Utilisation du tableau blanc dans Messenger.

Si vous fermez la fenêtre du tableau blanc, une boîte vous demande de l'enregistrer. Si c'est votre souhait, cliquez **Oui** pour conserver une trace (sélectionnez le dossier et saisissez un nom dans la boîte qui s'ouvre, puis cliquez **Enregistrer**).

Partager des applications

Windows Messenger vous propose de partager en temps réel un document avec un autre participant. Cette personne pourra le voir mais aussi le modifier comme s'il était sur son ordinateur.

Afficher des applications

1. Ouvrez l'application et le document à partager.
2. Commencez une conversation.
3. Cliquez le lien **Démarrer le partage d'application**.

   Vous devez maintenant attendre que l'autre contact accepte votre demande et que la boîte Partage s'affiche.

4. Cliquez l'application à partager pour la sélectionner puis cliquez le bouton **Partager** (figure 14-16).

Conseil Pour mieux vous concentrer sur le document en cours, ne partagez pas plusieurs applications, même si cela est possible en répétant l'étape **4**.

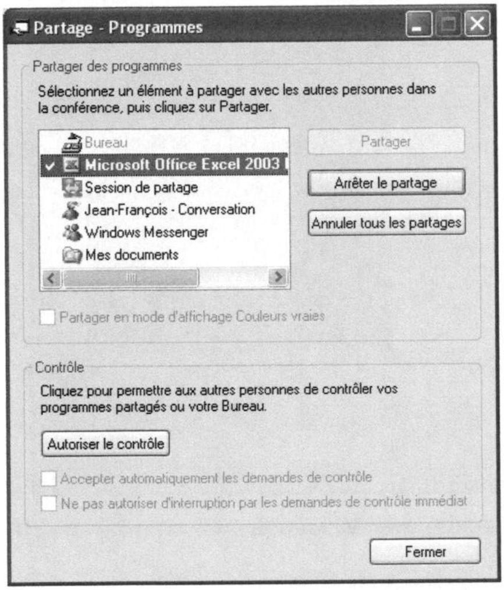

Figure 14-16 Partage d'une application avec Messenger.

5. Cliquez dans la barre des tâches l'application que doit voir l'autre personne.

Toutes les modifications que vous effectuez seront répercutées en temps réel sur l'autre ordinateur.

Pour l'autre personne, les applications partagées sont visibles dans une fenêtre. Les autres sont masquées par des mosaïques. Dans l'exemple de la figure 14-17, Excel est partagé, mais la calculatrice qui se trouve au premier plan ne l'est pas.

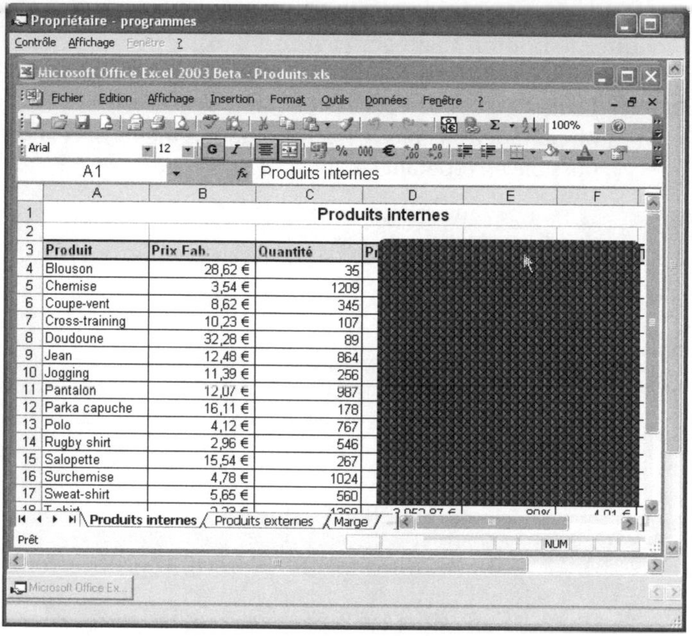

Figure 14-17 Applications partagées avec Messenger.

Donner le contrôle au contact

Pour donner la main à votre contact, vous devez afficher la boîte de partage :

1. Dans la barre des tâches, cliquez le bouton **Session de partage**.

2. Cliquez le bouton **Partage** dans la boîte Session de partage.

Conseil Si la boîte **Partage - Programmes** n'est pas fermée, cliquez directement son bouton dans la barre des tâches à la place des étapes **1** et **2**.

3. Cliquez le bouton **Autoriser le contrôle**.

4. Cochez la case **Accepter automatiquement les demandes** pour autoriser le contrôle sans demande au préalable dans une boîte de dialogue.

5. Cliquez le bouton **Fermer**.

Pour prendre le contrôle de l'application à distance, cliquez le menu **Contrôle → Demander le contrôle**.

Le contact peut maintenant accéder à vos applications partagées. Il peut modifier directement vos documents.

Le contrôle se termine dès que vous cliquez sur une application.

QUELQUES PRÉCISIONS SUR LE PARTAGE D'APPLICATIONS

* En partageant le Bureau, vous partagez l'intégralité de votre ordinateur, y compris la barre des tâches et le menu démarrer. L'autre personne pourra donc exécuter d'autres applications et accéder au Poste de travail et à l'intégralité de vos ressources, dont vos disques, vos dossiers et vos fichiers.

* Si le partage du Bureau n'est pas accessible, supprimez le partage des autres applications. Cliquez le bouton **Annuler tous les partages** dans la boîte Partage, puis partagez le Bureau.

* Si vous êtes actuellement occupé, cochez la case **Ne pas autoriser d'interruption...** dans la boîte Partage.

* Windows Messenger respecte la taille de chaque écran. Si vous êtes en 800 × 600 et l'autre personne en 640 × 480, la fenêtre sera plus petite. Dans le cas inverse, vous devez utiliser les barres de défilement pour voir l'intégralité de l'écran.

* Dès que vous avez cédé le contrôle de vos applications, votre curseur de souris n'est plus disponible. Cliquez simplement pour retrouver le contrôle de vos applications. L'autre contact devra de nouveau en faire la demande pour accéder à votre ordinateur.

* Pour améliorer l'affichage, cochez la case **Partager en mode d'affichage Couleurs vraies** dans la boîte Partage avant de commencer à partager des applications. Ceci risque cependant de ralentir les transmissions entre les ordinateurs si votre vitesse de connexion est faible.

* Si deux personnes partagent leur Bureau, il s'ensuit un effet de mise en abyme (comme deux miroirs face à face). À éviter !

Converser vocalement et visuellement

Avec un simple microphone et des haut-parleurs, vous pouvez correspondre vocalement avec vos contacts. Un bon moyen pour remplacer le téléphone. Pour obtenir de bons résultats, il est cependant nécessaire d'avoir une connexion Internet rapide (ADSL ou câble).

Configurer votre matériel audio et vidéo

Avant d'utiliser les fonctionnalités audio et vidéo, vous devez configurer votre matériel (webcam, microphone, haut-parleurs ou casque).

1. Cliquez le menu **Outils → Assistant Ajustement des paramètres audio et vidéo**.

   Note Si vous êtes amené à modifier votre matériel audio et vidéo, relancez cet assistant.

   L'ajustement s'effectue avec un assistant (une suite de boîtes de dialogue).

2. Cliquez le bouton **Suivant**.

   Si vous ne possédez pas de webcam, passez directement à l'étape **7**.

3. Sélectionnez votre webcam dans la liste **Appareil photo**.

4. Cliquez le bouton **Suivant**.

5. Réglez votre webcam pour vous voir au milieu de la fenêtre (figure 14-18).

6. Cliquez le bouton **Suivant**.

   Conseil Pour bien régler votre micro, placez-le à l'opposé des haut-parleurs pour éviter l'effet Larsen. Éventuellement, s'il possède un bouton Marche/Arrêt, positionnez ce dernier sur Marche.

7. Faites les réglages de votre micro, puis cliquez le bouton **Suivant**.

8. Sélectionnez dans les listes **Microphone** et **Haut-parleurs** les matériels correspondants.

Figure 14-18 Réglage de la webcam.

9. Si vous avez opté pour un casque à la place des haut-parleurs et du microphone, cochez l'option **J'utilise un casque**.

10. Cliquez le bouton **Suivant**.

11. Cliquez le bouton **Cliquez pour tester les haut-parleurs**.

12. Faites glisser le curseur pour régler le volume.

13. Cliquez le bouton **Suivant**.

14. Parlez dans le microphone.

Figure 14-19 Réglage du microphone.

15. Faites glisser ce curseur pour que la zone au-dessus arrive jusqu'à la couleur jaune (figure 14-19).

Note Si la zone arrive dans le rouge, le curseur diminue automatiquement.

16. Cliquez le bouton **Suivant** puis le bouton **Terminer** dans la dernière boîte.

Converser avec une webcam

Encore mieux que le téléphone : le visiophone. Avec votre webcam, vous pourrez converser avec vos contacts et les voir.

1. Commencez une conversation.

2. Cliquez le bouton **Conversation vidéo**.

Vous devez attendre que l'autre contact accepte votre demande.
Après acceptation, vous devez voir l'image de votre correspondant.

3. Cliquez le bouton **Options** sous l'image du correspondant.

4. Si la vidéo ralentit la connexion, cliquez la commande **Arrêter la vidéo**.

5. Pour ajouter votre propre image, cliquez la commande **Afficher ma vidéo en incrustation d'image** (figure 14-20).

6. Cliquez le bouton **Arrêter la conversation vidéo** pour la terminer.

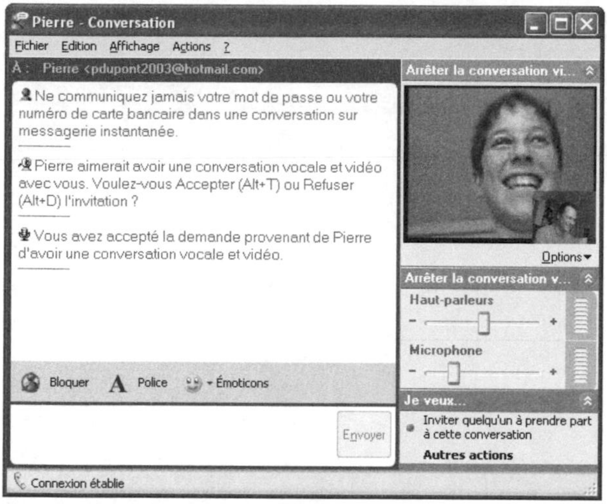

Figure 14-20 Conversation audio-vidéo.

MSN Messenger

Si Windows Messenger est installé par défaut avec Windows XP, Microsoft développe parallèlement une version « plus commerciale » baptisée MSN Messenger. Si vous désirez aller plus loin dans la messagerie instantanée, vous pouvez tester ce produit en le téléchargeant sur le site `www.msn.fr`. L'interface est plus conviviale et apporte une multitude de nouvelles fonctions comme l'enregistrement des conversations, une liste d'émoticônes plus complète dont certaines sont animées, l'ajout de photos, *etc*. Il offre aussi l'avantage d'être mis à jour plus régulièrement que Windows Messenger.

Figure 14-21 Conversation avec MSN Messenger.

Enregistrer les conversations

Pour garder une trace de vos conversations, Messenger peut se charger de les enregistrer dans un fichier texte.

Pour activer l'enregistrement des conversations :

1. Cliquez le menu **Outils → Options**.

2. Cliquez **Messages** dans la liste de gauche.

3. Cochez la case **Conserver automatiquement un historique de mes conversations**.

Note Par défaut, chaque conversation est enregistrée dans un sous-dossier du dossier Mes documents\ Mes fichiers reçus (fichier .xml). Cliquez le bouton **Modifier** pour changer de dossier.

4. Pour afficher la toute dernière conversation avec un contact, cochez la case **Afficher ma dernière conversation…**.

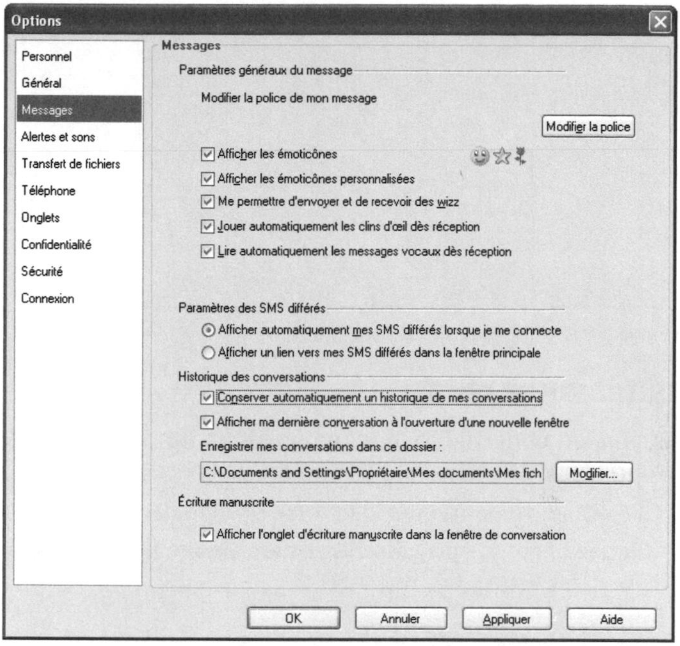

Figure 14-22 Options d'enregistrement des conversations.

5.   Cliquez le bouton **OK**.

Pour relire d'anciennes conversations :

1.   Cliquez le menu **Fichier → Afficher l'historique des conversations**.

2.   Dans la boîte qui s'ouvre, double-cliquez le nom d'un contact pour afficher toutes les anciennes conversations.

La boîte de la figure 14-23 liste toutes les anciennes conversations avec le contact choisi. Utilisez les boutons de la barre d'outils pour effectuer des recherches dans le texte, supprimer ces conversations, *etc.*

Date	Heure	De	À	Message
17/11/2005	11:13:25	Pierre	Jean-François	Bonjour !
17/11/2005	11:13:39	Jean-François	Pierre	ça va ?
17/11/2005	11:14:01	Pierre	Jean-François	Oui, c'est bientôt les vacances :D
17/11/2005	11:14:23	Jean-François	Pierre	**Tu pars où ?**
17/11/2005	11:14:52	Pierre	Jean-François	En Tunisie
17/11/2005	11:15:15	Jean-François	Pierre	**pour combien de temps ?**
17/11/2005	11:16:03	Pierre	Jean-François	une semaine seulement....'[
17/11/2005	11:28:41	Jean-François	Pierre	**on se voit avant ?**
17/11/2005	11:29:14	Pierre	Jean-François	pas de problème. Vendredi soir ça te va ?
17/11/2005	11:29:57	Jean-François	Pierre	**J'ai déjà un rdv vendredi, je préfère samedi si c'est possible**
17/11/2005	11:30:24	Pierre	Jean-François	oui, ok. Alors à samedi....
17/11/2005	11:30:31	Jean-François	Pierre	**ok. a+**

Figure 14-23 Historique d'une conversation.

Ajouter votre photo

Pour plus de convivialité, ajoutez votre photo ou une image qui représente un point de repère pour vos correspondants.

1. Cliquez votre nom dans la fenêtre principale.
2. Cliquez la commande **Modifier mon image perso** dans la liste qui s'ouvre (figure 14-24).

Figure 14-24 Fenêtre principale de MSN Messenger.

Note Pour effectuer ces actions dans une conversation, cliquez votre photo.

3.   Sélectionnez une image dans la liste de gauche, ou cliquez le bouton **Parcourir** pour la rechercher sur votre disque dur (figure 14-25).

Note Cliquez les liens proposés pour élargir vos choix *via* Internet.

Figure 14-25 Ajout d'une photo personnalisée.

4.   Cliquez le bouton **OK**.

Modifier l'arrière-plan

Pour égayer l'interface de MSN Messenger, ajoutez une image d'arrière-plan.

1.   Cliquez le bouton **Arrière-plan** (figure 14-26).

Note Pour effectuer ces actions dans la fenêtre principale, cliquez le menu **Outils** ➔ **Mon arrière-plan**.

2.   Sélectionnez une image dans la liste, ou cliquez les liens **Plus** pour la rechercher. Les images de la section « Coups de cœur » vous dirigent vers un site commercial.

Figure 14-26 Conversation avec les photos ou les images des correspondants et changement d'arrière-plan.

> **Note** Cliquez le lien **Obtenir plus d'arrière-plans** pour élargir votre choix *via* Internet.

3.   Cliquez le bouton **OK**.

Créer vos propres émoticônes

MSN Messenger donne la possibilité de compléter la liste des émoticônes avec vos propres images.

1.   Cliquez le bouton 😊 (figure 14-27).

MSN Messenger propose une liste d'émoticônes plus complète dont certaines sont animées.

2.   Cliquez le lien **Plus**.

> **Note** Les icônes de la section « Coups de cœur » vous dirigent vers un site commercial.

Figure 14-27 Interface avec une image d'arrière-plan et modification des émoticônes.

3.   Cliquez le bouton **Créer** dans la boîte Mes émoticônes.

> **Note** Cliquez le lien **Téléchargez de nouvelles émoticônes** pour élargir votre choix *via* Internet.

4.   Cliquez le bouton **Rechercher l'image** pour indiquer le fichier à utiliser pour votre émoticône.

> **Note** MSN Messenger accepte les formats d'images les plus courants (jpg, bmp, gif, *etc.*).

5.   Pour insérer plus facilement votre émoticône, tapez un code de raccourci dans la zone **2**. Cette information est obligatoire.

6.   Tapez un nom pour votre émoticône dans la zone **3**. Cette information est facultative.

7.   Cliquez le bouton **OK**.

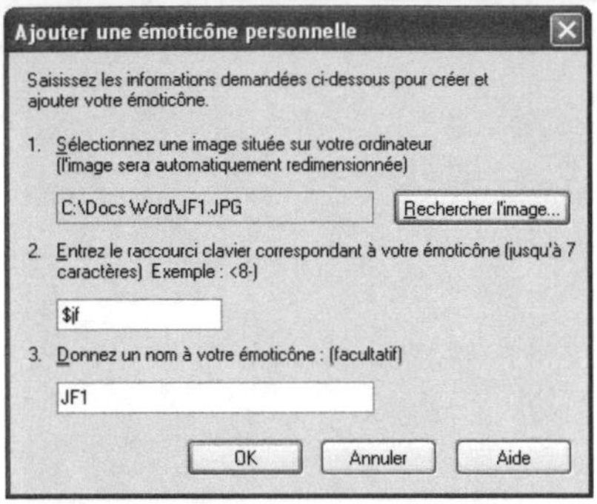

Figure 14-28 Ajout d'une émoticône.

La boîte de la figure 14-29 liste vos propres émoticônes.

Note Les 12 premières émoticônes apparaîtront dans la liste 😊.

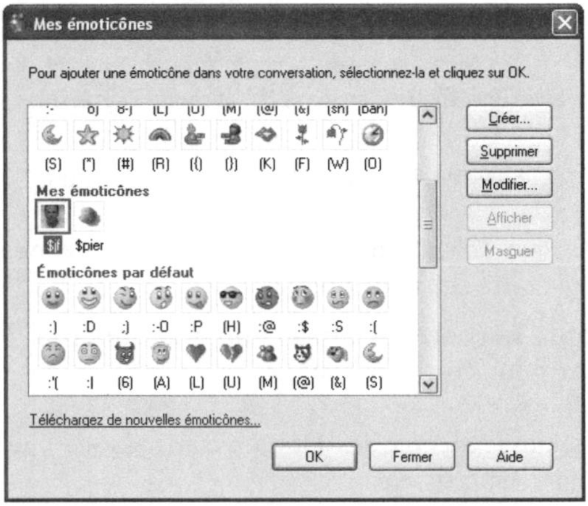

Figure 14-29 Liste des émoticônes personnelles et celles par défaut.

8.   Cliquez le bouton **OK** dans la boîte Mes émoticônes.

Écrire à la main

MSN Messenger vous propose d'écrire manuellement vos messages. Il s'agit en fait d'un tableau blanc en version simplifiée.

1. Dans la zone de saisie des messages, cliquez l'onglet [image].
2. Écrivez votre message avec la souris. Utilisez les nouveaux boutons de barre d'outils pour modifier vos écrits (gomme, couleur, papier à lettres, *etc.*).

Figure 14-30 Message écrit à la main.

Autres possibilités de MSN Messenger

Expédier un message vocal

Sans utiliser la conversation vocale, vous pouvez expédier facilement un petit message vocal lors d'une conversation.

1. Cliquez et maintenez enfoncé le bouton [image].
2. Dites le message dans votre microphone.
3. Relâchez le bouton [image].

Clins d'œil

Les clins d'œil sont des images animées qui s'affichent au-dessus de l'interface de vos contacts.

Cliquez le bouton 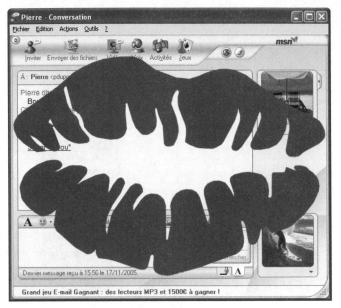, puis choisissez le clin d'œil à expédier à votre contact (figure 14-31).

Figure 14-31 Clin d'œil dans un message.

Wizz

Les wizz permettent de « secouer » la fenêtre MSN Messenger de vos contacts. Cliquez simplement le bouton lors d'une conversation.

Packs

Si vous désirez modifier l'intégralité de votre interface, ajoutez des packs complets. Ces derniers proposent de nouveaux éléments pour les fonctionnalités vues précédemment : émoticônes, arrière-plans, images perso, clins d'œil, *etc.* Cliquez simplement le bouton pour choisir un pack.

Messages et musique écoutée

En plus de votre nom qui apparaît chez vos contacts, vous pouvez afficher un message permanent ou le titre du disque que vous écoutez si vous utilisez Windows Media.

Pour afficher un message :

1. Dans la fenêtre principale, dans la liste au-dessous de votre nom, cliquez le texte **Tapez votre message perso**.
2. Saisissez votre message.

Pour faire part de la musique que vous êtes en train d'écouter dans Windows Media :

1. Dans la fenêtre principale, cliquez la flèche de la liste au-dessous de votre nom.
2. Sélectionnez **Activer "Ce que j'écoute"** dans la liste.

Le disque que vous écoutez s'affiche chez vos contacts sous la forme d'un lien vers un site commercial.

Messenger Plus!

Proposant plus d'une cinquantaine de nouvelles fonctions, Messenger Plus! se greffe sur MSN et Windows Messenger (c'est un *add-on*). Il est développé par PatChou et disponible sur le site www.msgplus.net. Avec plus de deux millions de téléchargements par mois, c'est un complément indispensable si vous utilisez intensivement Messenger.

Voici quelques possibilités offertes par Messenger Plus! :

* Définir vos propres statuts (autres que Occupé(e) ou Absent(e), par exemple).
* Répondeur automatique lors des absences.

Figure 14-32 Nouveau statut et répondeur automatique.

- Renommer les contacts.
- Statistiques sur les contacts (pour faire le ménage de temps en temps).
- Personnaliser son pseudo (couleurs, icônes, *etc.*).
- Plus grand choix d'émoticônes animées.

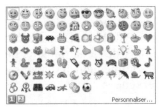

Figure 14-33 Nouvelles émoticônes.

- Archivage avec mot de passe et historique des événements.
- Plus grand choix de mises en forme.
- Masquer Messenger avec un raccourci clavier et expédition d'un message aux contacts en cours.
- Avertissement de nouveaux e-mails autres que ceux de Hotmail.

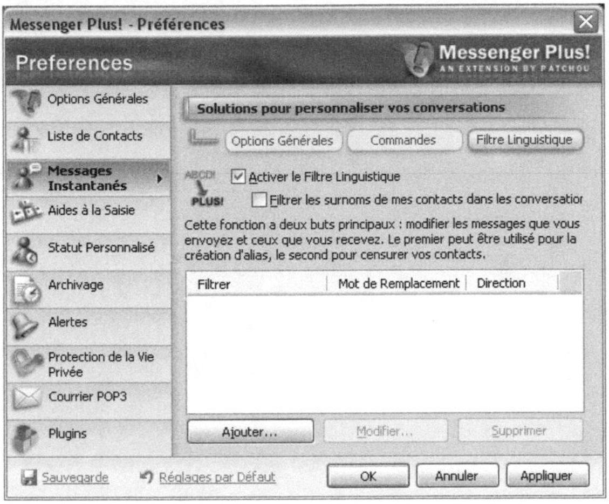

Figure 14-34 Préférences de Messenger Plus!.

Gérer le carnet d'adresses

Le carnet d'adresses regroupe toutes les informations sur vos relations, comme les adresses électroniques, les adresses postales ou les numéros de téléphone. Il est utilisé par d'autres logiciels comme Outlook Express pour l'expédition des messages électroniques ou tout simplement pour téléphoner à vos contacts.

Dans ce chapitre

- Ajouter et modifier des contacts
- Créer des listes de distribution

- Changer d'utilisateur
- Importer ou exporter un carnet d'adresses

Gérer les contacts

Le carnet d'adresses est une application à part. Vous pouvez cependant y accéder directement avec Outlook Express, pour expédier des messages électroniques, par exemple. Cliquez **démarrer → Tous les programmes → Accessoires → Carnet d'adresses**.

> **Note** Si Outlook Express est ouvert et actif, cliquez le bouton  ou choisissez le menu **Outils → Carnet d'adresses**.

Ajouter un contact

Pour constituer votre carnet d'adresses, vous devez saisir un à un vos contacts.

1. Cliquez le bouton  .
2. Cliquez la commande **Nouveau contact** dans le menu contextuel du bouton  .

15-01

Figure 15-1 Carnet d'adresses de Windows XP.

Saisir les références du contact

1. Tapez le prénom et le nom du contact dans les zones correspondantes.
2. Éventuellement, tapez le surnom du contact.
3. Cliquez la flèche de la zone **Afficher** et sélectionnez le nom complet qui sera affiché. Vous pouvez aussi saisir un autre nom que ceux proposés par la liste (figure 15-2).
4. Tapez l'adresse e-mail du contact dans la zone **Adresses de messagerie**.
5. Cliquez le bouton **Ajouter** pour placer l'adresse e-mail dans la liste en dessous.
6. Répétez les étapes **4** et **5** afin d'ajouter d'autres adresses e-mail.
7. Pour définir l'adresse par défaut, cliquez-la dans la liste puis cliquez le bouton **Par défaut**.

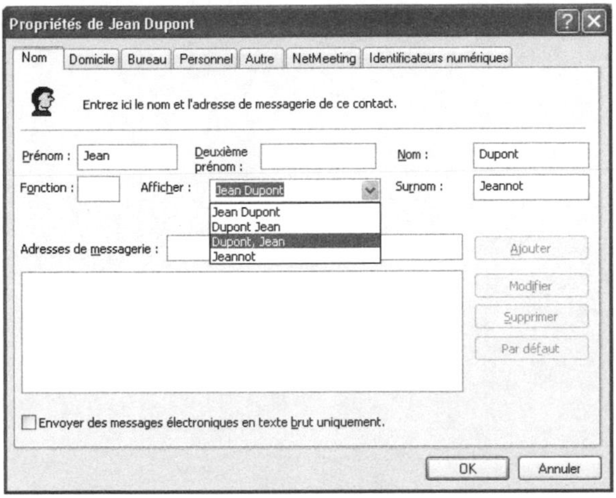

Figure 15-2 Saisie des noms du contact.

8. Cochez la case **Envoyer des messages...** si le logiciel de messagerie du contact ne prend pas en charge le format HTML.

> **Note** Pour modifier ou supprimer une adresse, cliquez-la dans la liste puis cliquez les boutons **Modifier** ou **Supprimer**.

Saisir l'adresse postale du contact

1. Cliquez l'onglet **Domicile**.

2. Tapez dans les zones proposées l'adresse complète du contact.

3. Cochez **Par défaut** si cette adresse doit être utilisée pour des expéditions (un publipostage avec Word, par exemple).

> **Note** Le bouton **Afficher la carte** ouvre un site pour localiser l'adresse saisie.

4. Tapez les numéros de téléphone dans les zones appropriées.

5. Si le contact a un site Web, tapez l'adresse dans la zone **Page Web**. Cliquez le bouton **Atteindre** pour ouvrir le site.

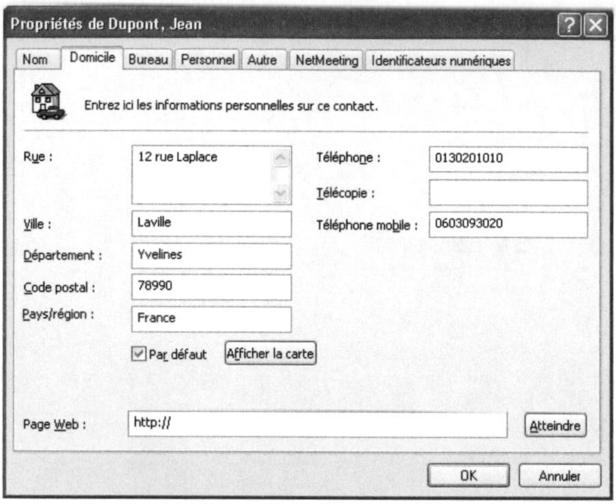

Figure 15-3 Saisie de l'adresse du contact.

6.   De la même manière, saisissez les autres renseignements sur le contact dans les onglets **Bureau**, **Personnel**, *etc*.

7.   Cliquez le bouton **OK** dès que tous les renseignements sont saisis.

Pour modifier un contact, double-cliquez son nom dans la fenêtre principale du carnet d'adresses. Pour supprimer un contact, cliquez-le pour le sélectionner, puis appuyez sur la touche **Suppr**. Cliquez ensuite le bouton **Oui** pour confirmer la suppression.

Ajouter un dossier au carnet d'adresses

Si vous désirez classer vos contacts, par exemple personnels et professionnels, créez pour cela de nouveaux dossiers.

1.   Cliquez le dossier qui doit contenir le sous-dossier.

2.   Cliquez le bouton [icône], puis la commande **Nouveau dossier**.

> *Note* Le dossier Contacts partagés permet de partager des contacts avec d'autres utilisateurs.

3.   Tapez le nom du dossier.

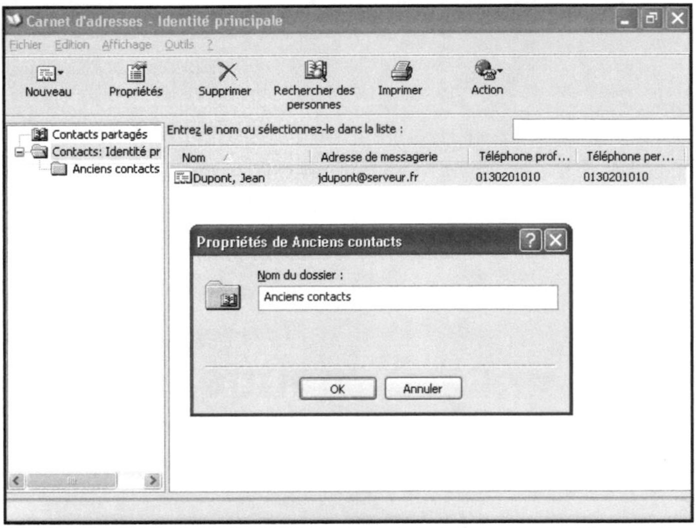

Figure 15-4 Création d'un nouveau dossier.

4.   Cliquez le bouton **OK**.

Le dossier apparaît sous celui sélectionné à l'étape **1**.

Créer un groupe de contacts

Si vous vous adressez souvent au même groupe de contacts, il est plus simple de les réunir sous un seul nom. Vous pourrez ainsi leur expédier rapidement le même message.

1.   Cliquez le bouton [ ] puis la commande **Nouveau groupe**.

2.   Saisissez le contenu de la zone **Nom du groupe**.

3.   Cliquez le bouton **Sélectionner les membres**.

4.   Double-cliquez les noms des contacts à ajouter dans la liste (figure 15-5).

5.   Cliquez le bouton **OK**.

6.   Cliquez le bouton **OK** dans la boîte Propriétés de.

Note Pour modifier la liste des contacts, cliquez avec le bouton droit le nom du groupe puis cliquez **Propriétés**.

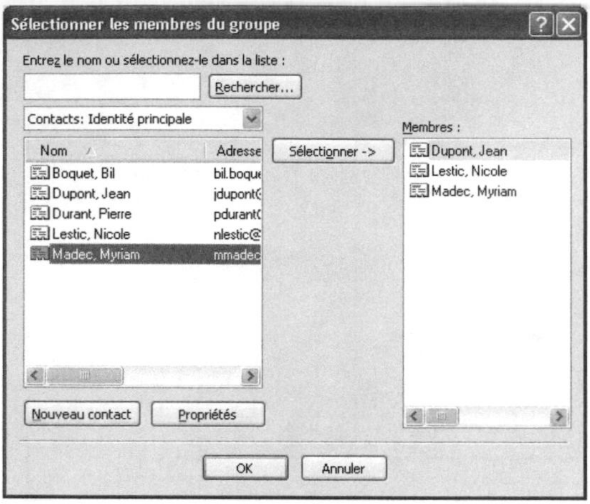

Figure 15-5 Ajout de contacts à un groupe.

Rechercher un contact

Si votre carnet d'adresses contient beaucoup de contacts, effectuez des recherches simples ou avancées. Vous pouvez aussi obtenir des adresses en les recherchant sur Internet.

Tapez le début du nom du contact dans la zone **Entrez le nom...**.

Le contact correspondant est sélectionné.

Effectuer une recherche avancée

1. Cliquez le bouton ⬜ . 
2. Tapez les renseignements sur le contact dans la zone **Personne**.
3. Cliquez le bouton **Rechercher maintenant**.

    La liste en bas de la boîte Rechercher des personnes affiche les contacts correspondants (figure 15-6).

4. Cliquez le bouton **Fermer**.
5. Tapez les renseignements sur le contact dans la zone **Personne**.
6. Cliquez le bouton **Rechercher maintenant**.

Figure 15-6 Recherche avancée d'une personne.

Effectuer une recherche sur Internet

1. Sélectionnez le nom d'un service dans la liste **Regarder dans**.

   La liste en bas de la boîte Rechercher des personnes affiche les noms et les adresses des contacts qui ont laissé leurs coordonnées sur le site choisi à l'étape **1** (figure 15-7).

2. Cliquez le contact dans la liste.

3. Cliquez le bouton **Ajouter au carnet d'adresses**.

Effectuer une recherche avancée sur Internet

1. Sélectionnez le nom d'un service dans la liste **Regarder dans**.

2. Cliquez le bouton **Site Web**.

Astuce Pour gérer la liste des sites proposés, cliquez le menu **Outils → Comptes** dans la fenêtre principale.

Figure 15-7 Recherche d'une personne sur Internet.

Le site correspondant s'affiche.

3. Effectuez une recherche en suivant les indications de la page.

4. Éventuellement, laissez vos coordonnées sur le site pour que d'autres personnes puissent vous contacter.

Modifier l'affichage

Outlook Express propose plusieurs types d'affichages de la liste des contacts.

1. Cliquez le menu **Affichage**.

2. Cliquez un des quatre types d'affichages proposés (**Grandes icônes**, **Petite icône**, **Liste** ou **Détails**).

L'affichage sélectionné est appliqué. Dans l'exemple de la figure 15-8, l'option **Grandes icônes** a été choisie.

Conseil Cliquez le menu **Affichage → Dossiers et groupes** pour afficher uniquement les contacts. Cliquez de nouveau ce menu pour revenir à l'état initial.

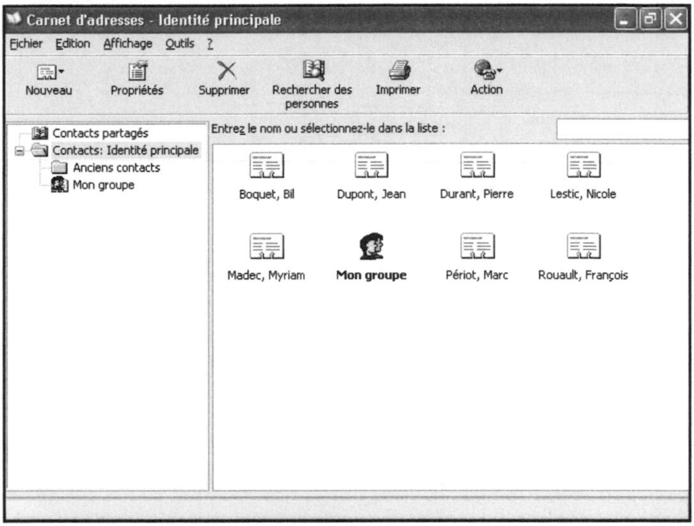

Figure 15-8 Modification de l'affichage des contacts.

Utiliser le carnet d'adresses

Téléphoner à un contact

Comme le carnet d'adresses conserve les numéros de téléphone des contacts, vous pouvez les appeler directement sans composer les numéros.

1. Cliquez le contact à appeler.

2. Cliquez le bouton ![Action] puis cliquez la commande **Numéroter** dans le menu du bouton.

3. Sélectionnez le numéro à composer dans la liste **Numéro de téléphone** (figure 15-9).

4. Cliquez le bouton **Appeler**.

5. Suivez les instructions à l'écran.

Attention ! Votre ordinateur doit posséder un modem capable de composer un numéro de téléphone. Cela ne fonctionne pas avec un modem ADSL.

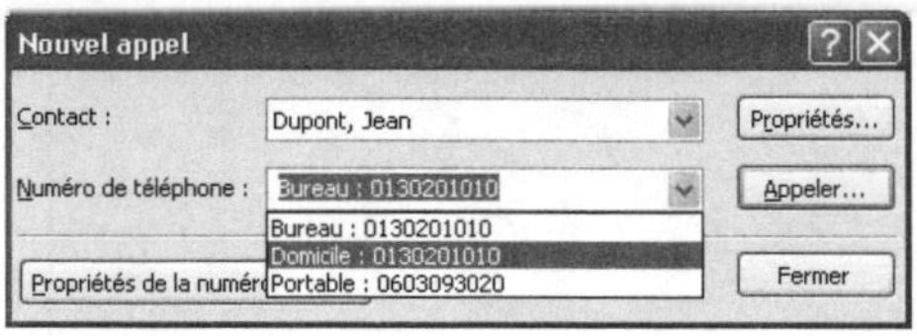

Figure 15-9 Appel d'un contact.

Expédier un message à un contact

Sans ouvrir Outlook Express, vous pouvez expédier un message à un contact à partir du carnet d'adresses.

1. Cliquez le contact dans la fenêtre principale du carnet d'adresses.

2. Cliquez le bouton ⬛ puis cliquez la commande **Envoyer un message** dans le menu du bouton.

> **Note** Si le contact possède plusieurs adresses, cliquez la commande **Envoyer du courrier à**.

La zone **À** est déjà renseignée.

3. Tapez l'objet et le message.

4. Cliquez le bouton **Envoyer** pour expédier le message.

> **Note** Pour des informations complémentaires sur la messagerie, consultez le chapitre 16.

Imprimer les contacts

Pour emporter avec vous votre carnet d'adresses, imprimez-le.

1. Éventuellement, sélectionnez les contacts à imprimer (en utilisant les touche **Maj** et **Ctrl** comme dans l'Explorateur Windows ; voir le chapitre 6).

2. Cliquez le bouton ⬛ .

> **Note** Vous pouvez aussi utiliser le raccourci **Ctrl+P**.

3. Cliquez l'imprimante à utiliser dans la zone Sélection de l'imprimante (le symbole ✅ indique l'imprimante par défaut).

4. Cliquez le bouton **Préférences** si vous souhaitez modifier les options de l'imprimante (résolution d'impression, taille du papier, *etc.*).

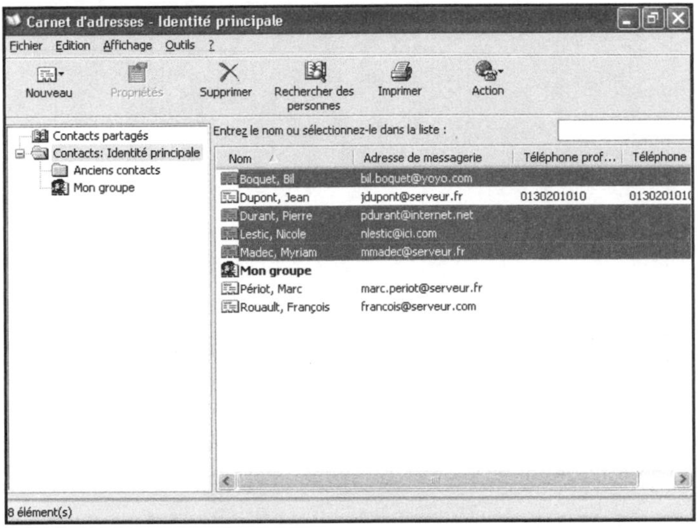

Figure 15-10 Sélection de contacts avant impression.

Note La boîte Options d'impression qui s'ouvre en cliquant **Préférences** dépend de l'imprimante. Au besoin, consultez sa notice.

5. Cliquez l'option **Tout** pour imprimer l'intégralité des contacts, ou cliquez l'option **Sélection** si vous avez sélectionné des contacts à l'étape **1**.

6. Cliquez le format dans la zone **Style d'impression** (figure 15-11).

Note Il n'existe pas d'aperçu avant impression. Imprimez le carnet d'adresses avec chacune des options pour choisir celle qui vous convient le mieux.

7. Cliquez le bouton **Imprimer**.

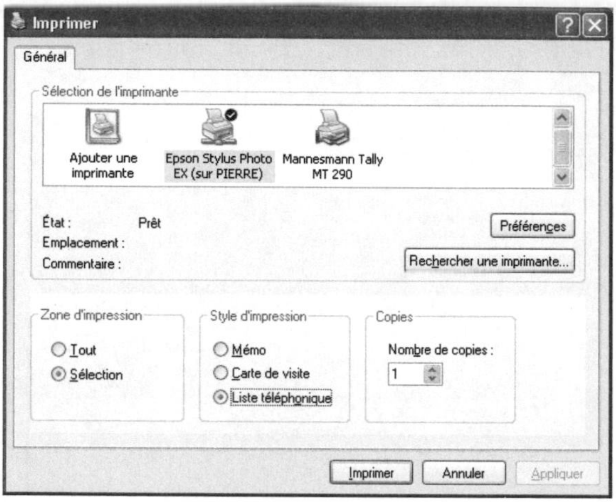

Figure 15-11 Impression du carnet d'adresses.

Note Le bouton **Rechercher une imprimante** permet de parcourir le réseau pour trouver une imprimante partagée.

Changer d'identité

Si l'ordinateur est partagé par plusieurs personnes, vous pouvez gérer plusieurs carnets d'adresses.

1. Cliquez le menu **Fichier → Changer d'identité**.

Note Si le carnet d'adresses est ouvert à partir d'Outlook Express, cette commande n'est pas disponible. Cliquez le menu **Fichier → Changer d'identités** dans Outlook Express pour y accéder.

2. Cliquez votre identité dans la liste.
3. Si le carnet est protégé, tapez le mot de passe.
4. Cliquez le bouton **OK**.

Gérer et ajouter des identités

1. Dans la boîte Changer d'identité, cliquez le bouton **Gérer les identités** (figure 15-12).

Figure 15-12 Changement d'identité.

> ◖ **Note** Dans Outlook Express, cliquez le menu **Fichier →**
> **Identités →** **Gérer les identités** et **Fichier →**
> **Identités →** **Ajouter une identité**.

2. Cochez la case **Utiliser cette identité...** pour choisir
   l'identité au démarrage et sélectionnez-la dans la liste en
   dessous.

3. Sélectionnez dans la liste du bas l'identité par défaut
   (figure 15-13).

Figure 15-13 Gestion des identités.

4. Cliquez le bouton **Nouvelle**.

5. Tapez le nom de la nouvelle identité.

6. Cochez la case **Exiger un mot de passe** pour protéger le carnet d'adresses.

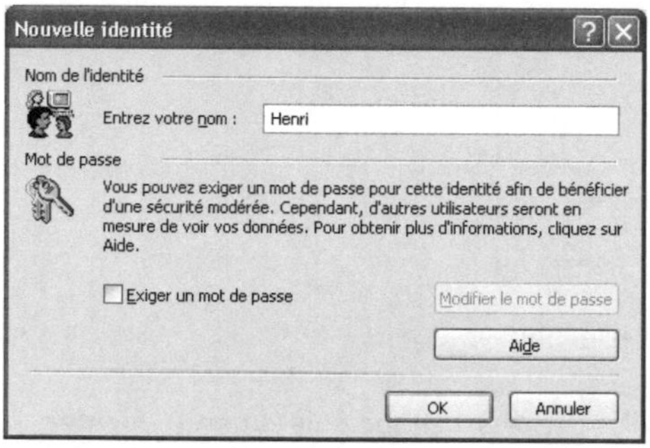

Figure 15-14 Ajout d'une identité.

7. Si vous avez coché la case **Exiger un mot de passe** à l'étape **6**, tapez le mot de passe dans la première zone.

8. Confirmez le mot de passe dans la seconde zone.

9. Cliquez le bouton **OK**.

10. Cliquez le bouton **OK** dans la boîte Nouvelle identité.

Une boîte s'affiche pour vous demander si vous désirez changer d'identité (figure 15-15).

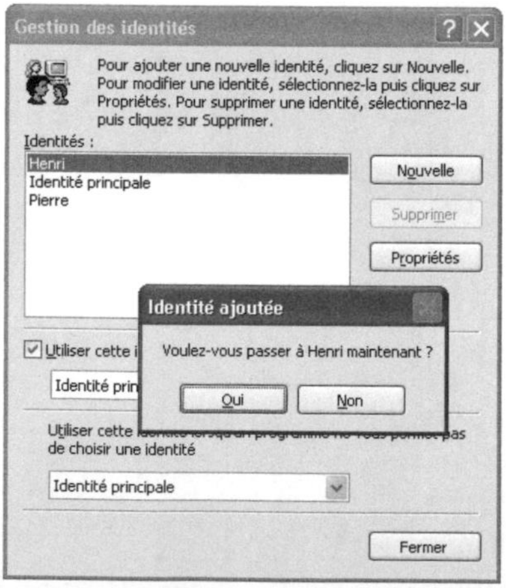

Figure 15-15 Changement d'identité après une création.

11. Si vous désirez passer immédiatement à la nouvelle identité, cliquez le bouton **Oui**.

12. Si vous avez cliqué le bouton **Non**, cliquez le bouton **Fermer** dans la boîte Gestion des identités.

Exporter ou sauvegarder le carnet d'adresses

Pour utiliser votre carnet d'adresses sur un autre ordinateur ou pour en conserver un double, exportez-le sous forme de fichier.

1. Cliquez **Fichier → Exporter → Carnet d'adresses**.

> **Note** La commande **Fichier → Exporter → Autre Carnet d'adresses** permet de choisir un autre format que celui par défaut.

2. Sélectionnez dans la liste **Enregistrer dans** le dossier qui doit contenir le carnet d'adresses.

3. Tapez un nom pour le carnet d'adresses.

4. Cliquez le bouton **Enregistrer**.

5. Cliquez le bouton **OK** dans la boîte qui confirme la sauvegarde.

> **Note** Les fichiers de carnets d'adresses portent l'extension .wab.

Importer un carnet d'adresses

Importez un carnet d'adresses si vous avez changé d'ordinateur ou de logiciel de messagerie électronique (Netscape, par exemple), ou tout simplement pour réinstaller une sauvegarde.

1. Cliquez **Fichier → Importer → Carnet d'adresses**.

> **Note** La commande **Fichier → Importer → Autre Carnet d'adresses** permet d'ouvrir des carnets d'un autre format (Netscape, par exemple).

2. Sélectionnez dans la liste **Regarder dans** le dossier qui contient le carnet d'adresses.

3. Cliquez le fichier du carnet pour le sélectionner.

4. Cliquez le bouton **Ouvrir**.

5. Cliquez le bouton **OK** dans la boîte qui confirme l'importation.

Les contacts importés sont ajoutés à votre carnet d'adresses. Les contacts ajoutés entre l'exportation et l'importation ne sont pas supprimés.

Expédier et recevoir des messages

Le courrier électronique permet d'envoyer en quelques secondes des messages à votre voisin ou à un collègue de bureau, mais aussi à des destinataires à l'autre bout du monde. Ici, plus de papier, d'enveloppes ou de timbres : tout est pris en charge par Outlook Express.

Ce chapitre vous explique comment créer un compte de messagerie pour utiliser une nouvelle adresse e-mail, ainsi que l'expédition et la réception de fichiers (pièces jointes).

Dans ce chapitre

- Créer un compte de messagerie
- Expédier des messages et des fichiers

- Personnaliser les messages
- Lire le courrier
- Ouvrir ou enregistrer les pièces jointes

Créer un compte de messagerie

Avant d'expédier et de recevoir des messages, vous devez indiquer les différents paramètres remis par votre fournisseur de messagerie. Comme il est courant aujourd'hui de posséder plusieurs comptes, il est nécessaire de maîtriser cette étape. Vous devez ajouter autant de comptes que vous possédez d'adresses e-mail.

1. Ouvrez Outlook Express (menu **démarrer** → **Courrier électronique**).

2. Cliquez le menu **Outils** → **Comptes**.

3. Cliquez le bouton **Ajouter** → **Courrier**.

4. Tapez le nom qui doit apparaître chez vos correspondants lors de la réception de vos messages.

5. Cliquez le bouton **Suivant**.

6. Tapez votre adresse e-mail.

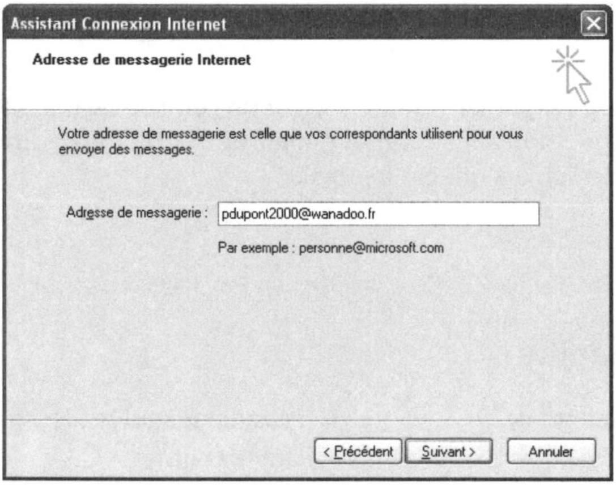

Figure 16-1 Création d'un nouveau compte de messagerie.

7. Cliquez le bouton **Suivant**.

> **Note** Toutes les indications nécessaires à la création d'un compte vous sont transmises par votre fournisseur

d'accès ou le site qui vous propose d'héberger vos messages. Consultez les documents en votre possession.

8. Dans la liste **Mon serveur de messagerie**, sélectionnez le type. POP3 est le type courant des serveurs proposés aux particuliers. HTTP permet d'ajouter un compte Web comme Hotmail.

9. Dans la première zone, tapez le nom du serveur pour les messages à recevoir. (Il commence généralement par le mot POP.)

10. Dans la seconde zone, tapez le nom du serveur pour les messages à expédier. (Il commence généralement par le mot SMTP.)

Assistant Connexion Internet

Noms des serveurs de messagerie électronique

Mon serveur de messagerie pour courrier entrant est un serveur   POP3

Serveur de messagerie pour courrier entrant (POP3, IMAP ou HTTP) :

pop.wanadoo.fr

Un serveur SMTP est le type de serveur utilisé pour l'envoi de vos courriers sortants.

Serveur de messagerie pour courrier sortant (SMTP) :

smtp.wanadoo.fr

< Précédent   Suivant >   Annuler

Figure 16-2 Informations sur votre serveur de messagerie.

11. Cliquez le bouton **Suivant**.

12. Dans la première zone, tapez votre identifiant de connexion à la messagerie.

13. Dans la seconde zone, tapez votre mot de passe.

14. Cochez **Mémoriser le mot de passe** pour ne pas le retaper à chaque connexion.

Note Si vous cochez l'option **Mémoriser le mot de passe**, cela permet à tous les autres utilisateurs de votre ordinateur de télécharger vos messages.

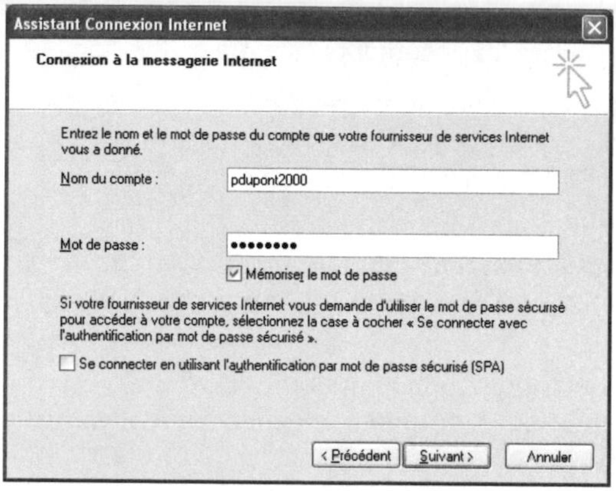

Figure 16-3 Informations de connexion au serveur de messagerie.

15. Cliquez le bouton **Suivant**.

16. Cliquez le bouton **Terminer** dans la dernière boîte.

Consulter et modifier vos comptes de messagerie

Vous pouvez à tout moment vérifier un compte et modifier ses paramètres.

1. Dans la fenêtre principale d'Outlook Express, cliquez le menu **Outils → Comptes**.

2. Cliquez l'onglet **Courrier**.

3. Cliquez le nom du compte (figure 16-4).

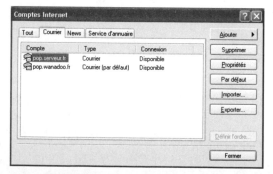

Figure 16-4 Modifications des comptes de messagerie.

4.   Cliquez le bouton **Propriétés**.

Pour modifier le compte, utilisez les boutons suivants :

- **Supprimer.** Retire le compte de messagerie sélectionné. Cliquez **Oui** dans la boîte qui s'affiche pour confirmer la suppression.

- **Propriétés.** Affiche tous les éléments nécessaires au fonctionnement du compte.

- **Par défaut.** Le compte par défaut est utilisé pour expédier des messages.

- **Importer.** Importe les renseignements d'un compte précédemment exporté.

- **Exporter.** Crée un fichier avec tous les éléments du compte. Utilisez cette possibilité pour installer un compte existant sur un autre ordinateur.

Rédiger un message

La composition d'un message est très simple. Vous donnez l'adresse de votre correspondant, vous saisissez une phrase définissant l'objet du message, puis vous tapez le message lui-même.

1.   Cliquez le bouton **Créer un message** dans la barre d'outils.

Conseil   Si vous avez déjà expédié des messages, les noms des destinataires apparaissent dans le volet **Contacts** en bas à gauche de la fenêtre principale d'Outlook Express. Double-cliquez le nom d'un destinataire dans cette liste pour créer directement un message sans resaisir son adresse e-mail.

Une fenêtre s'ouvre pour vous permettre de rédiger votre message.

2.   Tapez dans la zone **À** l'adresse e-mail du correspondant. Si vous expédiez le message à plusieurs personnes, séparez les adresses par des points-virgules. Vous pouvez aussi expédier une copie à d'autres destinataires en tapant leur adresse dans la zone **Cc**. Pour expédier le message à l'insu

des personnes des zones **À** et **Cc**, tapez les adresses dans la zone **Cci**. Les destinataires sont automatiquement ajoutés au volet **Contacts** de la fenêtre principale d'Outlook Express. Pour accéder à votre carnet d'adresses, cliquez le bouton **À** (consultez la section « Utiliser le carnet d'adresses » ci-après).

Note Si la zone **Cci** n'apparaît pas, cliquez le menu **Affichage → Tous les en-têtes.**

3. Tapez dans la zone **Objet** quelques mots pour décrire l'objet du message. Votre correspondant verra cette phrase avant de découvrir le contenu du message.

4. Tapez le contenu du message dans la zone inférieure de la fenêtre (figure 16-5).

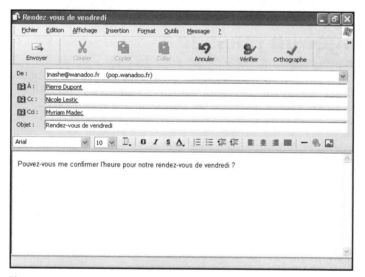

Figure 16-5 Composition d'un message électronique.

5. Cliquez le bouton **Envoyer** dans la barre d'outils.

Note Le message n'est pas expédié immédiatement. Il est conservé dans le dossier Boîte d'envoi. C'est vous qui déciderez du moment de son expédition.

Utiliser le carnet d'adresses

Comme il n'est pas facile de se souvenir de toutes les adresses e-mail, accédez directement au carnet d'adresses pour les ajouter à vos messages.

1. Pour rechercher les destinataires dans le carnet d'adresses, cliquez le bouton ⊞🕮 À : .

> **Note** L'utilisation du carnet d'adresses est décrite au chapitre 15.

2. Tapez dans la zone **Entrez le nom...** le début du nom du contact pour le localiser plus facilement.
3. Cliquez le contact souhaité dans la liste **Nom**.
4. Cliquez le bouton **À**, afin d'ajouter le contact à la zone **À** (figure 16-6).

> **Note** Vous pouvez aussi ajouter un contact dans la zone **À** en le double-cliquant dans la liste de gauche.

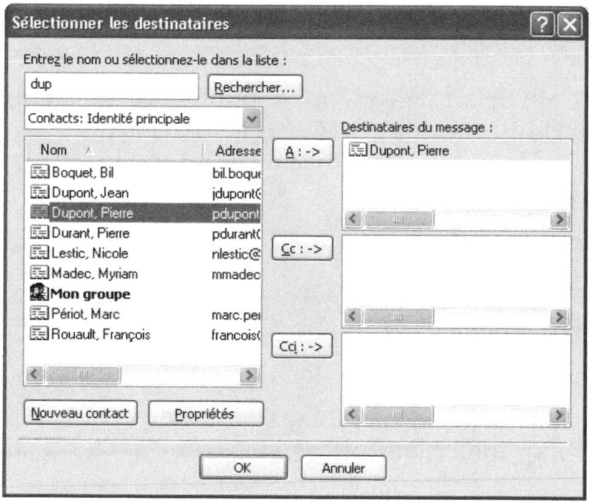

Figure 16-6 Ajout de destinataires à partir du carnet d'adresses.

5. Pour adresser une copie du message à un autre contact, répétez les étapes **2** et **3** puis cliquez **Cc**.

6. Pour ajouter une copie du message à un autre contact à l'insu des destinataires des zones **À** et **Cc**, répétez les étapes **2** et **3**, puis cliquez **Cci**.

7. Cliquez le bouton **OK**.

Vérifier les destinataires

Si vous tapez les adresses e-mail sans passer par le carnet d'adresses, vérifiez-les en cliquant le bouton **Vérifier** dans la barre d'outils.

Les noms vérifiés sont soulignés dans les zones **À**, **Cc** et **Cci**.

> **Note** Si des noms ne sont pas vérifiés, Outlook ouvre une boîte pour trouver une correspondance ou pour créer un nouveau contact.

Changer de compte de messagerie

Si vous avez plusieurs comptes de messagerie, choisissez celui à utiliser avant l'expédition du message.

Cliquez la zone **De** puis sélectionnez le compte à utiliser.

> **Note** Consultez le début de ce chapitre pour ajouter d'autres comptes de messagerie et définir celui par défaut.

Vérifier l'orthographe

Outlook Express peut vous aider à traquer les fautes d'orthographe.

1. Cliquez le texte du message.

2. Cliquez le bouton **Orthographe** dans la barre d'outils.

3. Suivez les instructions de la boîte qui s'ouvre pour corriger l'orthographe (figure 16-7).

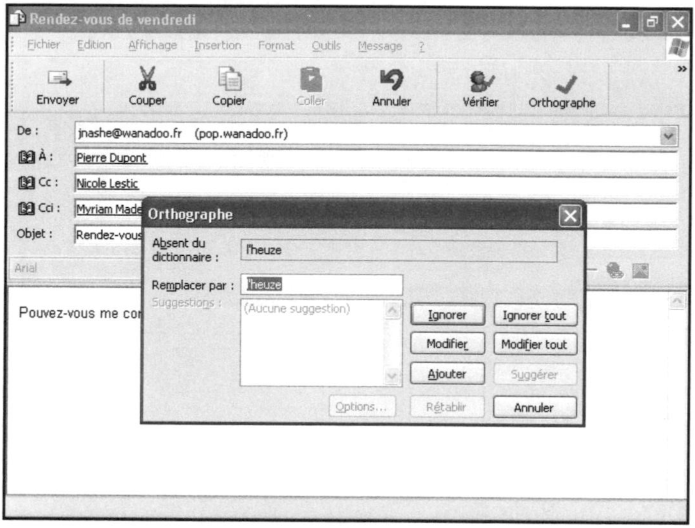

Figure 16-7 Vérification de l'orthographe des messages.

Mettre en forme un message

Outlook Express propose deux formats pour l'expédition des messages. Si vous utilisez le format HTML, vous pouvez les mettre en forme comme dans un traitement de texte.

1. Créez un nouveau message.

2. Assurez-vous que l'option du menu **Format → Texte enrichi (HTML)** est bien cochée.

3. Sélectionnez le texte à mettre en forme dans le corps du message (figure 16-8).

4. Cliquez un des boutons de mise en forme dans la barre d'outils au-dessus du texte du message (consultez le tableau ci-après).

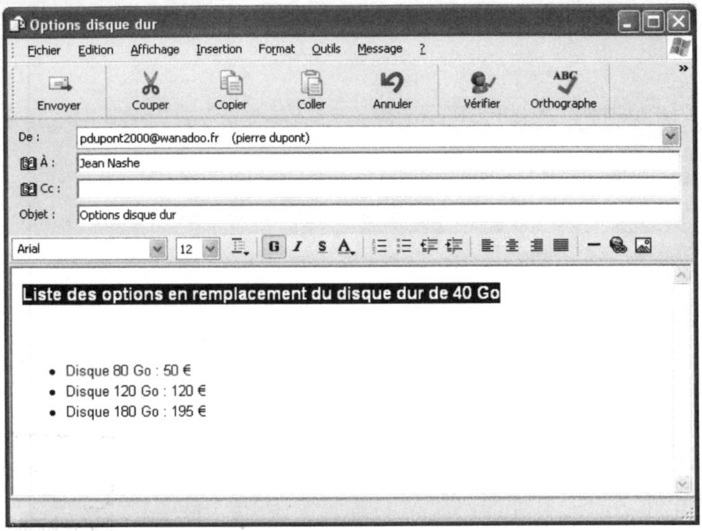

Figure 16-8 Mise en forme d'un message.

Boutons	Mise en forme
Arial ▾	Police de caractères.
10 ▾	Taille de la police.
𝕀̲.	Style du paragraphe.
G	Gras.
I	Italique.
S̲	Souligné.
A̲.	Couleur des caractères.
≔	Liste numérotée.
≔	Liste à puces.
⇤	Diminuer le retrait à gauche du paragraphe.
⇥	Augmenter le retrait à gauche du paragraphe.
≡	Aligner le paragraphe à gauche.

Tableau 16-1 Boutons de mise en forme d'un message

Boutons	Mise en forme
≣	Centrer le paragraphe.
≣	Aligner le paragraphe à droite.
≣	Justifier le paragraphe.
—	Insérer une ligne horizontale.
🔗	Insérer un lien : pour qu'un texte soit transformé en lien, sélectionnez-le, cliquez 🔗, tapez l'adresse puis cliquez **OK**.
🖾	Insérer une image.

Tableau 16-1 Boutons de mise en forme d'un message *(suite)*

Personnaliser vos messages

En plus des mises en forme au format HTML, Outlook Express vous propose de personnaliser vos messages avec des couleurs, des images et des papiers à lettres.

Colorer le fond du message

1. Cliquez le menu **Format** → **Arrière-plan** → **Couleur**.

2. Cliquez la couleur souhaitée dans la liste.

Insérer une image d'arrière-plan

3. Cliquez le menu **Format** → **Arrière-plan** → **Image**.

4. Sélectionnez une image dans la liste **Fichier**. Cliquez le bouton **Parcourir** pour insérer une image personnelle.

5. Cliquez le bouton **OK**.

Insérer une image

6. Cliquez là où devra apparaître l'image dans le corps du message.

7. Cliquez le menu **Insertion** → **Image**.

8. Cliquez le bouton **Parcourir**, puis recherchez l'image sur votre disque dur.

9. Cliquez le bouton **OK**.

L'image apparaît là où se trouvait le point d'insertion (figure 16-9).

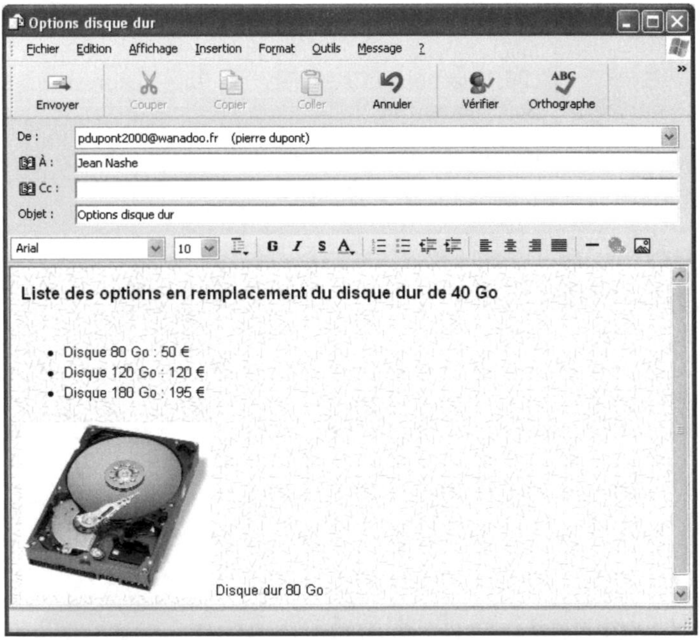

Figure 16-9 Message avec une image de fond et une image insérée.

Choisir un papier à lettres

L'application d'un papier à lettres personnalise vos messages. Il applique une image d'arrière plan et modifie aussi les polices et les marges.

Cliquez le menu **Format** → **Appliquer le papier à lettres**, puis le papier à utiliser.

Conseil Cliquez le menu **Format** → **Appliquer le papier à lettres** → **Plus de papier à lettres** pour agrandir le choix.

Pour définir le papier à lettres à la création d'un message, cliquez la flèche en regard du bouton **Créer un message**, puis cliquez un papier à lettres.

Le papier à lettres choisi est appliqué au corps du message (figure 16-10).

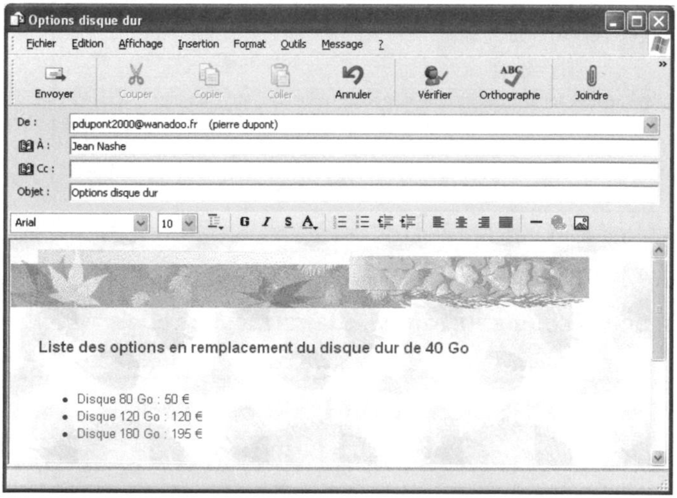

Figure 16-10 Message après l'application d'un papier à lettres.

Ajouter un fichier au message

En plus du texte des messages, vous pouvez expédier des fichiers de différents types : documents, images, logiciels, *etc.*

1. Dans la fenêtre du message, cliquez le menu **Insertion** → **Pièce jointe**.

2. Sélectionnez le dossier qui contient le fichier dans la zone **Regarder dans**.

3. Cliquez le nom du fichier à expédier en même temps que le message.

4. Cliquez le bouton **Joindre** (figure 16-11).

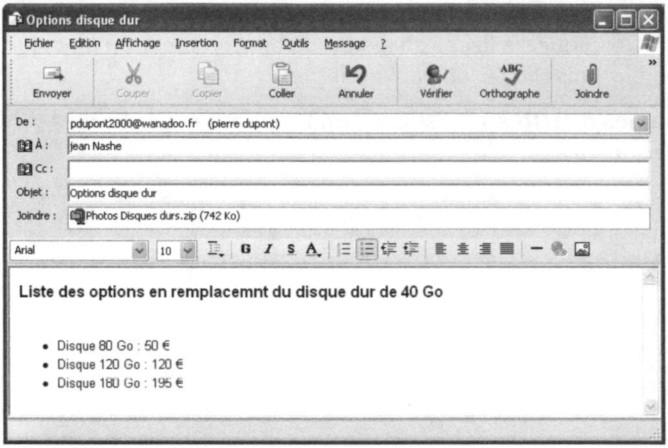

Figure 16-11 Expédition d'un fichier en pièce jointe.

Le nom du fichier apparaît dans la zone **Joindre**.

CONSEILS POUR L'EXPÉDITION DES PIÈCES JOINTES

• N'expédiez des fichiers de grande taille que si c'est indispensable. L'envoi et la réception risquent en effet d'être très longs.

• Si votre envoi est refusé, vous avez peut-être dépassé certaines limites fixées par votre fournisseur d'accès (taille maximale des messages ou taille globale de la boîte de réception). Utilisez plutôt la messagerie instantanée pour les gros fichiers quand votre correspondant est connecté à Windows Messenger (consultez le chapitre 14).

• Si vous expédiez un document d'un format particulier, assurez-vous que le destinataire possède le logiciel adéquat pour l'ouvrir.

Attirer l'attention sur les messages expédiés et reçus

Pour attirer l'attention sur un message, ajoutez un niveau de priorité. Vous pouvez aussi indiquer au destinataire que vous désirez qu'il confirme sa réception.

1. Cliquez le menu **Message → Définir la priorité**.
2. Cliquez la priorité à appliquer (**Élevé**, **Normal** ou **Basse**).

> **Note** Le niveau ne change pas le délai de remise du message.

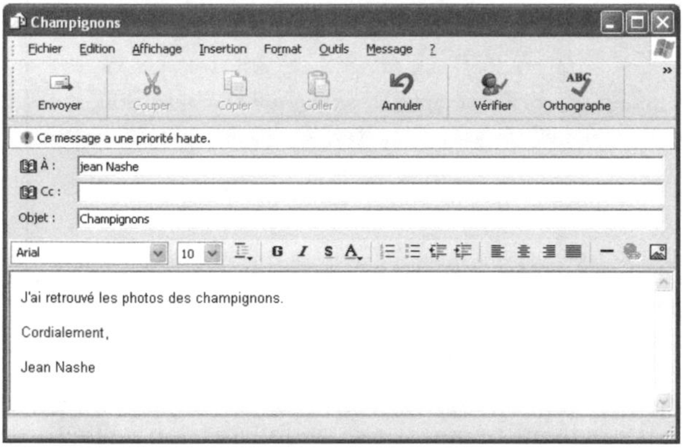

Figure 16-12 Message avec une priorité haute.

Outlook indique, par un message au-dessus de la zone **À** ou **De,** le niveau de priorité (uniquement pour une priorité élevée ou basse ; voir figure 16-12).

> **Note** Les symboles de priorité ! ou ↓ apparaissent à gauche du message dans la colonne !.

3. Pour demander une confirmation de votre message, cliquez le menu **Outils → Demandez une confirmation de lecture** pour cocher l'option.

Recevoir une demande de confirmation

4. Cliquez un message avec confirmation pour le lire.

    En cas de demande de confirmation, la boîte de la figure 16-13 s'affiche.

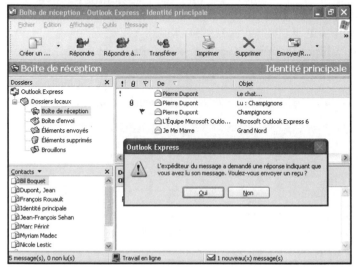

Figure 16-13 Message avec demande de confirmation.

5. Cliquez le bouton **Oui** pour qu'Outlook Express génère automatiquement un message de confirmation de lecture, ou cliquez le bouton **Non** pour ignorer la demande.

> **Note** L'objet d'un message de confirmation est précédé du mot **Lu:**.

Ajouter un indicateur aux messages importants

Pour les distinguer rapidement ou faciliter les recherches, ajoutez un indicateur aux messages importants.

Cliquez dans la colonne ⚑ en regard du message à traiter en priorité.

La colonne ⸙ contient alors le symbole ❦ en regard du message (3ᵉ message dans la figure 16-13).

Ajouter une signature

Pour vous épargner de saisir toujours le même texte à la fin de vos messages, ajoutez plutôt une signature.

Créer une signature

1. Cliquez **Outils → Options** à partir de la fenêtre principale d'Outlook Express.

    Note Cette commande n'est pas disponible si vous avez déjà débuté la rédaction d'un nouveau message.

2. Cliquez l'onglet **Signatures**.

3. Cliquez le bouton **Nouveau**.

    Une signature avec un nom par défaut s'affiche dans la liste **Signatures**.

4. Tapez dans la zone **Texte** le message à ajouter comme signature.

    Note Vous pouvez aussi cocher l'option **Fichier**, puis cliquer le bouton **Parcourir** pour rechercher le fichier texte (format .txt ou .html).

5. Répétez les étapes **3** et **4** pour ajouter d'autres signatures (figure 16-14).

6. Pour ajouter la signature à tous les nouveaux messages, cochez la case **Ajouter les signatures...**.

7. Pour ne pas ajouter la signature aux réponses et aux transferts, cochez la case **Ne pas ajouter de signature...**.

8. Cliquez le bouton **OK**.

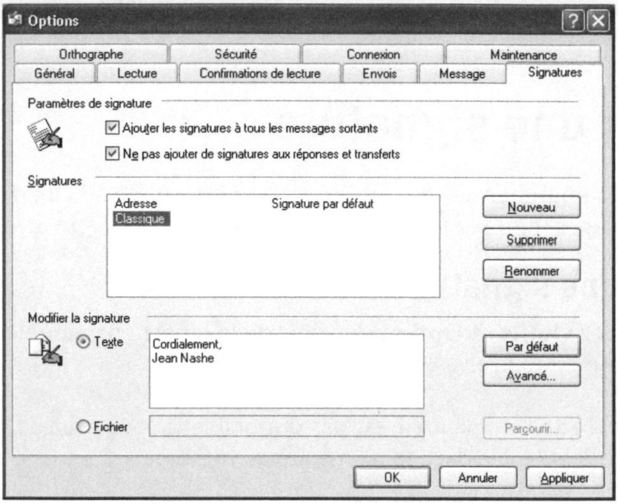

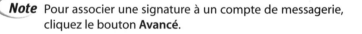

Figure 16-14 Création de signatures.

Renommer une signature

Pour bien classer vos signatures, renommez-les.

1. Cliquez la signature dans la liste **Signatures**.
2. Cliquez le bouton **Renommer**.
3. Tapez le nouveau nom.

> **Note** Pour supprimer une signature, sélectionnez-la puis cliquez le bouton **Supprimer**.

Définir la signature par défaut

Si vous avez créé plusieurs signatures, définissez celle par défaut.

1. Cliquez la signature dans la liste (figure 16-14).
2. Cliquez le bouton **Par défaut**.

> **Note** Pour associer une signature à un compte de messagerie, cliquez le bouton **Avancé**.

Insérer une signature dans un message

3. Créez un nouveau message.
4. Cliquez la position d'insertion de la signature dans le message.
5. Cliquez le menu **Insertion → Signature**.
6. Cliquez la signature à insérer (figure 16-15).

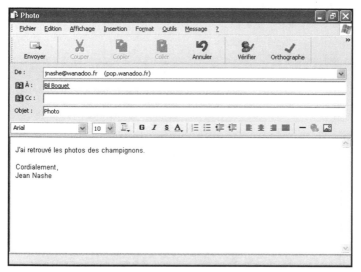

Figure 16-15 Ajout d'une signature dans un message.

La signature apparaît là où se trouvait le point d'insertion.

Envoyer et recevoir des messages

Vous devez vous connecter à votre serveur de messagerie pour expédier les messages en attente dans le dossier Boîte d'envoi, et vérifier si de nouveaux messages sont arrivés pour vous.

Note Le chiffre entre parenthèses qui suit le dossier Boîte d'envoi indique le nombre de messages à expédier.

Cliquez le bouton **Envoyer/Recevoir**.

Note Si vous n'êtes pas en ce moment connecté à Internet, Outlook Express demande automatiquement une connexion.

La boîte de dialogue de la figure 16-16 indique la progression de l'expédition et de la réception du courrier.

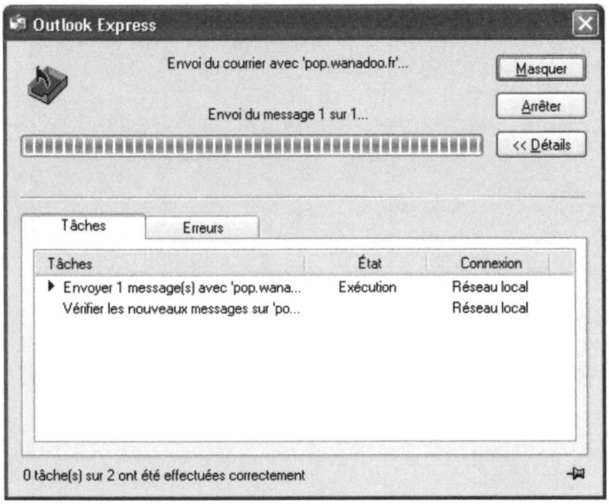

Figure 16-16 Réception et expédition des messages.

Lire les messages reçus

Le nouveau courrier est placé dans le dossier Boîte de réception. Ouvrez-le pour lire vos messages.

Note Le chiffre entre parenthèses qui suit le dossier Boîte de réception indique le nombre de messages non lus.

1. Cliquez le dossier **Boîte de réception** dans la partie de gauche.

    La partie de droite affiche la liste des messages de ce dossier. Les messages non lus sont en gras.

2. Cliquez le message à lire.

Le message s'affiche dans la partie inférieure droite (volet de visualisation).

Bloquer les images des messages

Certains messages proposent des images qui ne sont disponibles que sur le site de l'expéditeur. Cela permet de vérifier que votre e-mail est valide et de vous envahir de messages publicitaires.

1. Cliquez le menu **Outils → Options**.

2. Cliquez l'onglet **Sécurité**.

3. Cochez la case **Bloquer les images…**.

4. Cochez la case **Ne pas autoriser l'ouverture…** pour bloquer aussi les pièces jointes.

Figure 16-17 Options pour bloquer les images indésirables.

5. Cliquez le bouton **OK**.

Lire un message avec images

Si vous avez demandé à bloquer les images (voir section précédente), vous pouvez quand même afficher celles qui vous intéressent.

1. Cliquez le message contenant des images.

   Outlook affiche un message d'avertissement au-dessous de l'objet de l'e-mail : « Certaines images ont été bloquées... »

2. Cliquez le message d'avertissement (figure 16-18).

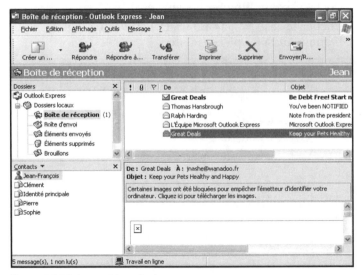

Figure 16-18 Image bloquée dans un message.

Les images du message sont affichées.

Visualiser ou enregistrer des pièces jointes

Si le message contient une pièce jointe, le bouton 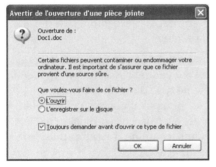 apparaît en haut à droite du message. Consultez-la ou enregistrez-la pour la conserver.

1. Cliquez le bouton 📎 dans le message.

2. Cliquez le nom du fichier dans la liste qui s'ouvre.

   Pour des questions de sécurité, Outlook Express propose d'ouvrir ou d'enregistrer le fichier. En effet, si le fichier est en réalité un virus, il est plus prudent de ne pas l'ouvrir mais de l'enregistrer pour le vérifier avec un antivirus. Dans tous les cas, n'ouvrez pas des fichiers dont vous ne connaissez pas l'expéditeur.

Figure 16-19 Ouverture d'une pièce jointe.

> **Note** Pour protéger votre PC avec un antivirus, consultez le chapitre 23. Certains fichiers comme les images s'ouvrent directement sans afficher la boîte d'avertissement.

3. Cliquez l'option **Ouvrir** si vous connaissez la provenance du fichier.

4. Cliquez le bouton **OK**.

Le fichier s'ouvre avec l'application qui lui est associée.

Pour enregistrer directement une pièce jointe :

1. Cliquez le bouton 📎 dans le message.
2. Cliquez la commande **Enregistrer les pièces jointes** dans la liste qui s'affiche.
3. Cliquez le nom du fichier à enregistrer dans la boîte qui s'ouvre.
4. Cliquez le bouton **Enregistrer**.

CONSEILS POUR LA RÉCEPTION DES PIÈCES JOINTES

- Méfiez-vous des fichiers joints dont vous ne connaissez pas la provenance. Ils peuvent contenir des virus et détruire les données de votre ordinateur. Méfiez-vous particulièrement des fichiers avec l'extension .exe, .com, .scr, .js ou .vb.

- Si votre logiciel antivirus ne vérifie pas le contenu des messages reçus, il est préférable d'enregistrer la pièce jointe puis de demander à l'antivirus de la vérifier.

- Méfiez-vous des types de fichiers. À chaque type de fichiers est associée une icône précise. Pour vérifier l'association type-icône, visualisez des fichiers du même type dans l'Explorateur Windows. Si l'icône ne correspond pas, n'ouvrez pas le fichier. Certains fichiers sont nommés avec un nom ordinaire (par exemple, Image.jpg), suivi d'une centaine d'espaces puis de la véritable extension (par exemple, .exe).

Répondre à un message

Si vous devez donner suite à un message, vous pouvez facilement y répondre sans ajouter le nom de l'expéditeur d'origine.

1. Cliquez le message auquel vous désirez répondre.
2. Cliquez le bouton **Répondre** dans la barre d'outils.

Vous retrouvez la même fenêtre que pour la création d'un message. Le nom du destinataire se trouve déjà dans la zone À. L'objet du message est le même que celui de l'expéditeur, mais il est précédé du **Re:** pour indiquer une réponse. La zone du message contient le texte d'origine.

3. Ajoutez votre réponse dans le corps du message, puis cliquez le bouton **Envoyer**.

Transférer un message

Si un message reçu peut intéresser une ou plusieurs personnes, transférez-le pour ne pas avoir à le retaper.

1. Cliquez le message que vous désirez transférer.

2. Cliquez le bouton **Transférer**.

3. Tapez ou recherchez le(s) destinataire(s) du transfert comme pour tous les messages.

4. Tapez le motif de transfert avant le début du texte du message d'origine.

5. Cliquez le bouton **Envoyer**.

Note Si le message d'origine contenait des pièces jointes, elles sont transférées aussi.

Rechercher un message

Vous voulez retrouver un message parmi les centaines enregistrés dans vos dossiers ? Demandez un coup de main à Outlook Express.

1. Cliquez avec le bouton droit le dossier où doit s'effectuer la recherche.

2. Cliquez la commande **Rechercher** dans le menu contextuel.

Note Choisissez **Dossiers locaux** à l'étape 1 pour une recherche sur tous les dossiers.

3. Tapez les mots recherchés dans les zones proposées.

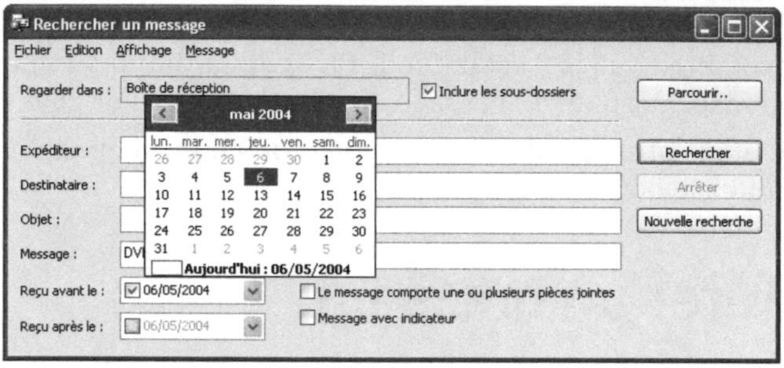

Figure 16-20 Recherche de messages.

4. Cliquez les flèches des zones **Reçu avant le** et **Reçu après le** pour sélectionner des dates dans un calendrier (figure 16-20).

> **Note** Décochez les cases des zones **Reçu...** pour ne pas limiter la recherche dans le temps.

5. Cliquez le bouton **Rechercher**.

La liste en bas de la boîte de recherche (figure 16-21) affiche les messages répondant aux critères.

6. Pour ouvrir un message, double-cliquez-le.

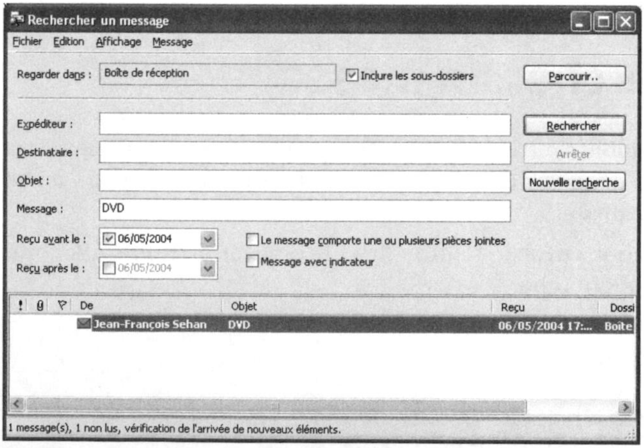

Figure 16-21 Liste des messages trouvés.

7.   Cliquez le bouton ❌ pour fermer la boîte de recherche.

Filtrer et trier les messages

Pour accéder rapidement aux messages qui vous intéressent, filtrez-les et triez-les. Vous pourrez ainsi masquer les messages lus et vous concentrer sur les derniers messages reçus.

Filtrer les messages

1.   Cliquez le dossier à réorganiser.
2.   Cliquez le menu **Affichage → Affichage en cours → Masquer les messages lus**.

> **Note** Choisissez **Afficher tous les messages** à l'étape 2 pour rétablir la liste normale. Les messages non lus sont en gras.

Trier les messages

3.   Cliquez un en-tête pour trier les messages d'après cette colonne.
4.   Répétez l'étape **1** pour inverser le tri (ordre croissant ou décroissant).

Organiser la fenêtre d'Outlook

Outlook Express propose plusieurs types d'affichages pour réorganiser sa fenêtre en fonction de vos habitudes.

1.   Cliquez le menu **Affichage → Disposition**.
2.   Pour voir tous les éléments proposés, cochez toutes les cases.
3.   Cliquez le bouton **OK**.
     La fenêtre d'Outlook Express affiche maintenant tous les volets disponibles (figure 16-23).
4.   Répétez l'étape **1**, puis décochez les éléments qui ne vous intéressent pas.

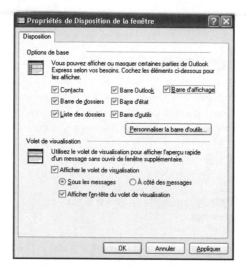

Figure 16-22 Modification des options d'affichage.

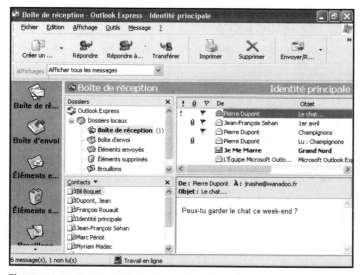

Figure 16-23 Fenêtre d'Outlook avec tous les volets.

Imprimer les messages

Afin de garder une trace de vos messages, imprimez-les.

1. Cliquez le message à imprimer.
2. Éventuellement, sélectionnez la partie du message à imprimer.
3. Cliquez le bouton .
4. Choisissez les options d'impression.
5. Cliquez le bouton **Imprimer**.

Définir les options de la messagerie

Outlook Express propose une multitude d'options pour mieux gérer vos messages électroniques et les groupes de discussion.

1. Cliquez le menu **Outils → Options**.
2. Cliquez l'un des onglets proposés.
3. Cliquez le bouton 🔲 puis une option pour en connaître sa fonction.

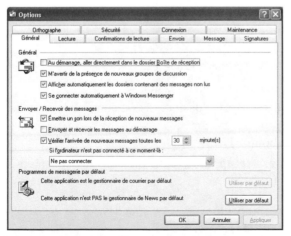

Figure 16-24 Options de configuration d'Outlook Express.

4. Modifiez les options qui vous concernent.

5. Cliquez le bouton **OK**.

Créer un nouveau dossier

Comment classer vos messages dans Outlook ? Rien de plus simple : créez de nouveaux dossiers.

1. Cliquez le menu **Fichier** → **Dossier** → **Nouveau**.

> **Astuce** Pour éviter l'étape **3**, cliquez avec le bouton droit le dossier qui doit contenir le sous-dossier, puis cliquez la commande **Nouveau dossier** dans le menu contextuel.

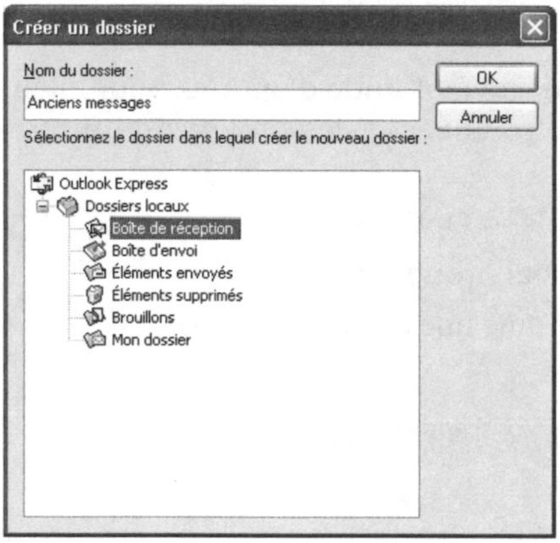

Figure 16-25 Création d'un nouveau dossier.

2. Tapez le nom du nouveau dossier.

3. Cliquez dans la liste le dossier qui doit contenir le nouveau dossier.

4. Cliquez le bouton **OK**.

Le nouveau dossier apparaît dans la liste des dossiers à l'endroit choisi.

> **Note** Utilisez les boutons ⊞ et ⊟ pour développer ou réduire l'arborescence des dossiers.

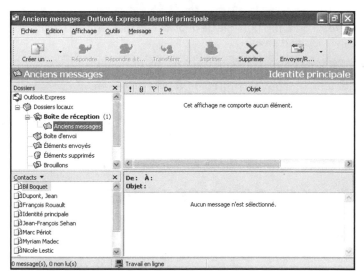

Figure 16-26 Dossier personnel dans Outlook Express.

- Pour renommer un dossier : cliquez-le pour le sélectionner, puis cliquez-le une seconde fois et tapez le nouveau nom. Vous pouvez aussi cliquer avec le bouton droit le dossier, puis cliquer **Renommer** dans le menu contextuel.

- Pour supprimer un dossier : cliquez-le pour le sélectionner, puis appuyez sur la touche **Suppr**. Cliquez le bouton **Oui** pour confirmer la suppression. Le dossier est supprimé et son contenu est déplacé vers le dossier **Éléments supprimés**.

Déplacer des messages

Si vous avez créé plusieurs dossiers, vous pouvez déplacer les messages qu'ils contiennent.

1. Cliquez le dossier qui contient le message à déplacer.

2. Cliquez et faites glisser le message à déplacer vers l'autre dossier.

Attention! Il n'est pas possible de déplacer un message vers le dossier Boîte d'envoi.

3. Cliquez l'autre dossier pour le sélectionner.

L'élément se trouve maintenant dans ce dossier.

Conseil Pour déplacer plusieurs messages en même temps, sélectionnez-les au préalable avec les touches **Ctrl** et **Maj,** comme dans l'Explorateur Windows.

Supprimer des messages

N'encombrez pas inutilement vos dossiers : supprimez les messages obsolètes, inutiles, voire parasites.

Supprimer un message

1. Cliquez le message à supprimer pour le sélectionner.
2. Appuyez sur la touche **Suppr**.

Le message est transféré dans le dossier Éléments supprimés.

Astuce Pour supprimer directement le message, appuyez sur les touches **Ctrl+Suppr** puis cliquez le bouton **Oui** pour confirmer.

Supprimer définitivement un message

1. Cliquez le dossier **Éléments supprimés**.
2. Cliquez le message pour le sélectionner puis appuyez sur la touche **Suppr**.
3. Cliquez le bouton **Oui** pour confirmer (figure 16-27).

Conseil Pour supprimer tous les messages, cliquez avec le bouton droit le dossier **Éléments supprimés** puis cliquez la commande **Vider le dossier** dans le menu contextuel.

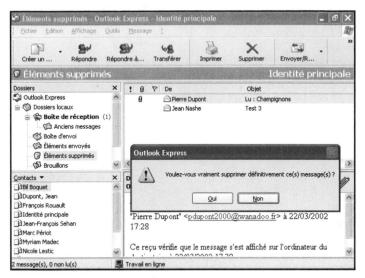

Figure 16-27 Suppression définitive d'un message.

Participer aux groupes de discussion

Vous avez un hobby, comme l'équitation, le bricolage ou la photographie ? Discutez-en avec des milliers d'autres passionnés. Parmi plus de 100 000 groupes, vous trouverez bien celui qui correspond à votre sujet favori.

Les groupes de discussion sont des messageries publiques, par opposition à la messagerie personnelle du chapitre précédent. Vous pouvez lire les messages, et les autres personnes peuvent lire les vôtres. Ils permettent aussi de répondre aux messages dans le groupe, ou de répondre directement à leur auteur. Comme la messagerie personnelle, les groupes de discussion sont gérés par Outlook Express.

Dans ce chapitre

- Configurer un serveur de groupes
- S'abonner à des groupes de discussion
- Modifier la liste des abonnements

- Lire et répondre à des messages
- Lire un message en plusieurs parties
- Poster des messages

Configurer un serveur de groupes

Pour accéder aux groupes de discussion, vous devez configurer votre serveur de news. Cela n'est pas toujours fait automatiquement à l'installation de votre connexion Internet, ni à la création d'un compte de messagerie.

1. Ouvrez Outlook Express (menu **démarrer** → **Courrier électronique**).

2. Cliquez le menu **Outils** → **Comptes**.

3. Cliquez le bouton **Ajouter** → **News**.

4. Tapez le nom qui doit apparaître quand vous postez un message (votre nom ou un pseudonyme).

Conseil Il est d'usage de rester anonyme dans les groupes. Les utilisateurs des news utilisent presque toujours un pseudonyme. Ne fournissez jamais de données personnelles : nom et prénom, adresse, téléphone, *etc.* Ces renseignements ne doivent être communiqués que dans des messages personnels.

5. Cliquez le bouton **Suivant**.

6. Tapez votre adresse de messagerie pour que l'on puisse vous répondre directement sans passer par le groupe (figure 17-1).

Conseil Tapez une fausse adresse si vous ne désirez pas que l'on vous réponde directement (anonyme@anonyme.ici, par exemple). Attention ! Des robots lisent les messages des groupes de discussion à la recherche d'adresses électroniques pour expédier des courriers non désirés, généralement des publicités (*spam*). Pour éviter cela, et si vous voulez quand même donner votre adresse, modifiez-la légèrement et précisez dans votre texte la manière d'obtenir la véritable adresse : par exemple, tapez l'adresse durant@wanadoo.com et précisez qu'il est nécessaire de remplacer .com par .fr. Le robot expédiera des messages à l'adresse durant@wanadoo.com et non à l'adresse durant@wanadoo.fr.

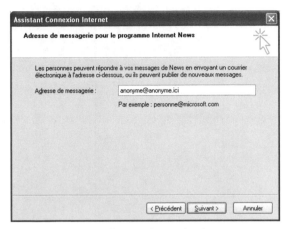

Figure 17-1 Vraie ou fausse adresse de réponse pour les groupes de discussion.

7. Cliquez le bouton **Suivant**.

8. Tapez le nom du serveur (qui débute généralement par le mot « news »).

Note Toutes les indications nécessaires à la création d'un compte de news vous sont transmises par votre fournisseur d'accès ou le site qui vous propose ce service. Consultez les documents en votre possession.

9. Cochez la case **Connexion à mon serveur de News requise** si le serveur nécessite un nom d'utilisateur et un mot de passe (figure 17-2).

10. Cliquez le bouton **Suivant**. Si vous n'avez pas coché la case **Connexion à mon serveur...**, passez à l'étape **15**.

11. Saisissez votre nom d'utilisateur dans la première zone.

12. Saisissez votre mot de passe dans la seconde zone.

13. Cochez **Mémoriser le mot de passe** pour ne pas le retaper à chaque connexion.

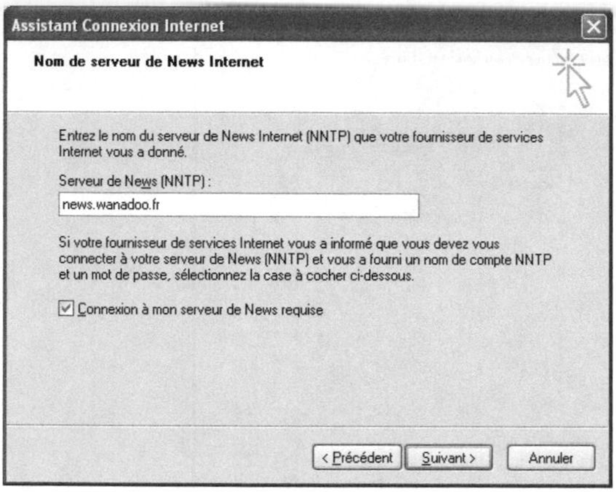

Figure 17-2 Informations sur votre serveur de news.

Note Vous pouvez cocher sans remords l'option **Mémoriser le mot de passe.** Il n'y a pas ici de problème de confidentialité puisque les groupes de discussion sont publics !

14. Cliquez le bouton **Suivant**.

15. Cliquez le bouton **Terminer** dans la dernière boîte.

Conseil Vous pouvez à tout moment vérifier un compte en cliquant le menu **Outils → Comptes**, en sélectionnant le nom du compte dans l'onglet **News**, puis en cliquant le bouton **Propriétés.** Vous pouvez créer plusieurs comptes de news.

Pour accéder aux groupes de discussion, vous devez en télécharger la liste. Cette opération peut être longue, mais elle n'a lieu qu'une seule fois. Outlook Express téléchargera automatiquement les nouveaux groupes, et uniquement eux, à chaque nouvelle session.

Cliquez le bouton **Oui** dans la boîte qui demande de télécharger la liste des groupes.

Outlook Express se connecte au serveur de news et télécharge la liste des groupes de discussion disponibles (figure 17-3).

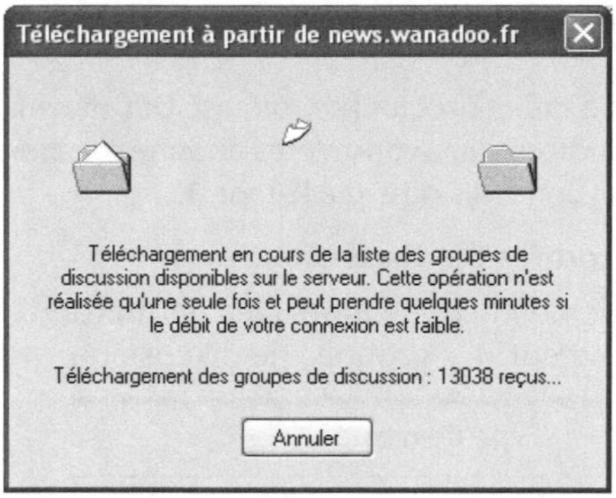

Figure 17-3 Téléchargement de la liste des groupes de discussion.

Un nouveau dossier apparaît au-dessous de ceux réservés à la messagerie.

Astuce Il est fort probable que votre fournisseur d'accès ne vous propose pas les 100 000 groupes dont nous avons parlé dans l'introduction de ce chapitre. En réalité, chaque fournisseur décide de ceux auxquels vous pouvez vous abonner. Si vous ne trouvez pas le groupe qui vous intéresse, faites une demande auprès de votre FAI. Si ce dernier n'accepte pas, vous pouvez toujours souscrire un abonnement à un serveur spécialisé comme www.news-feed.com. Il vous en coûtera 10 à 30 € par mois en fonction des services proposés. Sachez cependant que beaucoup de groupes ne sont pas accessibles car illégaux ou traitant de sujets sensibles. L'accès aux groupes est aussi régi par les lois de votre pays.

S'abonner à des groupes de discussion

Comme il existe des dizaines de milliers de groupes, vous devez vous abonner à ceux qui vous intéressent. Sélectionnez les plus intéressants : ne vous abonnez pas à des groupes que vous ne lirez jamais.

1. Cliquez le dossier du compte de news.

> **Note** Si vous venez de créer un compte, cliquez **Oui** dans la boîte qui vous indique que vous n'êtes abonné à aucun groupe de discussion, puis passez à l'étape **3**.

2. Cliquez le bouton **Groupes de discussion**.

    Le tableau 17-1 donne une liste de mots clés permettant de trouver plus facilement des groupes de discussion.

Mot clé	Signification	Type de groupe
Alt	*Alternative*	Divers
Binaries		Propose des fichiers (images, programmes, vidéos, *etc.*)
Biz	*Business*	Affaires
Comp	*Computer*	Informatique
Ieee		Électronique
K12		Éducation
News		Nouveautés Internet
Rec	*Recreation*	Loisirs, divertissements
Soc	*Society*	Problèmes de société
Fr		France
Franco		Francophone
Be		Belgique
UK		Angleterre
De		Allemagne
US		États-Unis
Can		Canada

Tableau 17-1 Mots clés dans les noms des groupes de discussion

3. Tapez dans la zone **Afficher les groupes** un ou plusieurs mots clés pour sélectionner des groupes (par exemple, « fr. » pour obtenir la liste des groupes français).

4. Cliquez le nom du groupe qui vous intéresse dans la liste en dessous.

5. Cliquez le bouton **S'abonner**.

> **Astuce** Pour obtenir la liste des groupes de discussion franco-phones, consultez le site www.usenet-fr.net.

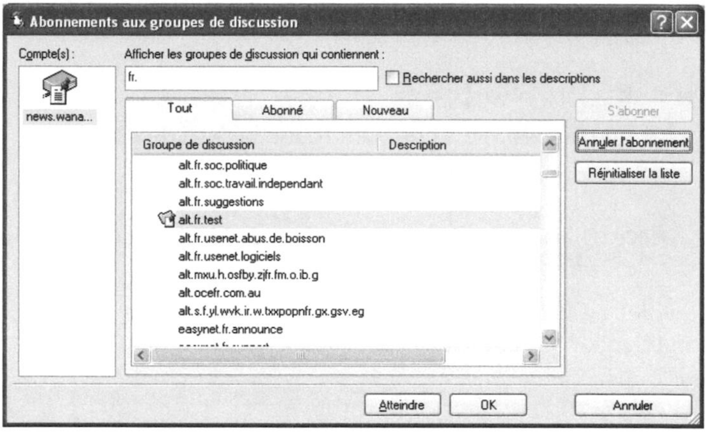

Figure 17-4 Abonnement à des groupes de discussion.

Une icône indique les groupes auxquels vous êtes abonné.

6. Répétez les étapes **4** et **5** pour les autres groupes.

> **Note** Le bouton **Réinitialiser la liste** permet de télécharger l'intégralité des groupes proposés sur votre serveur de news.

7. Cliquez le bouton **OK**.

> **Attention!** Pour tester les groupes de discussion, choisissez-en un contenant le mot « test ». N'expédiez pas de messages d'essai dans les autres groupes sous peine de vous faire « invectiver ».

Vous pouvez à tout moment modifier la liste des abonnements en cliquant le menu **Outils → Groupe de discussion** puis l'onglet **Abonné**.

Lire et répondre à des messages

Outlook Express ne charge que les en-têtes des messages. Pour télécharger et lire un message, il suffit de cliquer son en-tête. Si les messages sont longs à télécharger, parce qu'ils contiennent des images par exemple, il suffit d'en cliquer plusieurs pour qu'ils soient téléchargés automatiquement les uns après les autres.

Lire les messages

1. Cliquez le groupe à consulter dans la liste de gauche.

2. Cliquez le message à lire dans la liste de droite.

> **Note** Utilisez les boutons ⊞ et ⊟ pour développer ou réduire une discussion.

Le volet en bas à droite affiche le contenu du message après son téléchargement.

Figure 17-5 Lecture des messages dans les groupes de discussion.

Outlook Express ne charge que les premiers en-têtes. C'est à vous de demander les en-têtes suivants en cliquant le menu **Outils → Obtenir les x en-têtes suivants.**

> **Note** Pour définir le nombre d'en-têtes chargés sur le serveur quand vous cliquez le menu **Outils → Obtenir les x en-têtes suivants**, cliquez le menu **Outils → Options.** Cliquez l'onglet **Lecture** puis tapez le nombre d'en-têtes dans la zone **Télécharger** (entre 1 et 1000).

Répondre à un message

1. Cliquez le message auquel vous désirez répondre.

2. Cliquez le bouton **Répondre au groupe** dans la barre d'outils.

   Outlook ouvre une fenêtre de message. La zone **Groupes de discussion** contient le nom du groupe.

3. Éventuellement, si vous désirez expédier une copie à une personne en plus du groupe, tapez son adresse e-mail dans la zone **Cc**.

4. Saisissez votre réponse dans le corps du texte (figure 17-6).

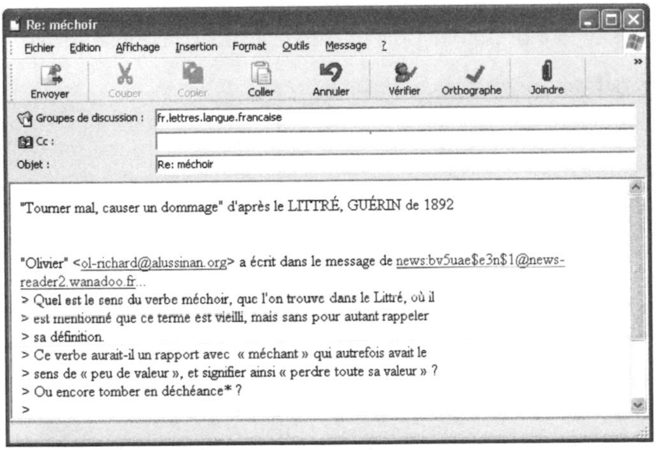

Figure 17-6 Répondre à un message d'un groupe de discussion.

5.   Cliquez le bouton **Envoyer**.

Comme pour tous les messages, votre réponse est stockée dans le dossier Boîte d'envoi.

6.   Cliquez le bouton **Envoyer/Recevoir** pour expédier vos messages.

Reconstituer un message en plusieurs parties

Dans les groupes contenant le mot « Binaries », on trouve des fichiers multimédias tels que des images ou des vidéos. Comme les serveurs n'acceptent pas les messages supérieurs à 1 Mo, les fichiers sont répartis dans plusieurs messages.

1.   Cliquez la première partie du message. (Les différentes parties sont numérotées.)

2.   Maintenez la touche **Maj** enfoncée, puis cliquez la dernière partie du message.

Toutes les parties du message sont alors sélectionnées.

3.   Cliquez avec le bouton droit un des messages sélectionnés.

4.   Cliquez **Combiner et décoder** dans le menu contextuel.

5.   Si les messages ne sont pas dans le bon ordre, cliquez les messages à déplacer puis cliquez **Monter** ou **Descendre**.

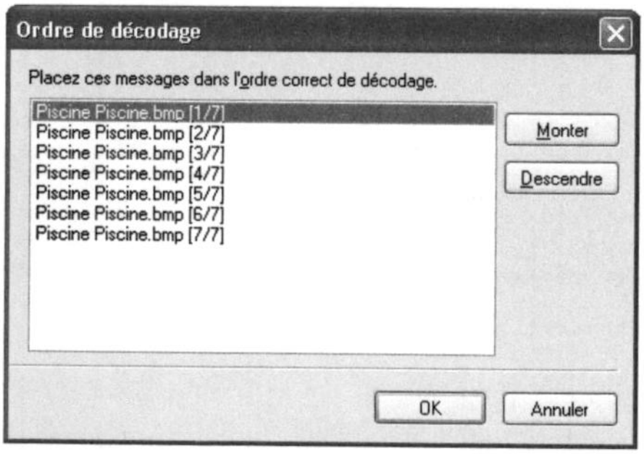

Figure 17-7 Reconstitution d'un message en plusieurs parties.

6.   Cliquez le bouton **OK**.

Outlook Express télécharge tous les messages sélectionnés pour recréer le ou les messages. Le message reconstitué s'affiche dans une fenêtre séparée.

7. Si le message contenait des pièces jointes, cliquez l'une d'elles avec le bouton droit puis sélectionnez une action (ouverture ou enregistrement).

CONSEILS POUR LES MESSAGES EN PLUSIEURS PARTIES

- Certaines pièces jointes sont compressées. Vous devez utiliser un utilitaire extérieur pour les décompresser. Windows reconnaît les fichiers Zip. Pour les fichiers Rar ou Ace, consultez le site www.rarsoft.com.

- Certaines pièces jointes sont codées. Vous devez utiliser un utilitaire extérieur pour les décoder. Pour les fichiers « splitter » (qui portent les extensions .000, .001, *etc.*), consultez le site www.tomasoft.com. Pour les fichiers Ydec, consultez le site www.yenc.org.

Poster un nouveau message

Pour poser des questions en rapport avec le sujet d'un groupe, postez un message. Consultez au préalable les FAQ : elles contiennent peut-être déjà les réponses à vos questions.

Définition **FAQ** (*Frequently Asked Questions* ou Foire aux questions). Messages (généralement postés par la personne qui gère le groupe de discussion) contenant les questions et les réponses les plus fréquemment posées. Ces messages (le mot FAQ se trouve dans l'objet) vous informeront sur l'usage du groupe et vous apporteront rapidement des réponses à vos questions.

1. Cliquez le groupe de discussion dans lequel vous désirez poster votre message.

2. Cliquez le bouton **Nouvelle publication** dans la barre d'outils.

Outlook ouvre la même fenêtre que pour un message ordinaire. Consultez le chapitre 16 pour des informations complémentaires.

CONSEILS POUR JOINDRE DES FICHIERS

- Vous pouvez joindre des fichiers à vos messages dans les groupes de discussion prévus à cet effet. Comme la procédure à suivre est la même que pour la messagerie, consultez le chapitre 16.

- Si vous postez des fichiers joints, il est peut-être nécessaire de les scinder en plusieurs parties. Pour définir la taille maximale des parties d'un message, cliquez le menu **Outils → Comptes**. Dans l'onglet **News**, cliquez le nom du compte puis le bouton **Propriétés**. Dans l'onglet **Avancé**, tapez la taille en kilo-octets dans la zone **Scinder les messages…** (figure 17-8).

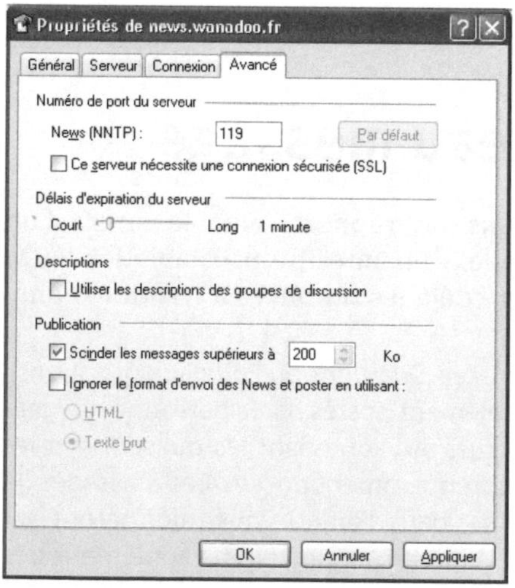

Figure 17-8 Taille des messages.

Télécharger des messages pour les lire hors connexion

Pour lire les messages qui vous intéressent sans être connecté, marquez-les au préalable pour les télécharger et les lire hors connexion.

Conseil Cette solution est à utiliser si vous ne possédez pas une connexion permanente ADSL ou câble.

1. Cliquez le groupe pour charger les derniers en-têtes.
2. Cliquez le menu **Fichier → Travailler hors connexion** et déconnectez-vous d'Internet.
3. Cliquez avec le bouton droit le message qui vous intéresse.
4. Cliquez **Télécharger le message plus tard** dans le menu contextuel (figure 17-9).

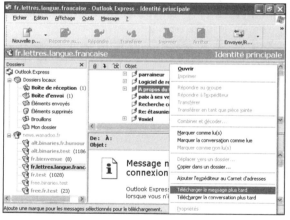

Figure 17-9 Choix des messages à lire hors connexion.

Note Pour télécharger le message et ses réponses, cliquez **Télécharger la conversation plus tard**.

5. Répétez les étapes **3** et **4** pour les autres messages à télécharger.

6. Cliquez le menu **Outils → Synchroniser les groupes de discussion**.

7. Cliquez le bouton **OK** pour télécharger les messages marqués.

8. Cliquez le bouton **Oui** pour rétablir la connexion à Internet.

   Outlook Express télécharge les messages marqués (figure 17-10).

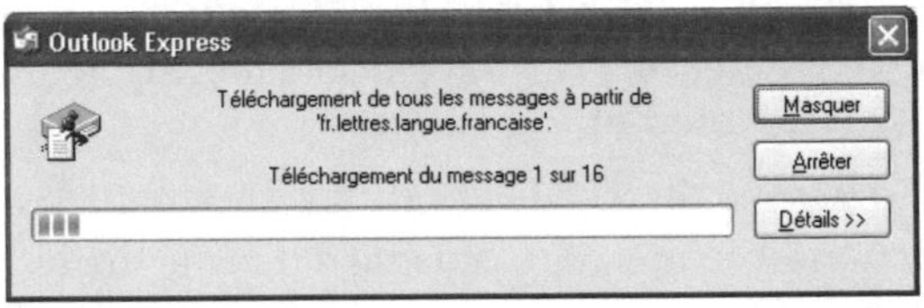

Figure 17-10 Téléchargement des messages marqués.

9. Cliquez le menu **Fichier → Travailler hors connexion** et déconnectez-vous d'Internet.

10. Cliquez les messages avec l'icône 📧 pour les lire.

Note Les messages avec l'icône 🖉 ne sont pas disponibles hors connexion.

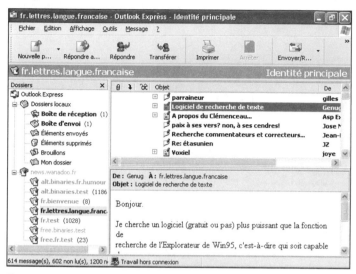

Figure 17-11 Messages disponibles hors connexion.

Synchroniser les groupes de discussion

La synchronisation permet de choisir les éléments à télécharger (en-têtes et corps de messages) pour les consulter hors connexion. Le téléchargement du corps des messages peut être long. Faites des essais.

Définir la synchronisation

1. Cliquez le nom du serveur de news (news.wanadoo.fr dans l'exemple de la figure 17-12).

2. Cliquez le groupe pour lequel vous comptez définir une synchronisation (fr.bienvenue dans l'exemple de la figure 17-12).

3. Cliquez le bouton **Paramètres** puis le type de synchronisation (consultez le tableau 17-2).

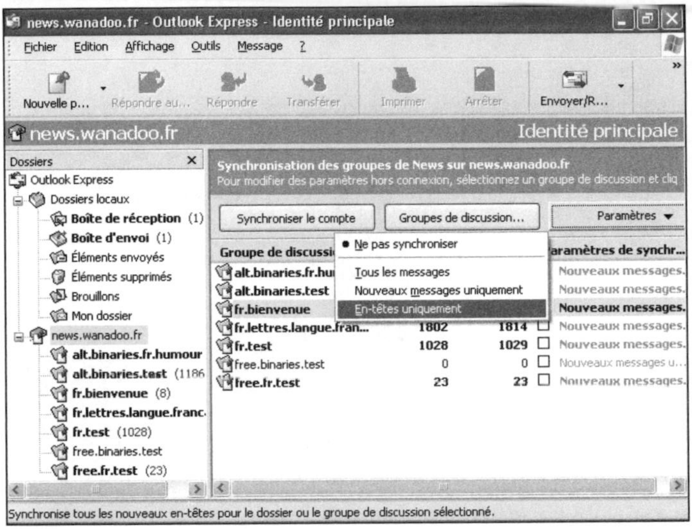

Figure 17-12 Synchronisation d'un groupe.

Paramètre	Type de synchronisation
Ne pas synchroniser	Ne télécharge ni les en-têtes, ni le corps des messages. Cliquez le groupe pour télécharger au moins les derniers en-têtes.
Tous les messages	Télécharge tous les messages du groupe (en-têtes et corps du message).
Nouveaux messages uniquement	Télécharge tous les nouveaux messages du groupe (en-têtes et corps du message) depuis la dernière synchronisation.
En-têtes uniquement	Télécharge uniquement les en-têtes des messages.

Tableau 17-2 Paramètres de synchronisation

Synchroniser les groupes de discussion

4. Cliquez le bouton **Synchroniser le compte**.

> **Note** Si vous êtes hors connexion, Outlook Express demande de vous connecter.

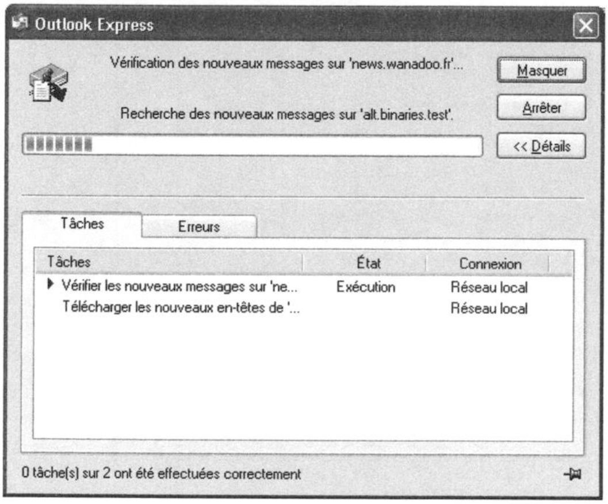

Figure 17-13 Progression de la synchronisation.

5. Dès que la synchronisation est terminée, déconnectez-vous et consultez hors connexion les en-têtes ou les corps des messages en fonction du type de synchronisation choisi.

Effectuer la maintenance

Outlook Express conserve les en-têtes et même les corps des messages si vous en faites la demande. Faites du ménage de temps en temps pour libérer de la place sur votre disque dur.

1. Cliquez le menu **Outils → Options**.
2. Cliquez l'onglet **Maintenance** (figure 17-14).
3. Cochez la case **Supprimer les corps...** pour ne pas les conserver.
4. Cochez la case **Supprimer les messages...** puis tapez le nombre de jours.
5. Cliquez le bouton **Nettoyer maintenant**.

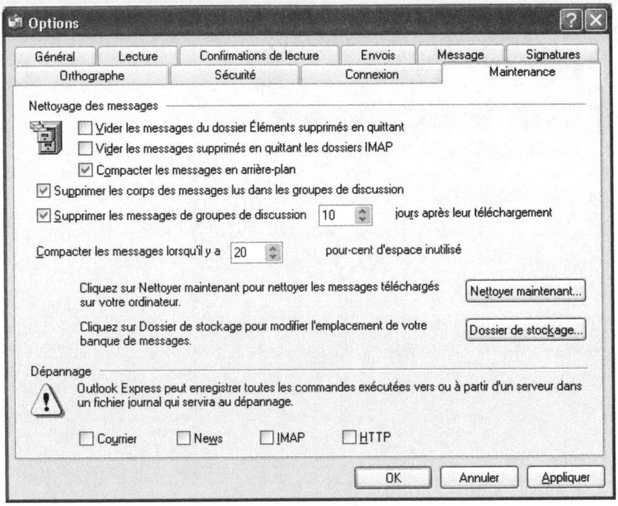

Figure 17-14 Options de maintenance.

6. Cliquez un de ces quatre boutons proposés (figure 17-15) en fonction du type de nettoyage à effectuer.

7. Après l'opération de nettoyage, cliquez le bouton **Fermer**.

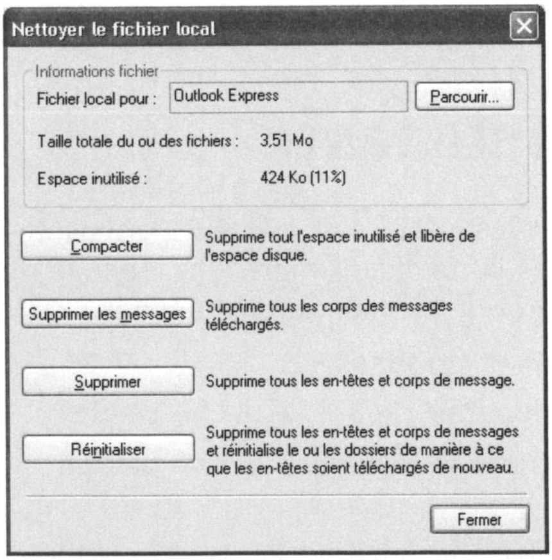

Figure 17-15 Compactage et suppression des messages.

CONSEILS DE MAINTENANCE

- Les fichiers Outlook Express sont par défaut stockés sur le disque C. Si vous désirez changer de disque ou de dossier, cliquez le bouton **Dossiers de stockage** dans la boîte **Options**.

- Les fichiers sont conservés sans être compressés. Pour forcer Outlook à les compacter, tapez le pourcentage à partir duquel il est nécessaire d'effectuer cette opération dans la zone **Compacter les messages lorsqu'il y a** de la boîte **Options**. Si vous tapez un pourcentage faible, la compression s'effectuera plus souvent mais sera de courte durée. L'inverse se produit si vous tapez un pourcentage élevé.

Profiter d'Internet avec Windows XP

Que diriez-vous de rendre votre ordinateur encore plus proche d'Internet ? Alors, sachez que vous pouvez ajouter votre page Web favorite sur le Bureau, convertir les éléments du Poste de travail et les icônes du Bureau en liens accessibles par un seul clic, ou taper directement les adresses Internet dans la barre des tâches.

Ce chapitre vous explique toutes les astuces pour rendre Internet encore plus accessible à partir de Windows.

Dans ce chapitre

- Ajouter des pages Web au Bureau
- Ajouter des liens sur le Bureau
- Utiliser la barre de lancement rapide

- Utiliser la barre d'adresses
- Transformer les icônes du Bureau et du Poste de travail en liens
- Ouvrir rapidement une page Internet

Ajouter des pages Web au Bureau

Si vous désirez accéder à votre page favorite sans ouvrir le navigateur, ajoutez-la directement sur le Bureau de Windows. Cette solution est intéressante pour les pages dont les données changent fréquemment, par exemple les sites de cotation boursière ou d'informations météorologiques.

1. Cliquez avec le bouton droit le fond du Bureau.
2. Cliquez **Propriétés** dans le menu contextuel.
3. Cliquez l'onglet **Bureau**.
4. Cliquez le bouton **Personnalisation du Bureau**.
5. Cliquez l'onglet **Web**.

Ajouter votre page d'accueil

Si vous avez déjà défini une page d'accueil dans votre navigateur, ajoutez-la sur le Bureau.

> **Note** Pour définir la page de démarrage dans Internet Explorer, consultez le chapitre 12.

1. Cochez l'option **Ma page d'accueil** (figure 18-1).

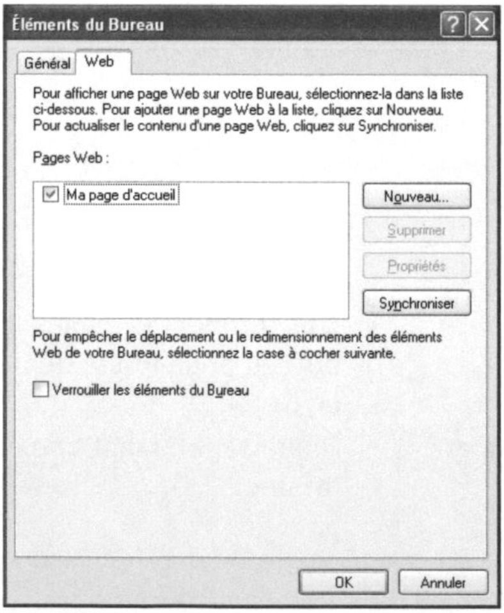

Figure 18-1 Ajout de la page d'accueil sur le Bureau.

2. Cliquez le bouton **OK** dans la boîte Éléments du Bureau.

3. Cliquez le bouton **OK** dans la boîte Propriétés de Affichage.

Ajouter une autre page que la page d'accueil

Vous pouvez ajouter une ou même plusieurs pages de votre choix sur le Bureau. N'en abusez pas pour laisser de la place aux autres éléments (icônes, liens, *etc.*).

1. Dans la boîte Éléments du Bureau, cliquez le bouton **Nouveau**.

2. Dans la zone **Emplacement**, tapez l'adresse de la page.

3. Cliquez le bouton **OK**.

    L'ajout d'une page au Bureau implique que le site soit disponible hors connexion.

4. Cliquez le bouton **OK** dans la boîte Ajout d'un élément.

    Windows télécharge le site pour qu'il soit disponible sur le Bureau hors connexion. C'est ce qu'on appelle « la synchronisation ». Après cette synchronisation, le site est ajouté à la liste des pages Web disponibles (figure 18-2).

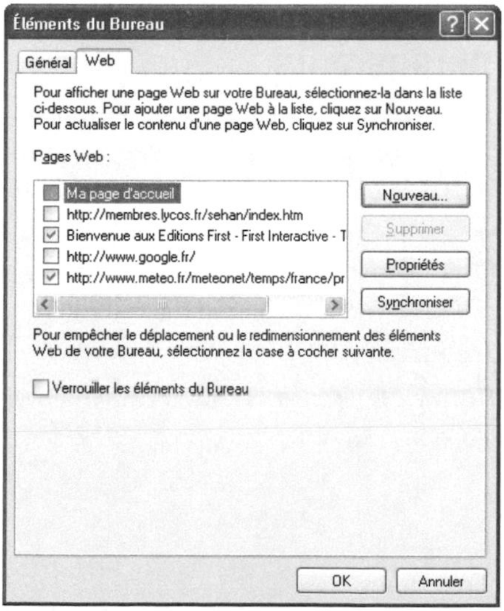

Figure 18-2 Liste des pages que vous pouvez ajouter au Bureau.

5.   Cliquez le bouton **Propriétés** pour définir les paramètres de synchronisation.

6.   Cliquez le bouton **Synchroniser** pour mettre à jour la page.

Figure 18-3 Deux pages Web affichées sur le Bureau.

Ajouter une page personnelle

Et pourquoi ne pas ajouter votre propre page ? Vous pouvez la réaliser avec des outils de création de pages Web comme Dreamweaver ou FrontPage, ou plus simplement avec Microsoft Word en enregistrant votre texte au format HTML.

1.   Dans la boîte Éléments du Bureau, cliquez le bouton **Nouveau**.

2.   Cliquez le bouton **Parcourir**.

3.   Recherchez et sélectionnez le fichier HTML à utiliser.

4.   Cliquez le bouton **Ouvrir**.

Gérer les pages Web du Bureau

Une fois les pages Web définies sur le Bureau, elles sont placées dans des fenêtres indépendantes que vous pouvez utiliser comme toutes les fenêtres de Windows.

1. Pointez le haut de la page pour afficher la barre de modification (cette barre est visible dans la fenêtre du site Web dans la figure 18-4).

2. Cliquez et faites glisser une zone vide de la barre pour déplacer la fenêtre, ou un bord pour modifier sa taille.

3. Cliquez les boutons en haut à droite pour agrandir la page, l'agrandir partiellement, la réduire ou la fermer.

Quand la page est agrandie partiellement, elle couvre l'écran mais laisse une place pour les icônes dans la partie de gauche (figure 18-4). Si cela est nécessaire, les icônes sont déplacées.

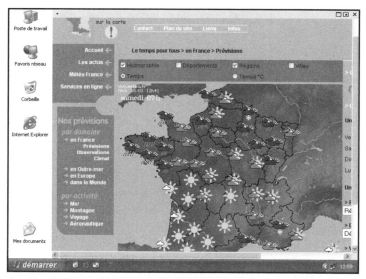

Figure 18-4 Page Web agrandie partiellement sur le Bureau : les icônes restent visibles dans la partie de gauche.

Verrouiller les pages Web du Bureau

Pour que les pages Web du Bureau ne soient pas modifiées, verrouillez-les.

1. Cliquez avec le bouton droit le fond du Bureau.

2. Cliquez **Réorganiser les icônes par** → **Verrouiller les éléments Web sur le Bureau** dans le menu contextuel.

> *Note* Pour déverrouiller les éléments du Bureau, répétez les étapes **1** et **2**.

Ajouter un lien Internet sur le bureau

Vous désirez accéder plus facilement à vos pages Web favorites ? Ajoutez des liens sur le Bureau.

1. Cliquez avec le bouton droit le fond du Bureau.

2. Cliquez **Nouveau** → **Raccourci** dans le menu contextuel.

3. Tapez l'adresse de la page Web.

4. Cliquez le bouton **Suivant**.

> *Note* Si vous avez déjà visité le lien, Windows propose une liste des chemins correspondant aux premières lettres que vous tapez. Dans ce cas, cliquez simplement l'adresse dans la liste.

5. Tapez un nom pour le lien.

6. Cliquez le bouton **Terminer** (figure 18-5).

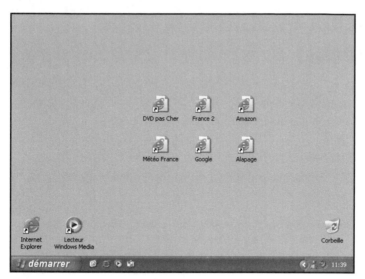

Figure 18-5 Liens Internet sur le Bureau.

Afficher et utiliser la barre Lancement rapide

Comment accéder rapidement aux outils Internet ou afficher le Bureau ? Il suffit d'utiliser la barre Lancement rapide.

1. Cliquez avec le bouton droit une zone vide de la barre des tâches.

2. Cliquez **Barres d'outils** → **Lancement rapide** dans le menu contextuel pour cocher l'option.

La barre Lancement rapide apparaît dans la barre des tâches (figure 18-6). Les boutons de cette barre permettent d'accéder au Bureau, d'ouvrir Internet Explorer, Outlook Express et le Lecteur Windows Media.

Afficher et utiliser la barre Adresse

Si vous souhaitez naviguer aussi bien sur le Web qu'à l'intérieur de votre ordinateur, rien de plus simple : utilisez la barre Adresse qui s'insère dans la barre des tâches.

1. Cliquez avec le bouton droit une zone vide de la barre des tâches.

2. Cliquez **Barres d'outils** → **Adresse** dans le menu contextuel pour cocher l'option.

> **Note** Pour agrandir la taille de la barre Adresse, la barre des tâches doit être déverrouillée. Cliquez une zone vide de la barre des tâches, puis cliquez **Verrouiller la Barre des tâches** dans le menu contextuel pour ôter la coche.

Pour utiliser la barre Adresse :

1. Double-cliquez la zone **Adresse**.

2. Tapez l'adresse Internet dans la barre Adresse. Validez avec la touche **Entrée**.

La page s'ouvre avec votre navigateur Internet.

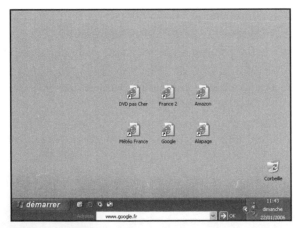

Figure 18-6 Barres Lancement rapide et Adresse dans la barre des tâches.

Transformer les icônes du Bureau et du Poste de travail en liens

Voilà de quoi réjouir les internautes ! Les icônes du Bureau et du Poste de travail peuvent aussi se comporter comme les liens des pages Web. Un simple clic suffit à les ouvrir.

1. Cliquez le bouton **démarrer** → **Poste de travail**.
2. Cliquez le menu **Outils** → **Options des dossiers**.
3. Cochez l'option **Ouvrir les éléments par simple clic**.
4. Cochez le type de soulignement.
5. Cliquez le bouton **OK**.

Les noms des icônes sont soulignés ou se soulignent si vous les pointez (figure 18-7). Un simple clic permet de les ouvrir.

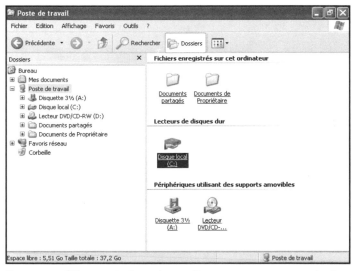

Figure 18-7 Éléments du Poste de travail se comportant comme des liens de pages Web.

Ouvrir rapidement une page Internet

Si vous ne désirez pas installer la barre Adresse dans la barre des tâches (voir plus haut dans ce chapitre), utilisez directement la commande Exécuter.

1. Cliquez le bouton **démarrer** → **Exécuter** ou appuyez sur les touches ⊞+**R**.

2. Tapez l'adresse du site ou de la page dans la zone **Ouvrir** (figure 18-8).

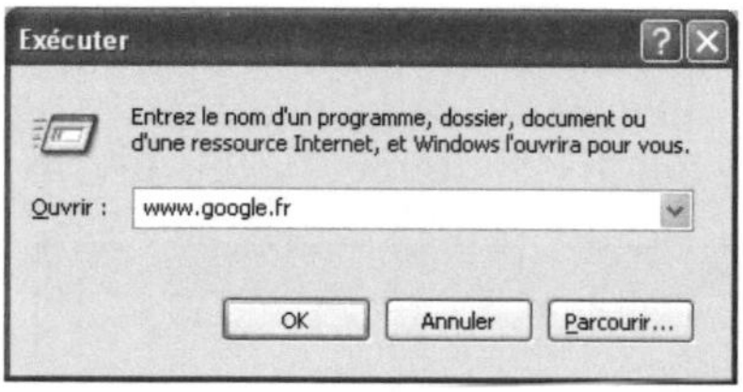

Figure 18-8 Accès à un site Internet à partir de la boîte Exécuter.

3. Cliquez le bouton **OK** ou appuyez sur la touche **Entrée**.

Le site s'ouvre dans votre navigateur.

Partie V

Personnaliser, entretenir et sécuriser Windows XP

Configurer le Bureau

Ce chapitre est consacré à une tâche importante : la configuration du Bureau de Windows XP. En effet, pour travailler confortablement, il est nécessaire de paramétrer votre affichage et de choisir l'environnement le mieux adapté à vos habitudes. Vous trouverez donc ici toutes les explications pour modifier la résolution de l'écran, ajouter une image ou un écran de veille, ou réorganiser les icônes placées sur le Bureau. La fin de ce chapitre vous donne des solutions pour modifier l'intégralité de votre environnement avec des thèmes.

Dans ce chapitre

- Placer une image
  sur le Bureau
- Changer l'écran de veille
- Modifier l'apparence
  du Bureau
- Changer le nombre de
  couleurs et la résolution
  d'écran

- Réorganiser les icônes
- Supprimer les icônes
  inutilisées
- Changer de thème
- Windows XP Plus!

Placer une image sur le Bureau

Pour modifier l'apparence de votre Bureau, personnalisez-le en ajoutant une image.

1. Cliquez avec le bouton droit le fond du Bureau.
2. Cliquez la commande **Propriétés** dans le menu contextuel.
3. Cliquez l'onglet **Bureau**.
4. Cliquez un papier peint dans la liste **Arrière-plan**.

Figure 19-1 Modification de l'image du Bureau (papier peint centré).

> *Note* Si l'image à utiliser ne se trouve pas dans la liste **Arrière-plan**, cliquez le bouton **Parcourir** pour la rechercher. Windows accepte les images aux formats bmp, gif et jpg, mais aussi les pages Web au format html.

La boîte de la figure 19-1 affiche un aperçu du Bureau. Dans cet exemple, l'image est centrée (elle est plus petite que la taille du Bureau).

> *Conseil* Pour que vos images apparaissent dans la liste, placez-les dans le dossier Mes documents\Mes images.

Si le papier peint ne couvre pas toute la surface de l'écran, sélectionnez **Étirer** dans la liste **Position**.

L'image est agrandie pour couvrir tout l'écran (figure 19-2).

Figure 19-2 Papier peint étiré.

Si le papier peint doit recouvrir tout l'écran sans l'étirer :

1. Sélectionnez **Mosaïque** dans la liste **Position**.

    L'image est répétée pour couvrir tout l'écran (figure 19-3).

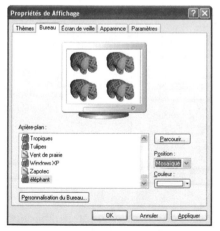

Figure 19-3 Papier peint en mosaïque.

2. Cliquez le bouton **OK** pour valider vos choix.

Changer l'écran de veille

L'écran de veille, ou économiseur d'écran, se déclenche dès que vous n'utilisez pas le clavier ou la souris pendant un certain temps. Il évite l'usure, due aux images fixes, de votre moniteur.

1. Cliquez avec le bouton droit le fond du Bureau.
2. Cliquez la commande **Propriétés** dans le menu contextuel.
3. Cliquez l'onglet **Écran de veille**.
4. Sélectionnez dans la liste **Écran de veille** celui à utiliser.

> **Note** L'économiseur **Mon album photo** utilise toutes les images contenues dans le dossier Mes documents\Mes images.

Certains écrans de veille affichent un aperçu (figure 19-4).

Figure 19-4 Écran de veille.

5. Tapez dans la zone **Délai** le nombre de minutes d'inaction de la souris ou du clavier après lesquelles l'écran de veille se déclenche.

Modifier les paramètres de l'écran de veille

1. Cliquez le bouton **Paramètres**.

    Les paramètres proposés sont fonction de l'écran de veille (figure 19-5).

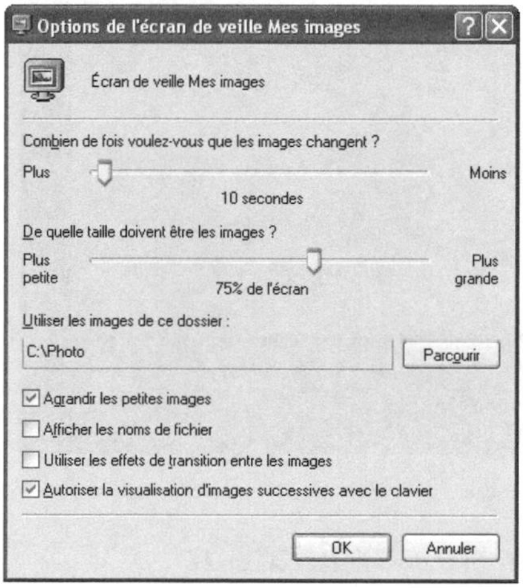

Figure 19-5 Paramètres d'un écran de veille.

2. Modifiez les paramètres proposés.

3. Cliquez le bouton **OK**.

Tester l'écran de veille

Pour vérifier immédiatement les paramètres, testez l'écran de veille sans attendre le délai choisi.

1. Cliquez le bouton **Aperçu**.

    L'écran de veille s'affiche en tenant compte des paramètres sélectionnés (figure 19-6).

2. Déplacez la souris ou appuyez sur une touche pour quitter l'aperçu.

3. Cliquez le bouton **OK** pour valider vos choix.

Astuce Vous pouvez trouver d'autres écrans de veille sur Internet. Effectuez une recherche avec le mot clé « screensaver » dans un moteur de recherche (par exemple, `www.google.fr`).

Figure 19-6 Test de l'écran de veille.

Gérer l'alimentation de l'ordinateur

Les ordinateurs modernes possèdent des fonctions d'économie d'énergie. Cela permet d'éteindre totalement le moniteur ou le disque dur quand vous n'utilisez plus votre PC, et donc de consommer moins d'électricité.

1. Dans l'onglet **Écran de veille** de la boîte Propriétés de Affichage, cliquez le bouton **Gestion de l'alimentation…** (figure 19-4).

2. Dans la liste **Modes de gestion…**, sélectionnez le type ou l'utilisation de votre ordinateur.

3. Sélectionnez dans les listes **Extinction du moniteur** et **Arrêt des disques durs** la durée qui précède la mise en veille en cas de non-utilisation (figure 19-7).

   Si vous utilisez un portable, la boîte **Propriétés de Options d'alimentation** propose, en plus des paramètres d'alimentation sur secteur, ceux pour l'alimentation sur batterie.

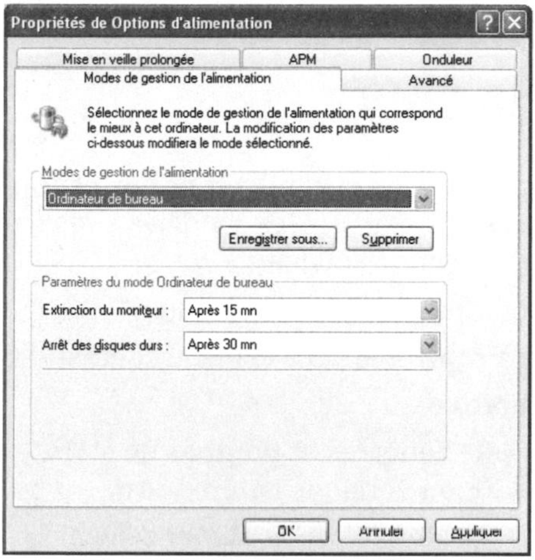

Figure 19-7 Gestion d'alimentation d'un PC de bureau.

4. Pour chacune des sources d'énergie (secteur ou batterie), sélectionnez dans les listes **Extinction du moniteur** et **Arrêt des disques durs** la durée qui précède la mise en veille en cas de non-utilisation (figure 19-8).

Figure 19-8 Gestion d'alimentation d'un PC portable.

5. Cliquez le bouton **OK**.

Modifier les couleurs des éléments de Windows

Les couleurs des éléments utilisés par Windows ne correspondent pas à votre personnalité ? Partez des modèles préexistants ou laissez libre cours à votre fantaisie.

1. Cliquez avec le bouton droit le fond du Bureau.

2. Cliquez la commande **Propriétés** dans le menu contextuel.

3. Cliquez l'onglet **Apparence**.

4. Sélectionnez dans la liste **Fenêtres et boutons** un style d'affichage (Windows XP ou versions antérieures).

5. Sélectionnez dans la liste **Modèle de couleurs** celui à utiliser.

   La boîte de la figure 19-9 affiche un exemple de l'apparence choisie.

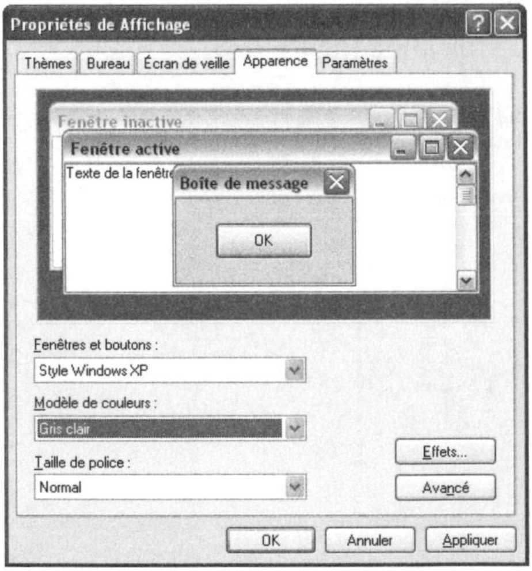

Figure 19-9 Modification de l'apparence.

Modifier chaque élément séparément

Si les modèles proposés ne vous conviennent pas, modifiez un à un les éléments.

1. Dans l'onglet **Apparence** de la boîte Propriétés de Affichage, cliquez le bouton **Avancé**.

2. Sélectionnez dans la liste **Élément** celui à modifier.

Astuce Vous pouvez aussi cliquer directement l'élément à modifier dans l'exemple en haut de la boîte de la figure 19-10.

3. Modifiez les paramètres de l'élément sélectionné : taille, police, couleurs, *etc*. Les paramètres modifiables sont fonction de l'élément choisi. Certains ne s'appliquent pas à Windows XP.

4. Répétez les étapes **2** et **3** autant de fois que nécessaire.

Figure 19-10 Modification des éléments de Windows.

5. Cliquez le bouton **OK**.

Appliquer des effets aux icônes, aux polices et aux éléments de Windows

Les effets permettent de personnaliser ou d'améliorer l'affichage des icônes, des polices, des menus, *etc.* N'hésitez pas à en jouer.

1. Dans l'onglet **Apparence** de la boîte Propriétés de Affichage, cliquez le bouton **Avancé**.

   La boîte de la figure 19-11 propose les options suivantes :

   – **Utiliser l'effet…** Affiche progressivement ou brutalement les fenêtres, les menus, les listes et les info-bulles. Cochez la case et sélectionnez l'effet dans la liste.

   – **Utiliser la méthode…** Lisse les grandes lettres à l'écran en modifiant leur contour. Pour de meilleurs résultats, votre écran doit afficher au minimum 65 000 couleurs. Cochez la case et sélectionnez l'effet dans la liste.

   – **Utiliser de grandes icônes.** Double la taille des icônes du Bureau.

   – **Afficher une ombre…** Affiche les menus avec un effet en trois dimensions.

   – **Afficher le contenu…** Affiche les fenêtres pendant leur déplacement. Si l'option n'est pas cochée, les fenêtres sont symbolisées par un cadre pendant leur déplacement.

   – **Masquer les lettres soulignées…** Masque les lettres de raccourcis dans les menus tant que vous n'appuyez pas sur la touche **Alt** (consultez la fin du chapitre 1 pour l'utilisation des raccourcis des menus).

2. Modifiez les effets proposés.

3. Cliquez le bouton **OK**.

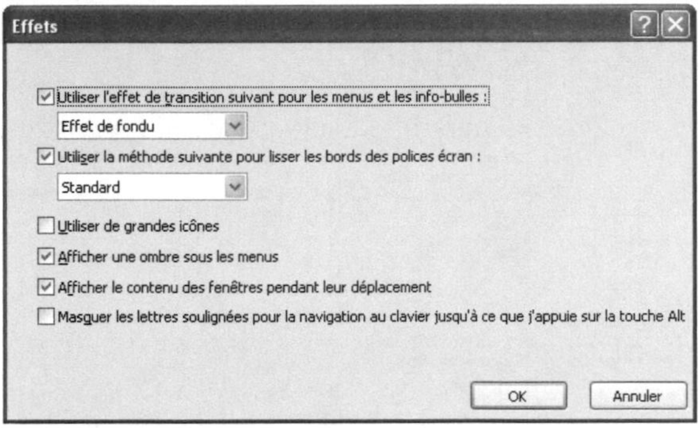

Figure 19-11 Effets d'affichage.

Afficher ou modifier les icônes de Windows

Choisir les icônes du Bureau

Par défaut, Windows masque ses icônes (Poste de travail, Favoris réseau, *etc.*) puisqu'elles sont accessibles facilement avec le menu démarrer.

1. Cliquez avec le bouton droit le fond du Bureau.

2. Cliquez la commande **Propriétés** dans le menu contextuel.

3. Cliquez l'onglet **Bureau**.

4. Cliquez le bouton **Personnalisation du Bureau...**.

5. Cochez les cases des icônes à afficher dans la zone **Icône du Bureau**.

Figure 19-12 Affichage des icônes du Bureau.

Modifier les icônes

1. Cliquez l'icône à modifier dans la liste.
2. Cliquez le bouton **Changer d'icône**.
3. Cliquez l'icône de remplacement (figure 19-13).

Figure 19-13 Modification des icônes du Bureau.

4. Cliquez le bouton **OK**.

> **Note** Pour rétablir l'icône d'origine : dans la boîte Éléments du Bureau, cliquez l'icône puis cliquez le bouton **Paramètres par défaut.**

CHOISIR DES ICÔNES AUTRES QUE CELLES PROPOSÉES

Si vous connaissez le nom d'un fichier qui contient des icônes, tapez-le dans la zone **Rechercher...** de la boîte **Changer d'icône** (figure 19-13) puis validez avec la touche **Entrée.** Sinon, cliquez le bouton **Parcourir** pour rechercher un fichier qui propose des icônes.

C'est le cas, par exemple, du fichier C:\Windows\System32\ Progman.exe, mais aussi de beaucoup de fichiers avec l'extension .exe ou .dll.

Figure 19-14 Icônes proposées par le fichier Progman.exe.

Changer la résolution et le nombre de couleurs de l'écran

1. Cliquez avec le bouton droit le fond du Bureau.
2. Cliquez la commande **Propriétés** dans le menu contextuel.
3. Cliquez l'onglet **Paramètres**.

Modifier le nombre de couleurs

Qualité d'image ou rapidité d'exécution ? Choisissez selon vos besoins. Pour obtenir une meilleure qualité d'image, augmentez le nombre de couleurs. Pour que l'ordinateur soit plus rapide, diminuez cette valeur.

Dans la liste **Qualité couleur**, sélectionnez le nombre de couleurs (figure 19-15).

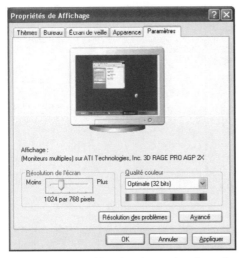

Figure 19-15 Modification du nombre de couleurs et de la résolution d'écran.

Modifier la résolution

Vous voulez afficher plus d'informations à l'écran ? Augmentez la taille du Bureau. En revanche, pour que les informations soient plus lisibles, vous devez réduire sa taille.

Faites glisser le curseur **Résolution de l'écran** pour choisir le nombre de points affichés à l'écran. (La largeur et la hauteur sont indissociables et prédéfinies.)

Définir l'application des paramètres d'affichage

Certains programmes supportent mal le changement des paramètres d'affichage si l'ordinateur n'est pas redémarré.

1. Cliquez le bouton **Avancé**.

    La boîte de la figure 19-16 définit si l'ordinateur doit redémarrer pour éviter que des applications se bloquent.

2. Cliquez l'une des trois options proposées dans le bas de la boîte (figure 19-16).

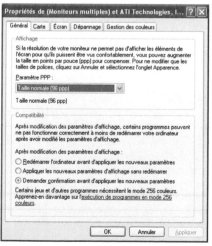

Figure 19-16 Paramètres d'application des modifications d'affichage.

3. Cliquez le bouton **OK** pour valider la boîte des paramètres.

Appliquer les nouveaux paramètres

1. Cliquez le bouton **OK** dans la boîte Propriétés de Affichage pour appliquer les nouveaux paramètres d'écran.

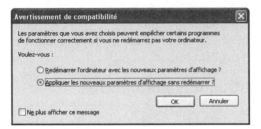

Figure 19-17 Demande de redémarrage.

2. Si vous avez choisi l'option **Demander confirmation**, choisissez si l'ordinateur doit redémarrer, puis cliquez le bouton **OK** (figure 19-17).

    Comme les écrans ne supportent pas toutes les tailles, Windows effectue un test avant de conserver les nouveaux paramètres.

3. Cliquez le bouton **Oui** si l'affichage paraît normal, **Non** dans le cas contraire (figure 19-18).

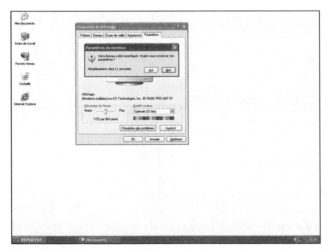

Figure 19-18 Vérification de l'affichage avant son application définitive.

> **Note** Si vous n'avez pas pu cliquer le bouton **Oui** parce que l'affichage était incorrect, Windows applique automatiquement l'ancienne taille.

Choisir d'autres paramètres que ceux proposés

Il existe une solution pour choisir des paramètres autres que ceux proposés par le curseur **Résolution de l'écran** et la liste **Qualité couleur.**

1. Dans l'onglet **Paramètres** de la boîte Propriétés de Affichage, cliquez le bouton **Avancé.**

2. Cliquez l'onglet **Carte.**

3. Cliquez le bouton **Lister tous les modes.**

4. Sélectionnez la taille et le nombre de couleurs dans la liste (figure 19-19).

Figure 19-19 Liste des résolutions et des couleurs possibles.

5. Cliquez le bouton **OK.**

Réorganiser les icônes

Déplacez les icônes ou demandez une réorganisation automatique pour mieux adapter le Bureau à votre manière de travailler.

Réorganiser les icônes

1. Cliquez avec le bouton droit le fond du Bureau.

2. Cliquez la commande **Réorganiser les icônes par →
Réorganisation automatique** dans le menu contextuel.

Toutes les icônes sont placées à gauche de l'écran, les unes
au-dessous des autres.

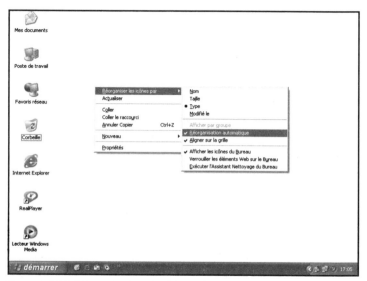

Figure 19-20 Réorganisation des icônes du Bureau.

Choisir l'ordre de réorganisation
automatique

1. Cliquez avec le bouton droit le fond du Bureau.

2. Cliquez la commande **Réorganiser les icônes par**.

3. Cliquez l'ordre de classement (**nom**, **taille**, **type** ou
modifié le).

Déplacer les icônes

Si vous voulez déplacer des icônes, il faut s'assurer que la
réorganisation automatique n'est pas activée.

1. Cliquez avec le bouton droit le fond du Bureau.
2. Cliquez la commande **Réorganiser les icônes par** dans le menu contextuel.
3. Éventuellement, cliquez la commande **Réorganisation automatique** pour ôter la coche.
4. Cliquez et faites glisser l'icône à déplacer.

> **Note** Pour déplacer plusieurs icônes, sélectionnez-les au préalable. Utilisez la touche **Ctrl** comme pour sélectionner plusieurs fichiers dans le Poste de travail.

Aligner les icônes après un déplacement

Les icônes ne sont pas toujours alignées les unes par rapport aux autres après un déplacement.

1. Cliquez avec le bouton droit le fond du Bureau.
2. Cliquez la commande **Réorganiser les icônes par** → **Aligner sur la grille** dans le menu contextuel pour cocher l'option.

Renommer une icône

1. Cliquez l'icône pour la sélectionner.
2. Cliquez le nom au-dessous de l'icône pour passer en mode édition.
3. Tapez le nouveau nom de l'icône et validez avec la touche **Entrée**.

Supprimer les icônes inutilisées

Pour ne pas encombrer le Bureau, Windows XP peut supprimer pour vous les icônes que vous n'utilisez pas.

1. Cliquez avec le bouton droit le fond du Bureau.
2. Cliquez la commande **Propriétés** dans le menu contextuel.
3. Cliquez l'onglet **Bureau**.

4. Cochez la case **Exécuter l'Assistant Nettoyage...**
    (figure 19-21).

5. Si vous désirez supprimer les icônes immédiatement,
    cliquez le bouton **Nettoyer le Bureau maintenant**.

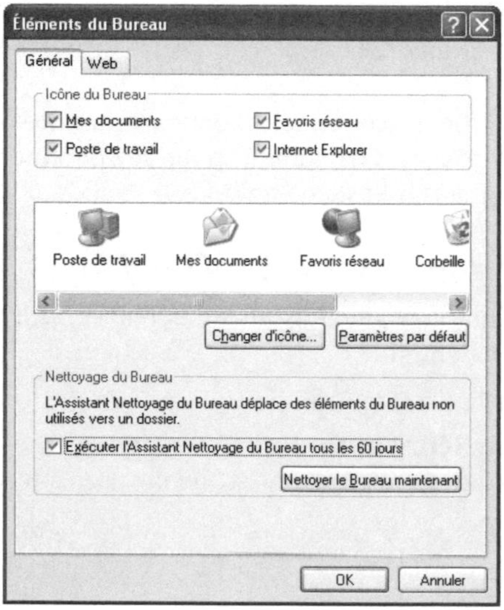

Figure 19-21 Activation de l'assistant de nettoyage du Bureau.

6. Cliquez le bouton **OK**.

Astuce Pour supprimer les icônes inutilisées sans ouvrir la boîte
des propriétés, cliquez avec le bouton droit le fond du
Bureau, puis cliquez **Réorganiser les icônes par → Exécuter l'Assistant Nettoyage du Bureau.**

Assistant Nettoyage

Tous les soixante jours, ou immédiatement si vous l'avez
demandé, l'Assistant Nettoyage vous proposera de supprimer
certaines icônes.

1. Dans la première boîte de l'Assistant Nettoyage, cliquez le
    bouton **Suivant**.

2. Cochez les icônes que vous désirez supprimer
    (figure 19-22).

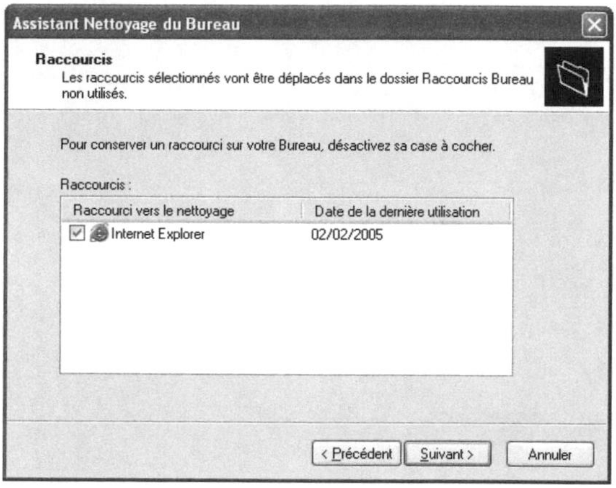

Figure 19-22 Suppression automatique des icônes inutilisées.

3.   Cliquez le bouton **Suivant**.

4.   Vérifiez la liste des icônes qui seront supprimées. Vous pouvez toujours cliquer le bouton **Précédent** pour modifier vos choix.

5.   Cliquez le bouton **Terminer**.

Changer de thème

Un thème est un ensemble d'éléments qui modifie le Bureau (couleurs, menus, icônes, papier peint, écran de veille, curseurs, sons, *etc.*).

Choisir un thème

1.   Cliquez avec le bouton droit le fond du Bureau.

2.   Cliquez la commande **Propriétés** dans le menu contextuel.

3.   Cliquez l'onglet **Thèmes**.

4.   Sélectionnez dans la liste **Thème** celui à appliquer. Sélectionnez **Thèmes supplémentaires sur Internet...** pour en trouver d'autres sur Internet. Sélectionnez **Parcourir** si vos thèmes sont placés dans un autre dossier.

La boîte de la figure 19-23 affiche un exemple du thème choisi.

Figure 19-23 Sélection d'un thème.

> **Note** Pour retrouver le Bureau habituel, sélectionnez le thème **Windows XP** à l'étape **4**.

Sauvegarder le thème actuel

Après modification du Bureau, vous pouvez enregistrer les paramètres actuels dans un thème.

1. Dans l'onglet **Thèmes** de la boîte Propriétés de Affichage, cliquez le bouton **Enregistrer sous**.

2. Tapez le nom du thème dans la zone nom du fichier.

3. Cliquez le bouton **Enregistrer**.

> **Note** Vous retrouverez le nom choisi dans la liste **Thème** (figure 19-23).

4. Cliquez le bouton **OK** pour appliquer le thème choisi.

Microsoft Plus!

Dans sa version de base, Windows ne propose pas de thèmes complets. Vous pouvez trouver des thèmes, gratuits ou payants, sur Internet, ou installer le logiciel Microsoft Plus! pour Windows XP (environ 35 €). Ce dernier propose aussi de nouvelles fonctionnalités pour la photo, la vidéo et la musique, ainsi que de nouveaux jeux.

Après l'installation de Microsoft Plus!, vous pouvez changer de thème soit dans son interface comme dans la figure 19-24 (menu **démarrer** → **Tous les programmes** → **Microsoft Plus!**), soit en le choisissant dans la liste **Thème** (figure 19-23).

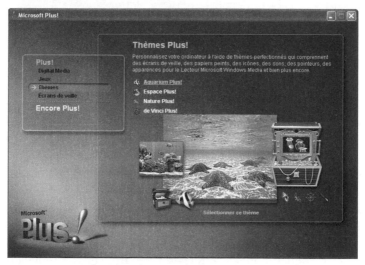

Figure 19-24 Interface de Microsoft Plus! pour XP.

Rien ne vous empêche, après l'installation d'un thème, de modifier certains éléments. Notez que les thèmes de Microsoft Plus! modifient aussi l'apparence du Lecteur Windows Media comme le montre la figure 19-25.

Figure 19-25 Thème « da Vinci » de Microsoft Plus!.

Anecdote   Le thème « da Vinci » n'est pas là par hasard. En effet, Bill Gates, le patron de la société Microsoft, a acheté aux enchères en 1994 le codex de Léonard de Vinci, pour la modique somme de 30,8 M$.

Trouver d'autres thèmes

Les internautes proposent régulièrement de nouveaux thèmes pour Windows XP. Faites une recherche avec les mots clés « theme XP » sur Google.

Voici quelques bonnes adresses pour trouver de nouveaux thèmes. Ces sites proposent des thèmes complets, mais aussi des éléments séparés (papiers peints, écrans de veille, curseurs, *etc.*), ainsi que des conseils pour créer vos propres thèmes :

- Clubic : `www.clubic.com`
- Telecharger.com : `www.01net.com`
- Informatruc : `www.informatruc.com`
- Custum XP : `http://customxp.net`

- Theme XP (en anglais) : `www.themexp.org`
- Win Customize (en anglais) : `www.wincustomize.com`

Figure 19-26 Thème « Crystal » téléchargé sur Internet.

Anecdote Les thèmes existaient déjà dans les versions précédentes de Windows. On en trouve donc pour transformer l'interface des anciens Windows 98 ou Me en Windows XP. On trouve aussi des thèmes pour transformer l'interface de votre Windows XP en Mac OS X ! Et si vous ne pouvez plus attendre, il existe un thème qui donne à l'interface de Windows XP le « look » de Windows Vista. Vous trouverez tous ces thèmes sur le site `www.clubic.com`.

Modifier le menu démarrer

Le menu démarrer est destiné à exécuter des applications. Maîtrisez-le et adaptez-le à votre mode de travail pour ne pas perdre de temps. Ce chapitre explique, entre autres, la gestion des raccourcis, l'organisation du menu démarrer et la résolution des problèmes de compatibilité avec vos anciennes applications.

Dans ce chapitre

- Lancer une application sans raccourci
- Modifier les raccourcis
- Déplacer, copier ou supprimer des raccourcis
- Résoudre les problèmes de compatibilité
- Exécuter une application au démarrage
- Organiser le menu démarrer

Lancer une application sans raccourci

Il est possible que certaines applications ne proposent pas de raccourci dans le menu démarrer.

Définition Raccourci. Petit fichier qui contient le chemin d'une application et permet d'y accéder facilement. Vous pouvez ajouter autant de raccourcis que nécessaire. La suppression d'un raccourci n'entraîne pas celle de l'application. Ne vous en privez pas !

1. Cliquez **démarrer → Exécuter** ou appuyez sur les touches ⊞+**R**.

2. Si vous les connaissez, tapez le chemin et le nom de l'application puis cliquez le bouton **OK** pour la lancer. Sinon, cliquez le bouton **Parcourir** pour rechercher cette application.

Note Si le chemin et le nom de l'application que vous tapez contiennent des espaces, mettez l'ensemble entre guillemets (par exemple, `"C:\Mon dossier\Mon appli-cation"`). Windows ajoute ces guillemets si vous utilisez le bouton **Parcourir**.

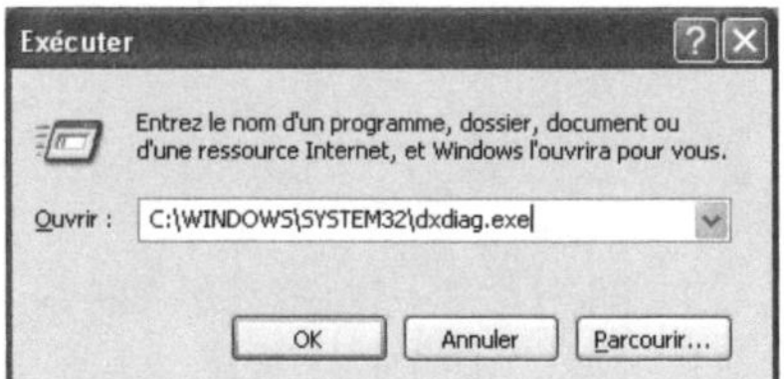

Figure 20-1 Exécution d'une application.

Astuce Il n'est pas nécessaire de préciser le chemin si l'application se trouve dans le dossier C:\Windows ou un de ses sous-dossiers. La commande **Calc**, par exemple, ouvre directement la calculatrice.

Si vous avez cliqué le bouton **Parcourir** :

1. Sélectionnez dans la zone **Rechercher dans** le lecteur qui contient l'application.

> ***Note*** Pour accéder plus rapidement à certains emplacements de l'ordinateur, cliquez un des boutons de la liste de gauche.

2. Double-cliquez le dossier qui contient l'application.

3. Cliquez l'application à exécuter dans la liste (figure 20-2).

> ***Note*** Vous pouvez aussi ouvrir un document. Sélectionnez **Tous les fichiers** dans la liste **Fichiers de type** de la boîte **Parcourir** pour afficher les applications et les documents. Double-cliquez le document. Windows se chargera d'ouvrir le document avec l'application correspondante.

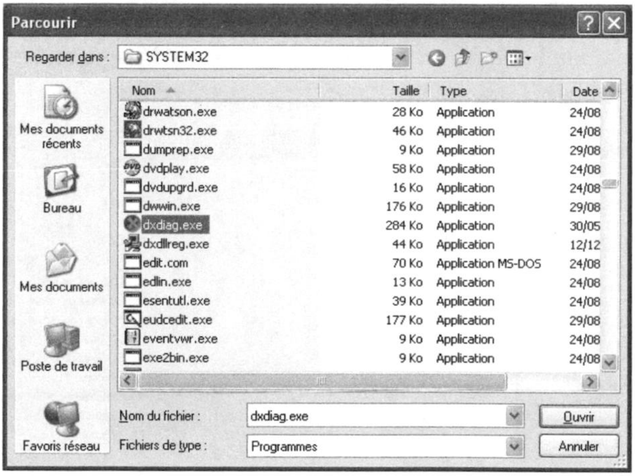

Figure 20-2 Sélection de l'application ou du document à ouvrir.

4. Cliquez le bouton **Ouvrir**.

5. Cliquez le bouton **OK** dans la boîte **Exécuter**.

Ajouter un raccourci au menu démarrer

N'utilisez pas systématiquement la commande **Exécuter**. Ajoutez plutôt dans le menu démarrer un raccourci vers une application.

1.   Cliquez le bouton **démarrer**.

2.   Cliquez avec le bouton droit **Tous les programmes**

3.   Si le raccourci ne doit être accessible que par vous, cliquez la commande **Explorer** dans le menu contextuel. Pour ajouter un raccourci pour tous les utilisateurs de l'ordinateur, cliquez la commande **Explorer Tous les utilisateurs**.

      L'Explorateur Windows s'ouvre sur le dossier qui contient les raccourcis du menu démarrer.

4.   Dans la partie de gauche, cliquez le dossier **Programmes** (figure 20-3).

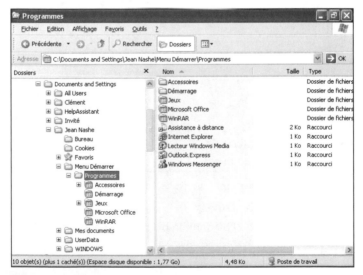

Figure 20-3 Sélection du dossier du raccourci.

5. Éventuellement, double-cliquez dans la partie de droite le sous-dossier qui doit contenir votre nouveau raccourci.

6. Cliquez le menu **Fichier** → **Nouveau** → **Raccourci**.

7. Si vous les connaissez, tapez le chemin et le nom de l'application ; sinon, cliquez le bouton **Parcourir** pour la rechercher (figure 20-4).

Note Pour retrouver l'application ou le document avec le bouton **Parcourir**, consultez le paragraphe « Lancer une application sans raccourci », précédemment dans ce chapitre.

Création d'un raccourci

Cet Assistant vous permet de créer des raccourcis vers des programmes, fichiers, dossiers, ordinateurs ou adresses Internet en local ou en réseau.

Entrez l'emplacement de l'élément :

C:\WINDOWS\SYSTEM32\dxdiag.exe   Parcourir...

Cliquez sur Suivant pour continuer.

< Précédent   Suivant >   Annuler

Figure 20-4 Ajout d'un raccourci.

8. Cliquez le bouton **Suivant**.

9. Tapez le nom à donner au raccourci.

10. Cliquez le bouton **Terminer**.

11. Cliquez ☒ dans la fenêtre de l'Explorateur Windows.

Note L'ajout d'un raccourci sur le Bureau fonctionne de la même manière : cliquez avec le bouton droit le fond du Bureau, puis cliquez **Nouveau** → **Raccourci** dans le menu contextuel. L'assistant de la figure 20-4 s'ouvre pour créer le raccourci.

Ajouter un dossier au menu démarrer

Pour regrouper et classer vos raccourcis, ajoutez un nouveau dossier au menu démarrer.

1. Cliquez le bouton **démarrer**.

2. Cliquez avec le bouton droit **Tous les programmes**.

3. Si le dossier ne doit être accessible que par vous, cliquez la commande **Explorer** dans le menu contextuel. Pour ajouter un dossier pour tous les utilisateurs de l'ordinateur, cliquez la commande **Explorer Tous les utilisateurs.**

   L'Explorateur Windows s'ouvre sur le dossier qui contient les raccourcis du menu démarrer.

4. Dans la partie de gauche, cliquez le dossier **Programmes**.

5. Éventuellement, dans la partie de droite, double-cliquez le dossier qui doit contenir votre nouveau dossier.

6. Cliquez le menu **Fichier → Nouveau → Dossier**.

   Le nouveau dossier apparaît dans la partie de droite. Par défaut, il se nomme « Nouveau dossier » (figure 20-5).

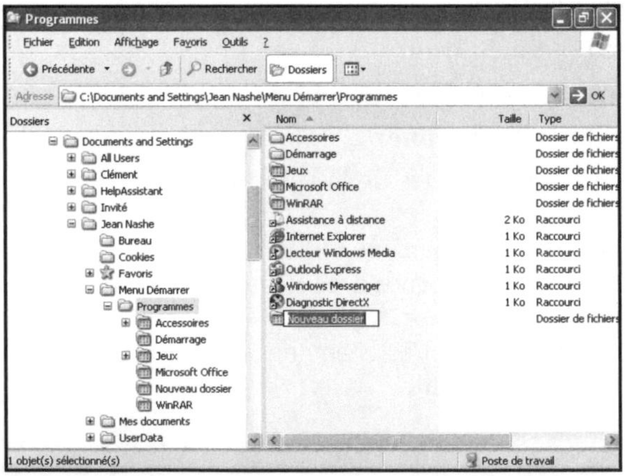

Figure 20-5 Dossier qui contient les raccourcis du menu démarrer.

7. Tapez le nom du dossier pour remplacer le nom par défaut.

8. Cliquez ⊠ pour fermer l'Explorateur.

Renommer un dossier

Si vous n'avez pas remplacé le nom par défaut Nouveau dossier :

1. Cliquez **démarrer** → **Tous les programmes**.

2. Cliquez avec le bouton droit le nouveau dossier.

3. Cliquez la commande **Renommer** dans le menu contextuel.

4. Tapez le nouveau nom du dossier (figure 20-6).

Renommer	⊠
Nouveau nom :	Mon dossier de raccourcis
	OK Annuler

Figure 20-6 Modification du nom d'un dossier du menu démarrer.

5. Cliquez le bouton **OK**.

Modifier les propriétés d'un raccourci

Pourquoi ne pas modifier le chemin de l'application ou du document et changer son icône ? La boîte des propriétés vous le permet aisément. Elle permet aussi de résoudre les problèmes de compatibilité des anciennes applications.

1. Cliquez avec le bouton droit l'icône du raccourci dans le menu démarrer ou sur le Bureau.

2. Cliquez la commande **Propriétés** dans le menu contextuel.

3. Cliquez l'onglet **Général**.

   Cet onglet affiche les caractéristiques du raccourci (chemin et dates de modification).

4.   Cliquez l'onglet **Raccourci** (figure 20-7).

Figure 20-7 Propriétés d'un raccourci.

Attention! Dans le cas d'une application ou d'un document placé sur le Bureau (et non d'un raccourci), l'onglet **Raccourci** n'apparaît pas.

Cet onglet permet de modifier le chemin et l'icône du raccourci.

Conseil Normalement, vous ne devez pas modifier le chemin du raccourci, sauf si vous avez volontairement déplacé l'élément qu'il pointe.

Modifier l'icône du raccourci

1.   Cliquez le bouton **Changer d'icône...** (figure 20-7).
2.   Cliquez une icône dans la liste (figure 20-8).
3.   Cliquez le bouton **OK**.

Note Pour trouver d'autres d'icônes, consultez le chapitre 19.

Figure 20-8 Modification de l'icône d'un raccourci.

Résoudre les problèmes de compatibilité

Certaines anciennes applications ne fonctionnent plus correctement sous Windows XP. Vous pouvez régler le problème à partir du raccourci.

1. Cliquez l'onglet **Compatibilité**.

> **Note** Les paramètres de cet onglet ne sont pas modifiables pour une application conçue pour Windows XP.

2. Si l'application fonctionnait correctement avec une version antérieure de Windows, cochez la case **Exécuter ce programme...** puis sélectionnez l'ancienne version dans la liste en dessous.

3. Si l'application ne fonctionne pas quand l'affichage est supérieur à 256 couleurs, cochez la case **Exécuter en 256 couleurs**.

4. Si l'application ne fonctionne pas quand l'affichage est supérieur à 640 × 480, cochez la case **Exécuter avec une résolution d'écran de 640 × 480**.

5. Si vous avez des problèmes dans l'application avec les menus et les boutons de la barre de titre, cochez la case **Désactiver les thèmes visuels**.

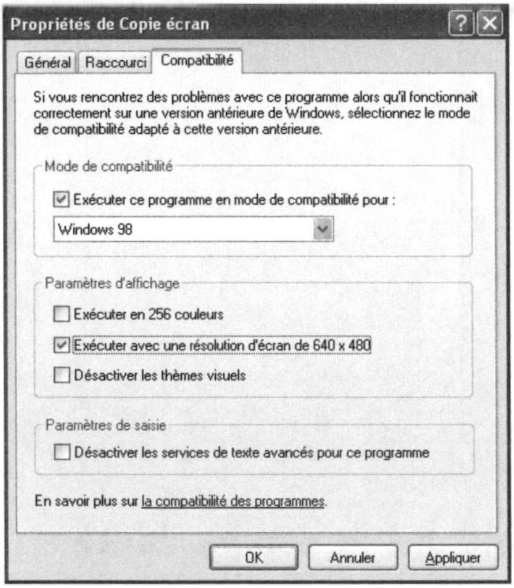

Figure 20-9 Paramètres de compatibilité.

6.   Cliquez le bouton **OK**.

> **Note** Les anciennes valeurs d'affichage sont restaurées dès que l'application est fermée.

Déplacer, copier ou supprimer des raccourcis du menu démarrer

Vous pouvez modifier et réorganiser le menu démarrer en déplaçant les raccourcis qu'il contient.

> **Attention!** Pour modifier le menu démarrer, l'option **Activer le glisser-déplacer** doit être cochée. Cliquez avec le bouton droit une zone vide de la barre des tâches, puis cliquez la commande **Propriétés**. Cliquez l'onglet **Menu Démarrer** puis cliquez le bouton **Personnaliser…**. Cliquez l'onglet **Avancé** puis cochez l'option **Activer le glisser-déplacer** dans la liste **Éléments du menu Démarrer**.

Déplacer un raccourci

1.   Cliquez **démarrer → Tous les programmes**.

2.   Recherchez le raccourci à déplacer.

3.   Cliquez et faites glisser le raccourci vers son nouvel
     emplacement.

Une barre horizontale indique la nouvelle position.

> **Note** Vous pouvez aussi choisir un autre dossier. Celui-ci
> s'ouvre automatiquement dès qu'il est pointé.

Copier un raccourci

1.   Maintenez la touche **Ctrl** enfoncée.

2.   Effectuez les mêmes étapes que pour déplacer un
     raccourci. Le curseur a la forme ⬚ pendant le
     déplacement.

3.   Relâchez le bouton de la souris, puis relâchez la touche
     Ctrl.

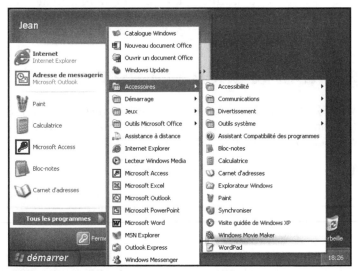

Figure 20-10 Copie ou déplacement d'un raccourci dans le menu démarrer.

Supprimer un raccourci

1. Cliquez **démarrer → Tous les programmes**.
2. Cliquez avec le bouton droit le raccourci à supprimer.
3. Cliquez la commande **Supprimer** dans le menu contextuel.
4. Cliquez le bouton **Oui** pour confirmer la suppression.

> **Note** Les raccourcis supprimés transitent aussi par la Corbeille. Vous pouvez donc les rétablir facilement en cas de fausse manœuvre (consultez le chapitre 8).

Exécuter une application au démarrage de Windows

Si vous ouvrez toujours la même application au démarrage, vous pouvez demander à Windows de la lancer automatiquement. Il suffit pour cela d'ajouter un raccourci vers cette application dans le dossier **Démarrage** (bouton **démarrer → Tous les programmes → Démarrage**). Vous pouvez ouvrir n'importe quelle application, y compris un traitement de texte ou un tableur. Copiez tout simplement le raccourci d'origine vers ce dossier, comme vu précédemment.

Organiser le menu démarrer

Windows XP met à jour le menu démarrer avec les raccourcis des applications que vous utilisez fréquemment. Modifiez ce menu en fonction de vos habitudes.

Ajouter un raccourci définitif

Si vous utilisez souvent la même application, vous pouvez l'afficher définitivement dans le menu démarrer.

1. Cliquez le menu **démarrer**.

    La liste de gauche affiche les dernières applications ouvertes.

2. Cliquez avec le bouton droit l'application.
3. Cliquez la commande **Ajouter au menu Démarrer** dans le menu contextuel.

> ***Note*** Vous pouvez effectuer cette opération à partir de n'importe quelle raccourci du menu démarrer.

Le raccourci vers l'application se trouve maintenant en haut de la liste et ne sera pas effacé (raccourci Nero Express dans la figure 20-11).

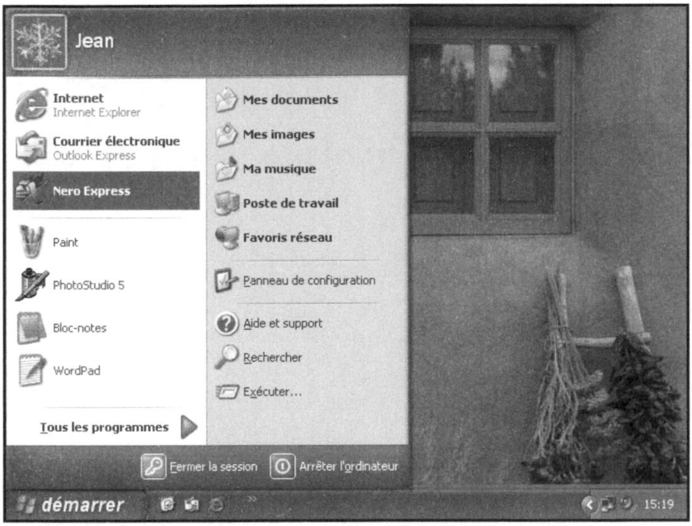

Figure 20-11 Ajout d'un raccourci au menu démarrer.

4. Pour supprimer le raccourci, cliquez-le avec le bouton droit puis cliquez la commande **Supprimer du menu Démarrer** dans le menu contextuel.

Supprimer un raccourci

Si vous ne désirez pas qu'une application s'affiche dans le menu démarrer, supprimez-la.

1. Cliquez le menu **démarrer**.

    Cette liste affiche les dernières applications ouvertes.

2. Cliquez avec le bouton droit l'application.

3. Cliquez la commande **Supprimer de cette liste** dans le menu contextuel.

Configurer
Windows XP

Une nouvelle imprimante ? Une souris capricieuse ? Le Panneau de configuration regroupe l'installation et la désinstallation des applications et des matériels. Il permet de régler les problèmes de souris ou de clavier, d'installer des polices, de modifier les options régionales ou de changer les sons par défaut.

Dans ce chapitre

- Installer des périphériques
- Désinstaller une application
- Ajouter ou supprimer des composants Windows
- Modifier les paramètres du clavier et de la souris

- Modifier les options régionales
- Visualiser, imprimer et installer une police
- Modifier les sons
- Accéder aux propriétés système

Afficher le Panneau de configuration

Le Panneau de configuration regroupe les éléments de votre ordinateur (matériels et logiciels) que, naturellement, vous pouvez paramétrer à votre guise.

Cliquez le bouton **démarrer** → **Panneau de configuration**.

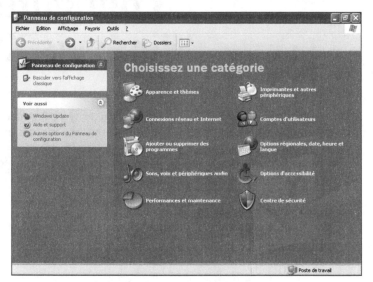

Figure 21-1 Panneau de configuration : affichage par catégories.

Le Panneau de configuration s'ouvre dans une fenêtre. Il regroupe tous les éléments de configuration par catégories ou par tâches. La figure 21-1 correspond à l'affichage par catégories. Chaque icône de catégorie ouvre une nouvelle fenêtre proposant des tâches.

Pour passer à l'affichage par tâches, cliquez la commande **Basculer vers l'affichage classique** dans le panneau de gauche.

La figure 21-2 correspond à l'affichage par tâches. Cette fenêtre propose l'intégralité des icônes du Panneau de configuration. C'est la fenêtre de référence pour toutes les pages de ce chapitre.

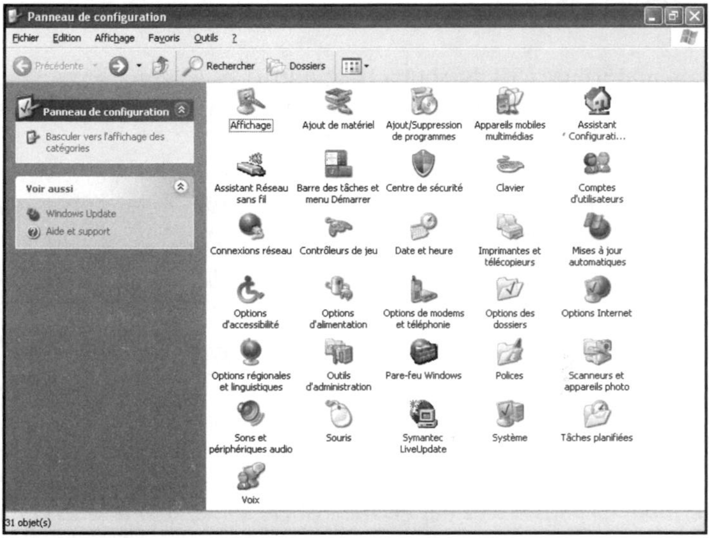

Figure 21-2 Panneau de configuration : affichage par tâches.

Pour passer à l'affichage par catégories, cliquez la commande **Basculer vers l'affichage des catégories** dans le panneau de gauche.

Note Pour l'icône **Affichage**, reportez-vous au chapitre 19.
Pour l'icône **Barre des tâches**, reportez-vous au chapitre 2.
Pour l'icône **Date et heure**, reportez-vous au chapitre 2.
Pour l'icône **Options des dossiers**, reportez-vous au chapitre 6.

Ajouter un matériel à votre ordinateur

Les matériels actuels sont « plug and play » : vous branchez, ça marche. Si ce n'est pas le cas (Windows ne l'a peut-être pas détecté), installez-le manuellement.

Note Pour installer un modem, consultez le début du chapitre 12.

1. Double-cliquez l'icône **Ajout de nouveau matériel** (figure 21-2).

   L'ajout se fait avec un assistant (une suite de boîtes de dialogue).

2. Cliquez le bouton **Suivant** dans la première boîte de l'assistant.

Attention! Si vous n'avez pas encore installé le matériel, arrêtez votre ordinateur, installez-le, puis relancez cet assistant. Si votre matériel est fourni avec un CD-ROM, utilisez ce dernier en priorité.

3. Cochez l'option **Oui, j'ai déjà connecté le matériel**.
4. Cliquez le bouton **Suivant**.

Figure 21-3 Ajout d'un nouveau matériel.

La liste **Matériel installé** propose les matériels présents dans l'ordinateur.

5. Cliquez **Ajouter un nouveau périphérique matériel** à la fin de la liste (figure 21-3).

6. Cliquez le bouton **Suivant**.

Vous pouvez essayer l'option **Rechercher et installer…**, mais il y a peu de chances que Windows détecte votre périphérique s'il n'est pas plug and play.

Anecdote Lors des premières versions des matériels plug and play » (branchez et ça marche aussitôt), certaines personnes avaient surnommé ces derniers « plug and pray » (branchez et priez pour que ça marche).

7. Cochez l'option **Installer le matériel que je sélectionne manuellement…**.

8. Cliquez le bouton **Suivant**.

9. Cliquez le type de matériel dans la liste.

Note Si le type de votre périphérique n'est pas proposé dans la liste, cliquez **Afficher tous les périphériques**.

10. Cliquez le bouton **Suivant**.

![Assistant Ajout de matériel - Choisissez le pilote de périphérique à installer pour ce matériel.]

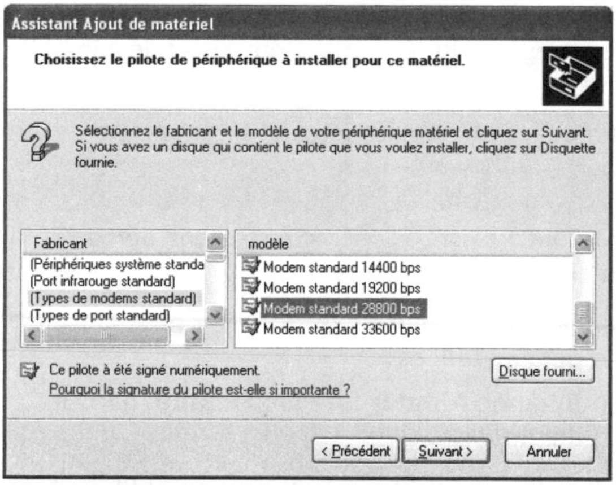

Figure 21-4 Choix du fabricant et du modèle de périphérique.

La boîte qui s'affiche est différente pour chaque type de matériel. Comme c'est le cas dans la figure 21-4, on vous demandera probablement le nom du constructeur et le modèle du matériel.

11. Suivez les instructions de l'assistant pour finir d'installer le matériel.

Si Windows ne propose pas le constructeur ou le modèle correspondant :

1. Le constructeur doit vous fournir une disquette ou un CD-ROM. Insérez-le dans son lecteur.

2. Cliquez le bouton **Disquette fournie**.

3. Suivez les instructions de l'assistant pour finir d'installer le matériel.

Installer une nouvelle imprimante

Vous souhaitez connecter une nouvelle imprimante à votre ordinateur ? Vous devez alors installer les logiciels (les pilotes) correspondants. Ces explications ne concernent pas les imprimantes plug and play connectées à un port USB, FireWire ou infrarouge. Windows les détecte et les installe automatiquement.

1. Double-cliquez l'icône **Imprimantes et télécopieur** (figure 21-2).

Astuce Si le raccourci existe, cliquez directement **démarrer →** **Imprimantes et télécopieurs**.

La fenêtre qui s'affiche contient les icônes des imprimantes déjà installées.

2. Cliquez la commande **Ajouter une imprimante** dans le panneau de gauche.

L'ajout se fait avec un assistant (une suite de boîtes de dialogue).

3. Cliquez le bouton **Suivant**.

4. Cochez l'option **Imprimante locale**.

5. Décochez l'option **Détection et installation**, car si votre imprimante est plug and play, Windows l'a déjà détectée automatiquement.

6. Cliquez le bouton **Suivant**.

7. Cliquez cette zone et sélectionnez le port auquel vous avez connecté l'imprimante (figure 21-5).

> **Note** LPT1 correspond au port parallèle, **COM1** et **COM2** aux ports séries. **File** enregistre l'impression dans un fichier que vous pouvez utiliser sur l'ordinateur auquel est réellement connectée l'imprimante.

Assistant Ajout d'imprimante

Sélectionnez un port d'imprimante
Les ordinateurs communiquent avec les imprimantes via les ports.

Sélectionnez le port auquel vous souhaitez connecter votre imprimante. Si celui-ci n'est pas dans la liste, vous pouvez créer un nouveau port.

◉ Utiliser le port suivant : [LPT1: (Port imprimante recommandé)]

Remarque : la plupart des ordinateurs utilisent le port LPT1: pour communiquer avec une imprimante locale. Le connecteur de ce port ressemble à ceci :

○ Créer un nouveau port :
   Type de port : [Local Port]

[< Précédent] [Suivant >] [Annuler]

Figure 21-5 Choix du port de connexion de l'imprimante.

8. Cliquez le bouton **Suivant**.

9. Sélectionnez le constructeur dans la liste de gauche.

10. Sélectionnez le modèle d'imprimante dans la liste de droite (figure 21-6).

> **Note** Si le constructeur ou l'imprimante n'est pas listé, insérez la disquette ou le CD-ROM fourni avec l'imprimante puis cliquez **Disque fourni**. Suivez les instructions de l'assistant.

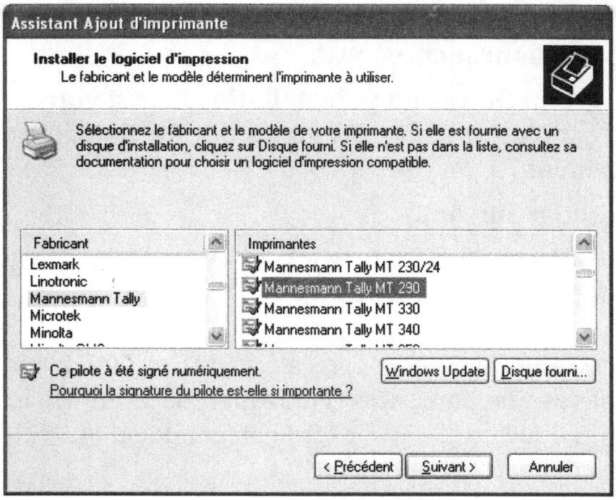

Figure 21-6 Choix du modèle d'imprimante.

11. Cliquez le bouton **Suivant**.

12. Tapez un nom pour l'imprimante (ou conservez celui proposé).

13. Éventuellement, cliquez l'option **Non** pour ne pas la définir comme imprimante par défaut.

> **Note** Si aucune imprimante n'est installée, l'imprimante est définie par défaut, et l'assistant ne pose pas de question à l'étape **13**.

14. Cliquez le bouton **Suivant**.

15. Éventuellement, cliquez l'option **Oui** pour imprimer une page test.

16. Cliquez le bouton **Suivant**.

> **Note** Vous devrez peut-être insérer le CD-ROM de Windows. Dans ce cas, suivez les instructions à l'écran.

La dernière boîte de l'assistant affiche des renseignements sur l'imprimante avant son installation.

17. Cliquez le bouton **Terminer**.

Note Si vous cliquez le bouton **Dépanner**, Windows ouvre un assistant pour vous aider à résoudre le problème d'impression.

18. Éventuellement, cliquez le bouton **OK** si vous avez demandé une page de test.

Installer une imprimante réseau

Si un utilisateur du réseau partage son imprimante, vous pouvez vous y connecter.

1. Double-cliquez l'icône **Imprimantes et télécopieur** (figure 21-2).

2. Cliquez la commande **Ajouter une imprimante** dans le panneau de gauche.

3. Cliquez le bouton **Suivant**.

4. Cochez l'option **Une imprimante réseau....**

5. Cliquez le bouton **Suivant**.

6. Cliquez l'option **Connexion à cette imprimante**.

7. Tapez dans la zone **Nom** le chemin réseau de l'imprimante (figure 21-7).

Assistant Ajout d'imprimante

Spécifiez une imprimante
Si vous ne connaissez pas le nom et l'adresse de l'imprimante, vous pouvez rechercher une imprimante qui corresponde à vos besoins.

À quelle imprimante voulez-vous vous connecter ?

○ Rechercher une imprimante

◉ Connexion à cette imprimante (ou pour rechercher une imprimante, cliquez sur Suivant) :

Nom : \\Pierre\Canon i865

Exemple : \\serveur\imprimante

○ Se connecter à une imprimante sur Internet ou sur un réseau domestique ou d'entreprise :

URL :

Exemple : http://server/printers/myprinter/.printer

[< Précédent] [Suivant >] [Annuler]

Figure 21-7 Connexion d'une imprimante réseau.

> **Note** Si vous ne connaissez pas le chemin réseau de l'impri-
> mante, cliquez le bouton **Parcourir** ou contactez l'admi-
> nistrateur du réseau.

8.   Cliquez le bouton **Suivant** puis suivez les instructions de l'assistant comme vu précédemment.

Partager une imprimante

Pour que les utilisateurs du réseau puissent utiliser votre imprimante, partagez-la.

1.   Double-cliquez l'icône **Imprimantes et télécopieur** (figure 21-2).

2.   Cliquez avec le bouton droit l'imprimante à partager.

3.   Cliquez **Partager** dans le menu contextuel.

4.   Cochez l'option **Partager cette imprimante**.

5.   Dans la zone **Nom de partage**, tapez son nom sur le réseau. Donnez ce nom aux autres utilisateurs pour qu'ils puissent s'y connecter (figure 21-8).

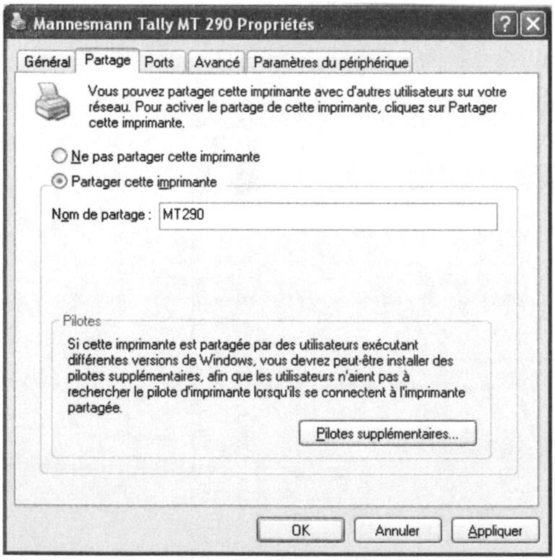

Figure 21-8 Partage d'une imprimante.

6.   Cliquez le bouton **OK**.

Définir l'imprimante par défaut

En cliquant le bouton  dans une application, le document est imprimé avec l'imprimante par défaut. Si vous possédez plusieurs imprimantes, vous devez donc choisir celle qui sera prioritaire.

1. Double-cliquez l'icône **Imprimantes et télécopieur** (figure 21-2).

    Le symbole ⊘ désigne l'imprimante par défaut.

2. Cliquez avec le bouton droit l'imprimante à utiliser par défaut.

3. Cliquez **Définir comme imprimante par défaut** dans le menu contextuel.

Note Dans les applications, utilisez le menu Fichier → Imprimer pour choisir une autre imprimante que celle par défaut.

Dans l'exemple de la figure 21-9, la première imprimante est connectée au réseau (icône ⛁). C'est aussi l'imprimante par défaut (symbole ⊘ dans l'icône). La seconde est une imprimante locale partagée (icône ⛁).

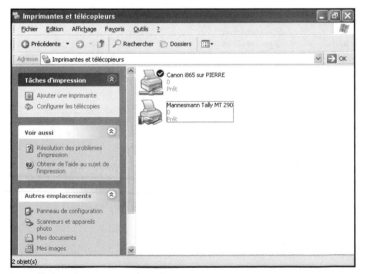

Figure 21-9 Imprimante par défaut.

Désinstaller une application

Pour gagner de la place sur votre disque dur, il existe un moyen fort simple : désinstallez les applications que vous n'utilisez plus.

1. Double-cliquez l'icône **Ajout/Suppression de programmes** (figure 21-2).

2. Cliquez le bouton **Modifier ou supprimer des programmes** (liste de gauche – voir figure 21-10).

3. Cliquez l'application à supprimer.

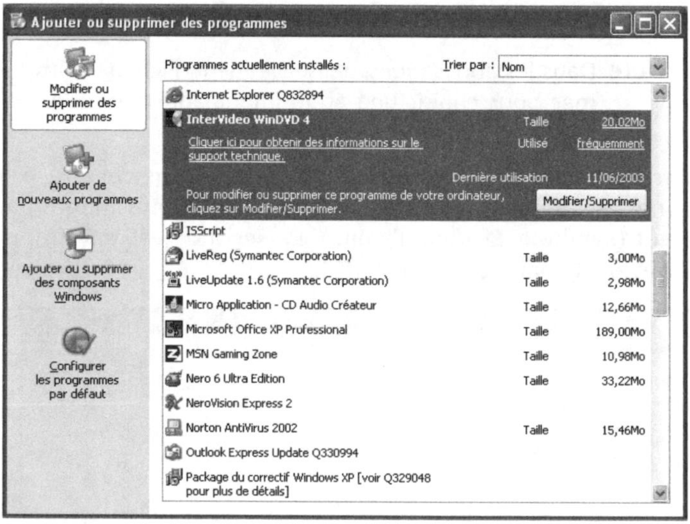

Figure 21-10 Suppression d'une application.

4. Cliquez le bouton **Modifier/Supprimer**.

   L'assistant de désinstallation est différent pour chaque application.

5. Cliquez **Oui** ou **OK** pour supprimer l'application.

6. Suivez les instructions de l'assistant.

Ajouter ou supprimer des composants Windows

Windows n'installe pas par défaut toutes les application. À vous de les ajouter ou de les supprimer.

1. Double-cliquez l'icône **Ajout/Suppression de programmes** (figure 21-2).

2. Cliquez le bouton **Ajouter ou supprimer des composants Windows** (liste de gauche – voir figure 21-10).

3. Cliquez le nom d'un groupe dans la liste **Composants**.

Attention! Si vous cochez ou décochez la case à gauche du nom d'un groupe, vous installez ou vous supprimez l'intégralité des composants de ce groupe.

4. Cliquez le bouton **Détails**.

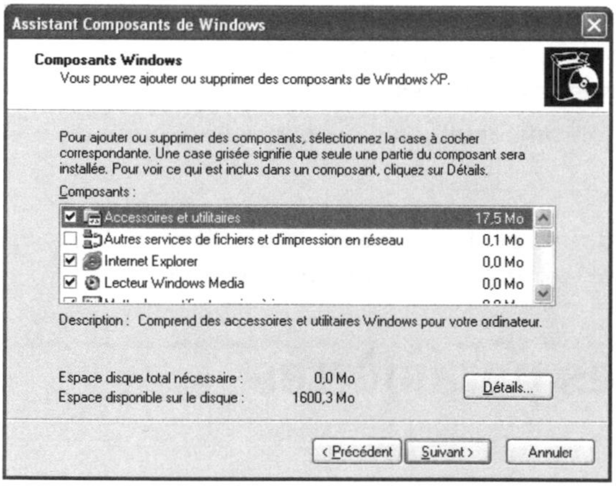

Figure 21-11 Ajout ou suppression d'un groupe de composants Windows.

5. Cochez les cases des composants à installer.

6. Décochez les cases des composants à supprimer.

Attention! Certains composants sont divisés en plusieurs parties. Cliquez le nom du composant puis le bouton **Détails** pour les sélectionner.

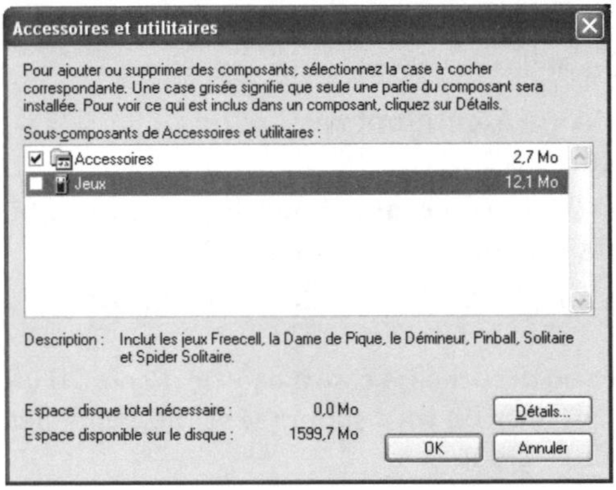

Figure 21-12 Ajout ou suppression de composants Windows.

7.   Cliquez le bouton **OK**.

8.   Cliquez le bouton **Suivant** pour commencer les installations et les suppressions.

9.   Cliquez le bouton **Terminer** dans la dernière boîte de l'assistant.

Note Vous devrez peut-être insérer le CD-ROM de Windows. Dans ce cas, suivez les instructions à l'écran.

Modifier les paramètres du clavier

Votre clavier est mal réglé ? Modifiez le délai avant répétition et la fréquence de répétition.

1.   Double-cliquez l'icône **Clavier** (figure 21-2).

2.   Déplacez le curseur **Délai avant répétition** pour choisir le délai à partir duquel une touche enfoncée est répétée.

3. Déplacez le curseur **Fréquence de répétition** pour définir la vitesse de répétition d'une touche enfoncée.

4. Tapez des caractères dans la zone **Cliquez ici...** pour tester vos réglages.

5. Déplacez le curseur **Fréquence de clignotement** pour définir la vitesse de clignotement du curseur.

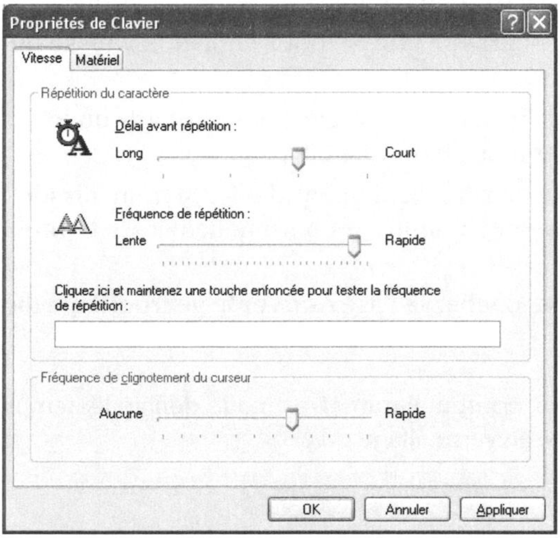

Figure 21-13 Réglage du clavier.

6. Cliquez le bouton **OK**.

Modifier les paramètres de la souris

La souris n'est pas toujours bien domptée! Il est parfois nécessaire d'effectuer quelques réglages.

Double-cliquez l'icône **Souris** (figure 21-2).

Inverser les boutons et régler le double clic

Si vous êtes gaucher, vous pouvez inverser les fonctions des boutons gauche et droit.

1. Cliquez l'onglet **Boutons**.

2. Éventuellement, cochez la case **Gaucher**.

> **Note** Faites des tests avant d'opter définitivement pour cette solution.

Si le double clic vous semble indomptable, vous pouvez choisir la durée qui espace chaque clic.

1. Faites glisser le curseur **Vitesse** pour choisir la vitesse du double clic.

2. Double-cliquez le dossier en regard pour l'ouvrir ou le fermer et tester ainsi le double clic.

   Ce réglage vous permet également d'effectuer un glisser-déposer sans avoir à maintenir continuellement le bouton de la souris.

3. Éventuellement, cochez la case **Activer le verrouillage du clic**.

> **Note** Cliquez le bouton **Paramètres** pour définir le temps nécessaire au verrouillage du clic.

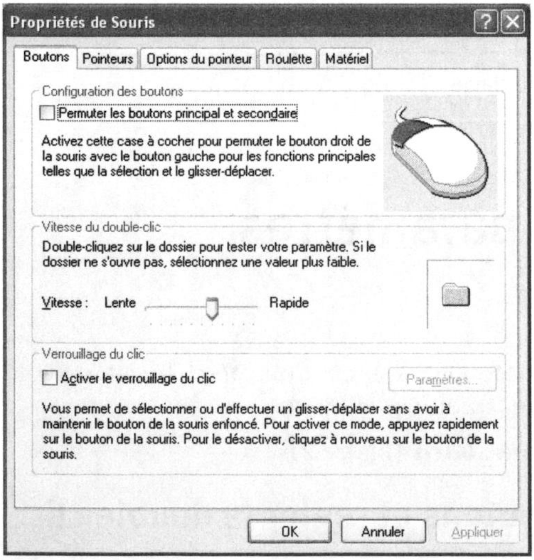

Figure 21-14 Réglage du double clic et inversion des boutons.

Modifier les options du pointeur de souris

Le curseur s'affole ? Il se traîne ? Sa vitesse de déplacement est fonction du type de souris et de la taille du Bureau. Un simple réglage lui imposera votre rythme.

1. Cliquez l'onglet **Options du pointeur**.

2. Faites glisser le curseur **Sélectionner une vitesse** pour modifier la vitesse du pointeur.

> **Note** L'option **Améliorer la précision** accélère ou ralentit le pointeur en fonction des déplacements de la souris.

3. Cochez la case **Déplacer automatiquement…** pour que le pointeur soit déplacé sur le bouton par défaut des boîtes de dialogue.

   Si vous avez un portable avec un écran à cristaux liquides, Windows peut simuler la rémanence des tubes cathodiques avec des traînées.

4. Cochez la case **Afficher les traces de la souris**.

5. Faites glisser le curseur en dessous pour augmenter ou diminuer le nombre de traces.

6. Déplacez la souris pour tester les traces.

7. Cochez la case **Masquer le pointeur** pour cacher le curseur de souris quand vous tapez du texte au clavier.

8. Cochez la case **Afficher l'emplacement** pour voir la position du curseur quand vous appuyez sur **Ctrl**.
   Appuyez sur **Ctrl** pour tester immédiatement cette option.

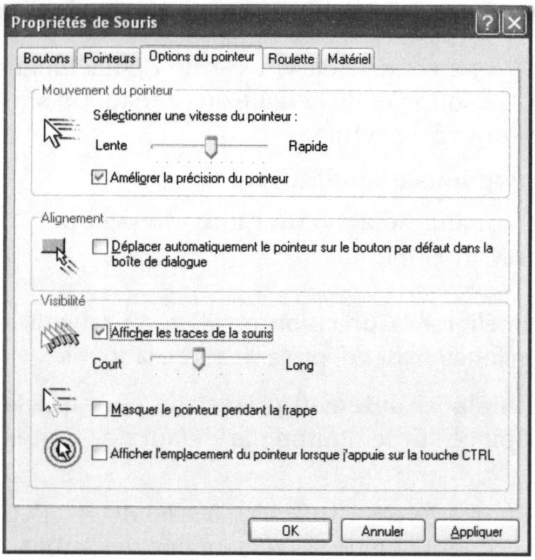

Figure 21-15 Options du pointeur de souris.

Modifier les curseurs

Les curseurs sont un peu tristes ? Modifiez-les ou ajoutez des curseurs animés.

1. Cliquez l'onglet **Pointeurs**.

2. Double-cliquez le curseur à modifier dans la liste **Personnaliser** (figure 21-17).

3. Cliquez le nouveau curseur dans la liste (figure 21-16).

    Un exemple s'affiche dans la zone **Aperçu**. Certains curseurs sont animés.

4. Cliquez le bouton **Ouvrir**.

Note Les curseurs de Windows se trouvent dans le dossier C:\ Windows\Cursors. Si vous avez d'autres curseurs, sélectionnez d'abord le dossier qui les contient dans la liste **Rechercher dans**.

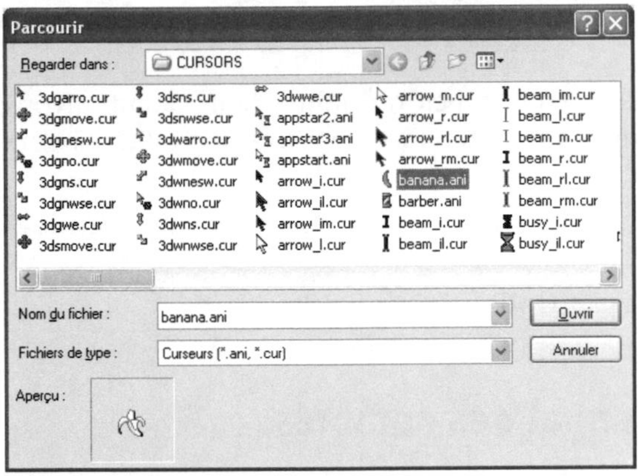

Figure 21-16 Modification d'un curseur.

Pour rétablir les curseurs d'origine :

1. Cliquez le curseur à rétablir dans la liste **Personnaliser** (figure 21-17).

Figure 21-17 Modification des pointeurs de souris.

2. Cliquez le bouton **Par défaut**.

Modifier les options régionales

Windows propose trois types d'options pour adapter votre travail à celui de votre région : les nombres, les valeurs monétaires et les dates.

1. Double-cliquez l'icône **Options régionales et linguistiques** (figure 21-2).

2. Cliquez l'onglet **Options régionales**.

3. Cliquez le bouton **Personnaliser**.

Définir le format des nombres

Les formats des nombres sont utilisés par les applications. Vous devez les modifier pour les adapter à vos habitudes.

1. Cliquez l'onglet **Nombres**.

2. Sélectionnez ou tapez les nouvelles valeurs dans les listes (consultez le tableau 21-1 pour plus de détails).

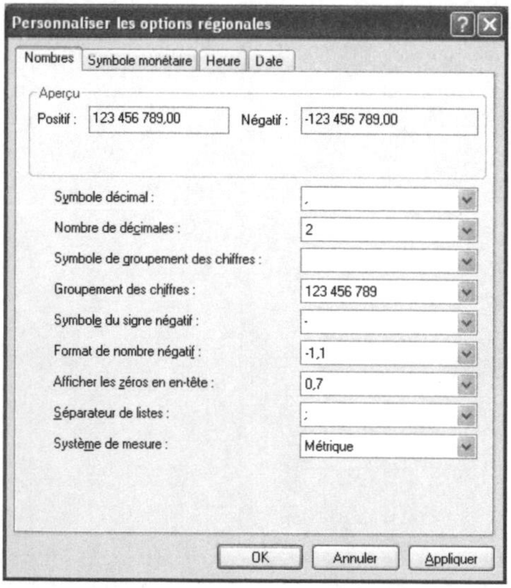

Figure 21-18 Modification du format des nombres.

3. Cliquez le bouton **Appliquer** pour afficher un exemple dans la zone **Aperçu**.

Paramètres	Signification
Symbole décimal	Séparateur des décimales (virgule, point, *etc.*).
Nombre de décimales	Nombre de décimales affichées dans les formats standard.
Symbole de groupement des chiffres	Séparation des groupes de chiffres (espace, point, *etc.*).
Groupement des chiffres	Nombre de chiffres dans un groupe (sélectionnez un exemple dans la liste).
Symbole du signe négatif	Symbole des nombres négatifs (généralement le signe moins).
Format de nombre négatif	Format d'affichage des nombres négatifs (parenthèses en comptabilité).
Afficher les zéros en en-tête	Afficher ou non les zéros non significatifs (par exemple 0,1 ou ,1).
Séparateurs de liste	Séparateur des énumérations essentiellement utilisé pour séparer les paramètres d'une fonction.
Système de mesure	Système de mesure (métrique ou anglo-saxon).

Tableau 21-1 Paramètres des nombres

Définir le format des valeurs monétaires

Les options régionales vous permettent de définir les formats des valeurs monétaires utilisées par les applications.

1. Cliquez l'onglet **Symbole monétaire**.

2. Sélectionnez ou tapez les nouvelles valeurs dans les listes (consultez le tableau 21-2 pour plus de détails).

3. Cliquez le bouton **Appliquer** pour afficher un exemple dans la zone **Aperçu**.

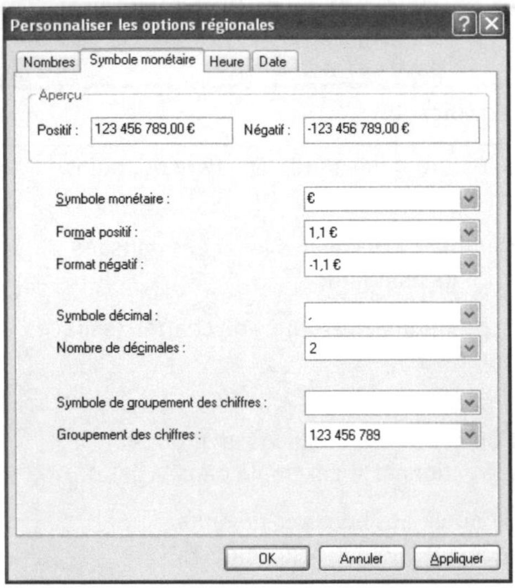

Figure 21-19 Modification des valeurs monétaires.

Paramètres	Signification
Symbole monétaire	Symbole à utiliser dans les valeurs monétaires (€, F, £, $, *etc*.).
Format positif	Position du symbole monétaire dans les nombres positifs.
Format négatif	Position du symbole monétaire dans les nombres négatifs.
Symbole décimal	Séparateur des décimales (virgule, point, *etc*.).
Nombre de décimales	Nombre de décimales dans les valeurs monétaires.
Symbole de groupement des chiffres	Caractère de séparation des groupes de chiffres (espace, point, *etc*.).
Groupement des chiffres	Nombre de chiffres dans un groupe (sélectionnez un exemple dans la liste).

Tableau 21-2 Paramètres des valeurs monétaires

Définir le format des dates et des heures

Pour définir le format des dates et des heures utilisées par les applications, aidez-vous des options régionales.

1. Cliquez l'onglet **Heure**.

2. Sélectionnez ou tapez les nouvelles valeurs dans les listes (consultez le tableau 21-3 pour plus de détails).

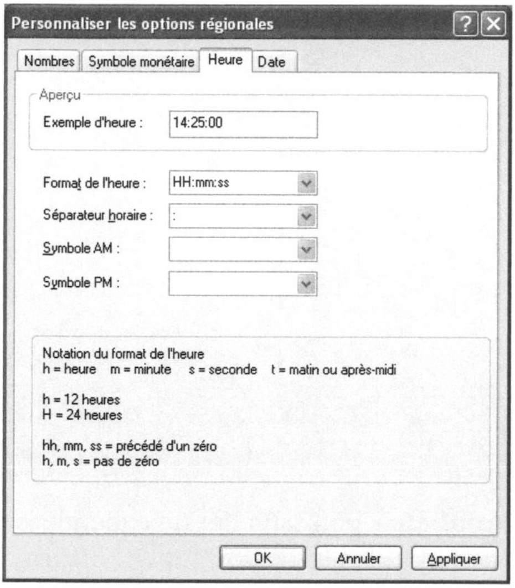

Personnaliser les options régionales

Nombres | Symbole monétaire | Heure | Date

Aperçu
Exemple d'heure :   14:25:00

Format de l'heure :   HH:mm:ss
Séparateur horaire :   :
Symbole AM :
Symbole PM :

Notation du format de l'heure
h = heure   m = minute   s = seconde   t = matin ou après-midi

h = 12 heures
H = 24 heures

hh, mm, ss = précédé d'un zéro
h, m, s = pas de zéro

OK   Annuler   Appliquer

Figure 21-20 Modification des heures.

3. Cliquez le bouton **Appliquer** pour afficher un exemple dans la zone **Aperçu**.

Paramètres	Signification
Format de l'heure	Style d'affichage de l'heure.
Séparateur horaire	Séparateur entre les heures, les minutes et les secondes (deux points, point, *etc.*).
Symbole AM, symbole PM	Symbole utilisé pour les heures avant et après midi.

Tableau 21-3 Paramètres des heures

4. Cliquez l'onglet **Date**.

5. Sélectionnez ou tapez les nouvelles valeurs dans les listes (consultez les tableaux 21-4 et 21-5 pour plus de détails).

Figure 21-21 Modification des dates.

6. Cliquez le bouton **Appliquer** pour afficher un exemple dans la zone **Aperçu**.

Paramètres	Signification
Quand une année sur deux chiffres est entrée, l'interpréter comme une année comprise entre :	Dernière année de référence pour les dates saisies sur deux chiffres. Ce paramètre permet de gérer les problèmes liés au changement de siècles. Pour la valeur 2029 par défaut : la date 30 sera interprétée comme 1930, 99 comme 1999, 0 comme 2000, 15 comme 2015, 29 comme 2029.
Format de date courte	Style d'affichage des dates au format numérique.

Tableau 21-4 Paramètres des dates

Paramètres	Signification
Séparateur de dates	Séparateur des dates au format numérique (/, ., -, *etc.*).
Format de date longue	Style d'affichage des dates en toutes lettres.

Tableau 21-4 Paramètres des dates *(suite)*

Utilisez les symboles du tableau 21-5 pour compléter les zones **Format de date courte** et **Format de date longue**.

Date	Symboles et correspondances (exemple pour le 01/01/2006)
Jour	J = 1, JJ = 01
Jour de la semaine	JJJ = Dim., JJJJ = Dimanche
Mois	M = 1, MM = 01, MMM = Janv., MMMM = Janvier
Années	AA = 06, AAAA = 2006

Tableau 21-5 Paramètres des zones Format de date

Polices de caractères

Double-cliquez l'icône **Polices** (figure 21-2).

Visualiser et imprimer une police

Pourquoi ne donneriez-vous pas un nouveau look à vos documents ? Pour changer de police, visualisez-les, imprimez-les et choisissez.

1. Double-cliquez la police à visualiser.

    Le texte « Voix ambiguë d'un cœur ... » représente toutes les lettres de l'alphabet.

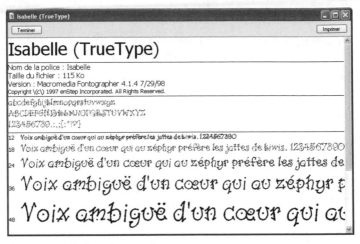

Figure 21-22 Polices de caractères.

2. Cliquez le bouton **Imprimer**.

3. Cliquez le bouton **Terminé**.

Installer une police de caractères

Ne limitez pas vos envies de changement : installez autant de polices qu'il vous plaira.

1. Cliquez le menu **Fichier** → **Installer une nouvelle police**.

2. Sélectionnez le lecteur et le dossier dans les deux listes du bas (figure 21-23).

   Les polices du dossier sélectionné apparaissent dans la liste.

3. Sélectionnez les polices à installer.

> **Note** Utilisez les touches **Maj** et **Ctrl** pour sélectionner plusieurs fichiers comme dans le Poste de travail.

4. Cliquez le bouton **OK** pour installer les polices sélectionnées.

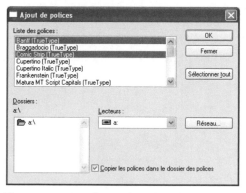

Figure 21-23 Installation de polices de caractères.

Modifier le son

Le son est un élément important des PC d'aujourd'hui. Le Panneau de configuration vous propose une icône pour mieux configurer votre environnement sonore.

Double-cliquez l'icône **Sons et périphériques audio** (figure 21-2).

Modifier la configuration sonore

1. Cliquez l'onglet **Volume**.

2. Cochez la case **Placer l'icône de volume...** si vous désirez modifier le son à partir de la barre des tâches (figure 21-24).

   Le bouton **Paramètres avancés** de la zone **Volume du périphérique** permet d'ouvrir la boîte de la figure 2-21.

3. Cliquez le bouton **Paramètres avancés** de la zone **Paramètre des haut-parleurs**.

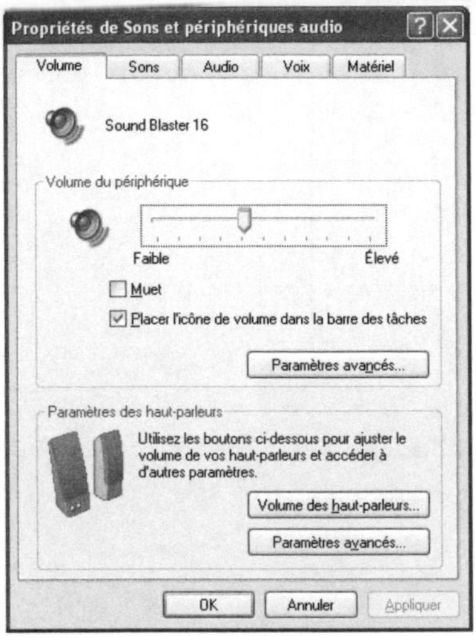

Figure 21-24 Paramètres du volume du son.

4. Sélectionnez dans la liste **Configuration des haut-parleurs** votre configuration sonore.

Figure 21-25 Configuration des haut-parleurs reliés à l'ordinateur.

5. Cliquez le bouton **OK**.

Modifier les sons des événements Windows

À chaque événement (démarrage, question, *etc.*), Windows associe un son. Bien sûr, vous pouvez les modifier selon vos goûts.

Cliquez l'onglet **Sons**.

Écouter un son

Les événements précédés de 🔊 ont un son associé.

1. Cliquez un événement précédé de l'icône 🔊.

   La zone **Sons** affiche le son associé.

2. Cliquez le bouton de lecture ▶ en regard de la zone **Sons** pour l'écouter.

Modifier un son

3. Cliquez un événement dans la liste **Événements**.

4. Sélectionnez dans la liste **Sons** celui à utiliser. Pour supprimer le son actuel, sélectionnez **Aucun** dans cette liste.

Ajouter un son personnalisé

Si les sons proposés par Windows XP ne vous conviennent pas, remplacez-les par vos propres fichiers son.

> **Note** Les sons sont des fichiers au format Wave (extension .wav). Les sons par défaut de Windows se trouvent dans le dossier C:\Windows\Media.

1. Cliquez un événement dans la liste **Événements**.

2. Cliquez le bouton **Parcourir**.

3. Éventuellement, sélectionnez le lecteur et le dossier dans la zone **Regarder dans**.

4. Cliquez le fichier son à utiliser.

5. Cliquez le bouton de lecture ▶ pour écouter le son.

> **Astuce** Pour trouver d'autres sons sur Internet, effectuez une recherche avec les mots clés « son téléchargement » dans un moteur de recherche (par exemple, www.google.fr).

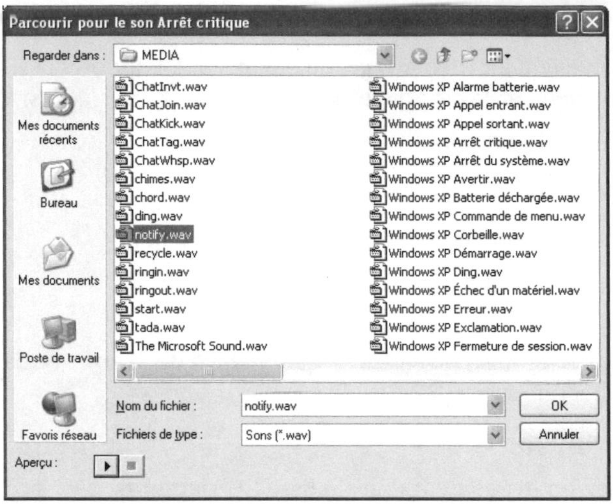

Figure 21-26 Ajout d'un son personnalisé.

6.   Cliquez le bouton **OK**.

Si l'événement n'avait pas de son, il est maintenant précédé de l'icône 🔊.

Astuce Si vous changez souvent les sons, vous pouvez enregistrer la configuration actuelle en cliquant le bouton **Enregistrer sous**. Cette configuration sera ensuite disponible dans la liste **Modèle de sons**.

Paramètres système

L'icône Système permet d'accéder aux options utilisées par Windows pour gérer une multitude de domaines : gestion des périphériques, sauvegarde du système, mise à jour, *etc*. Vous trouverez ici un tour d'horizon de ces possibilités. Chaque élément sera traité séparément dans les chapitres suivants.

Double-cliquez l'icône **Système** (figure 21-2).

Utilisateur et ressources

Cliquez l'onglet **Général**.

Cette boîte affiche la version de Windows, les ressources de votre ordinateur (processeur et mémoire), ainsi que le nom de l'utilisateur enregistré et le nom de la société ou de l'organisme (figure 21-27). Notez que le nom de la version est éventuellement suivi des mises à jour déjà effectuées (Service Pack). Cette information est importante pour vérifier s'il existe une version plus récente.

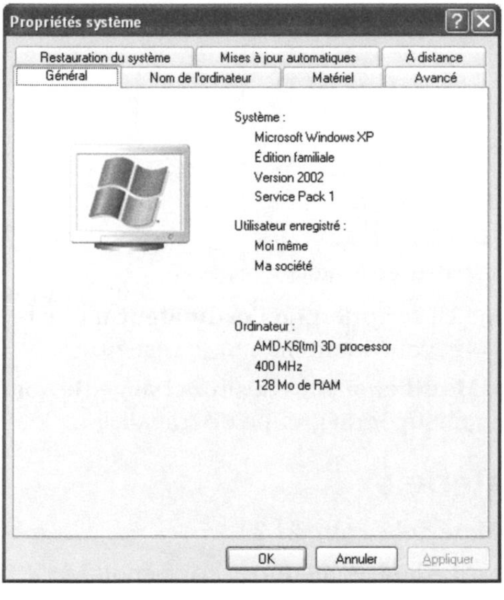

Figure 21-27 Version de Windows et nom d'utilisateur.

Nom de l'ordinateur

1. Cliquez l'onglet **Nom de l'ordinateur**.

   Le nom de votre ordinateur permet son identification sur le réseau. Ce nom est utilisé pour le partage des ressources (dossiers ou imprimantes). Le groupe de travail correspond à l'ensemble des ordinateurs qui partagent leurs ressources.

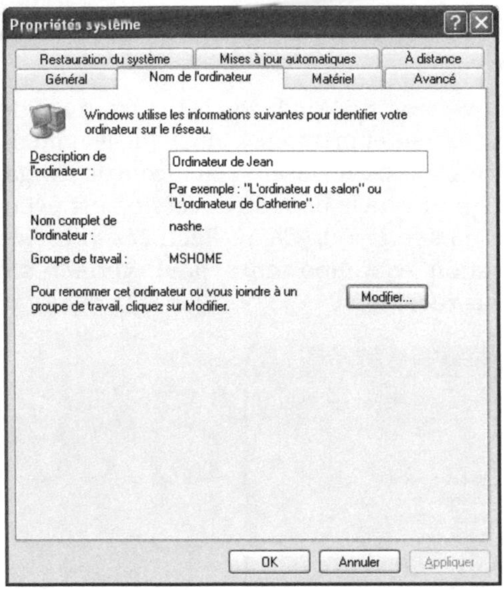

Figure 21-28 Nom de l'ordinateur et du groupe de travail.

2. Tapez dans la zone **Description de l'ordinateur** un texte qui permet de mieux vous identifier sur le réseau.

3. Cliquez le bouton **Modifier** si vous désirez changer le nom de l'ordinateur ou changer de groupe de travail.

Gestion des matériels

1. Cliquez l'onglet **Matériel** (figure 21-29).

   Le bouton **Assistant Ajout de matériel** correspond à l'icône **Ajout de matériel** du Panneau de configuration. Consultez le début de ce chapitre pour ajouter un nouveau matériel à votre ordinateur.

2. Cliquez le bouton **Signature du pilote**.

   Chaque matériel est associé à un programme nommé « pilote ». Pour éviter des problèmes de compatibilité avec Windows XP, il est préférable que les pilotes soient certifiés. Nous vous recommandons de cocher l'option **Avertir**, ce qui permet de choisir, lors de l'installation

d'un nouveau matériel, si un pilote non certifié doit être
ou non installé.

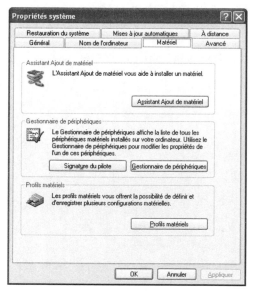

Figure 21-29 Accès aux modifications du matériel.

3.   Cochez une des options proposées (figure 21-30).

Figure 21-30 Options des pilotes.

4. Cliquez le bouton **OK**.

   Le bouton **Gestionnaire de périphériques** permet de connaître les matériels installés dans votre ordinateur et, éventuellement, de les dépanner. Consultez à ce sujet le chapitre 22.

5. Cliquez le bouton **OK** dans la boîte Propriétés système.

Dépanner et maintenir en forme votre ordinateur

Comme votre voiture, votre ordinateur a besoin d'un entretien régulier. Cela évite le désagrément des pannes. Windows inclut un programme de sauvegarde de ses fichiers et de la configuration actuelle pour redémarrer sans problème votre ordinateur si vous devez rencontrer un jour des dysfonctionnements. Ce chapitre vous explique aussi comment gagner de la place sur votre disque dur, vérifier son intégrité ou le rendre plus rapide.

Dans ce chapitre

- Mettre à jour Windows et les pilotes
- Sauvegarder et restaurer Windows

- Vérifier l'intégrité d'un disque
- Réorganiser les données d'un disque
- Nettoyer un disque

Mettre à jour Windows XP

Pour être toujours à la pointe de la technologie et corriger des erreurs de jeunesse, mettez à jour Windows et ses applications. Ces corrections régulières permettent aussi d'éviter certains virus et des failles de sécurité.

Mises à jour manuelles

1. Cliquez le bouton **démarrer** ➔ **Tous les programmes** ➔ **Windows Update**.

   À partir du site, Windows analyse votre ordinateur pour définir les éléments à mettre à jour.

   Le site propose deux solutions. Soit vous mettez systématiquement votre ordinateur à jour avec les nouveautés, soit vous choisissez uniquement celles qui vous semblent nécessaires.

2. Cliquez le bouton **Rapide** pour une mise à jour systématique des éléments indispensables, ou alors cliquez le bouton **Personnalisée** (figure 22-1).

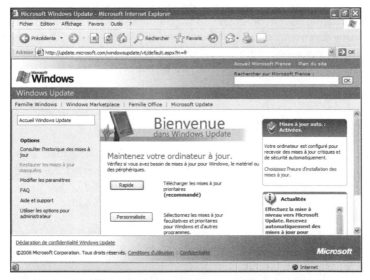

Figure 22-1 Mise à jour de votre ordinateur avec Windows Update.

Si vous avez choisi de définir vous-même les éléments à installer, une nouvelle page s'affiche.

3.   Vérifiez dans la liste proposée les éléments à mettre à jour. Décochez celles que vous ne désirez pas installer (figure 22-2).

4.   Cliquez le bouton **Vérifier et installer les mises à jour**.

5.   Cliquez **Installer les mises à jour**

6.   Suivez les indications du site.

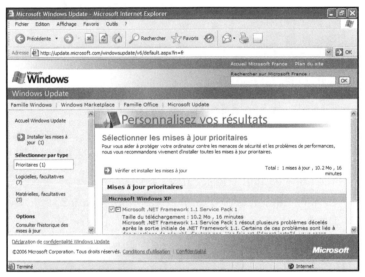

Figure 22-2 Choix des mises à jour.

Mises à jour automatiques

Si des mises à jour sont déjà téléchargées, Windows affiche l'icône ▨ dans la barre des tâches (zone de notification à côté de l'horloge). Cliquez-la pour lancer Windows Update.

1.   Comme pour la mise à jour manuelle, cochez le type d'installation (figure 22-3).

2.   Suivez les instructions de l'assistant de mise à jour.

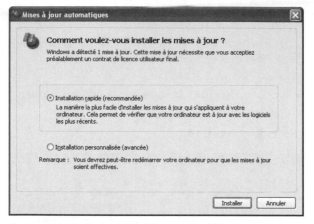

Figure 22-3 Choix des mises à jour automatiques.

Activer la mise à jour de Windows

Si vous avez installé la version Service Pack 2 de Windows XP (voir section suivante), vous pouvez activer la mise à jour automatique du système d'exploitation, au moyen d'un module appelé Centre de sécurité.

1. Cliquez **démarrer → Panneau de configuration**.
2. Double-cliquez **Centre de sécurité** (figure 22-4).

Figure 22-4 Icône du Centre de sécurité dans le Panneau de configuration.

La fenêtre du Centre de sécurité apparaît. Cette fenêtre vous indique l'état des trois points essentiels de sécurité de votre ordinateur : Pare-feu, Mises à jour automatiques et Protection antivirus. Tant que ces trois éléments ne sont pas actifs, l'icône s'affiche dans la zone de notification (à côté de l'horloge). Consultez le chapitre 23 pour plus d'informations.

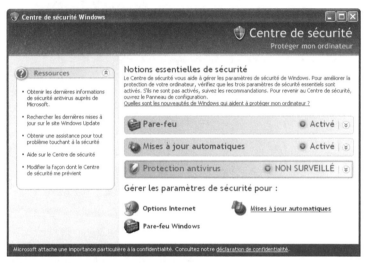

Figure 22-5 Fenêtre du Centre de sécurité.

3. Cliquez **Mises à jour automatiques**.

Note Les mises à jour sont effectuées *via* Internet. Vous devez être régulièrement connecté pour en bénéficier.

4. Cliquez une des trois premières solutions proposées. Ne cochez pas la dernière option qui désactive les mises à jour.

5. Si vous avez cliqué **Installation automatique...**, choisissez le jour et l'heure dans ces zones.

6. Cliquez **OK**.

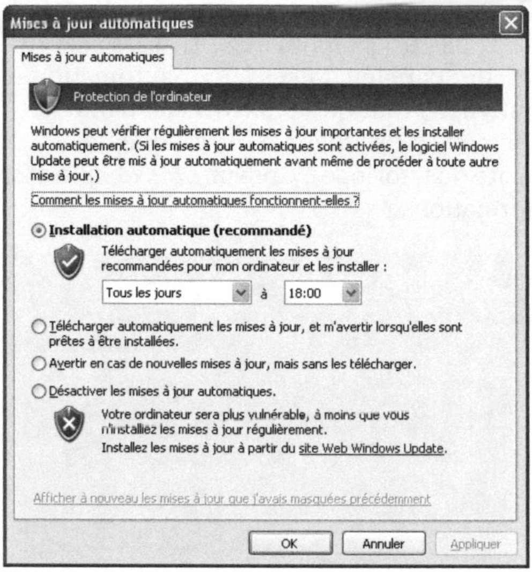

Figure 22-6 Réglage des mises à jour automatiques.

Service Pack 2

Ce pack de logiciels met à jour Windows XP avec les dernières nouveautés. Il permet, entre autres, de mieux protéger votre ordinateur lors de la navigation sur Internet. Windows Update vous proposera de l'installer lors des mises à jour manuelles ou automatiques. Si ce n'est pas encore le cas, allez directement sur le site (menu **démarrer → Tous les programmes → Windows Update**) puis recherchez le lien correspondant dans la page d'accueil.

CONNAÎTRE LA VERSION INSTALLÉE DE WINDOWS XP

Pour savoir si le Service Pack 2 est installé, affichez les propriétés système. Pour cela, tapez simplement le raccourci ▓⊞+**Pause.** La boîte de la figure 22-7 affiche la version de Windows et le dernier Service Pack installé, ainsi que des informations générales comme la vitesse du processeur ou la taille de la mémoire vive.

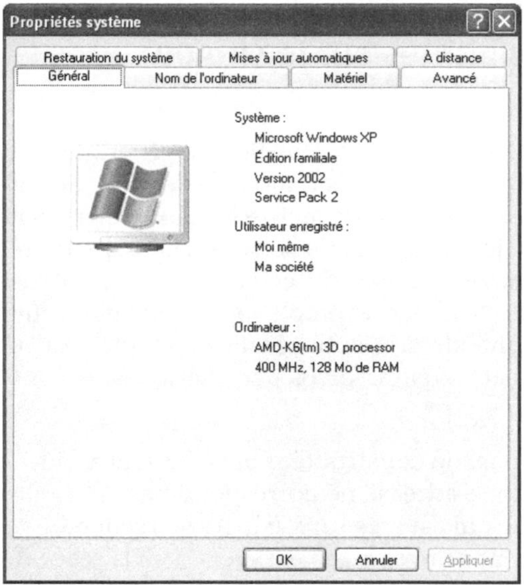

Propriétés système

| Restauration du système | Mises à jour automatiques | À distance |
| Général | Nom de l'ordinateur | Matériel | Avancé |

Système :
    Microsoft Windows XP
    Édition familiale
    Version 2002
    Service Pack 2

Utilisateur enregistré :
    Moi même
    Ma société

Ordinateur :
    AMD-K6(tm) 3D processor
    400 MHz, 128 Mo de RAM

[OK] [Annuler] [Appliquer]

Figure 22-7 Version de Windows installée sur l'ordinateur.

Mettre à jour les pilotes

Comme pour la mise à jour de Windows, l'actualisation des pilotes de vos périphériques permet de corriger des erreurs de jeunesse.

Définition Pilote (*driver* en anglais). Logiciel qui gère un périphérique. À chaque périphérique correspond un pilote précis, pour une version précise de Windows.

Actualiser des pilotes sur le site du constructeur

À l'installation, Windows utilise les pilotes génériques du CD-ROM qui ne correspondent pas toujours à l'attente des utilisateurs. Ces pilotes ne sont pas à mettre en cause, mais ils ne sont pas toujours à jour. De plus, ils ne sont pas toujours très pratiques. C'est souvent le cas de ceux qui proposent des paramètres modifiables, par exemple pour configurer une imprimante. Pour obtenir un pilote récent et adapté, consultez les sites des constructeurs de vos périphériques.

1. Ouvrez Internet Explorer.
2. Tapez www., le nom du constructeur puis .com, et appuyez sur **Entrée**. Si cette adresse ne correspond pas au constructeur, ce qui est très rare, faites une recherche avec Google. Vous pouvez aussi essayer .fr à la place de .com.
3. Recherchez la page Pilotes, Drivers, Téléchargement ou Download.
4. Recherchez la référence de votre périphérique et la version de Windows que vous utilisez.
5. Téléchargez le nouveau pilote et suivez les instructions d'installation (figure 22-8).

Conseil Téléchargez uniquement un driver prévu pour votre version de Windows. N'installez pas, par exemple, un pilote pour Windows 98 si votre machine est équipée de Windows XP. Il y a, de toute façon, de fortes chances que Windows XP refuse cette installation.

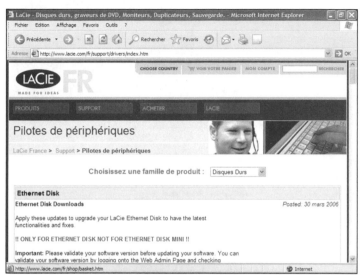

Figure 22-8 Mise à jour d'un pilote de périphérique sur le site d'un constructeur.

Actualiser des pilotes avec Windows Update

Le site de Microsoft permet aussi de mettre à jour les pilotes de vos périphériques. L'avantage, ici, est de connaître les mises à jour indispensables de tous vos périphériques sans avoir à les chercher un à un sur les sites des constructeurs.

1. Cliquez le bouton **démarrer** → **Tous les programmes** → **Windows Update**.

2. Cliquez le bouton **Rechercher des mises à jour**.

3. Dans la liste de gauche, cliquez le bouton **Mise à jour de pilotes**.

4. Vérifiez la liste des pilotes proposés dans la liste de droite.

5. Éventuellement, cliquez le lien **Matériels pris en charge** pour vérifier s'ils correspondent bien à ceux qui sont installés dans votre ordinateur.

6. Cliquez les boutons **Ajouter** pour les pilotes à installer.

7. Cliquez le bouton **Examiner les mises à jour et les installer**.

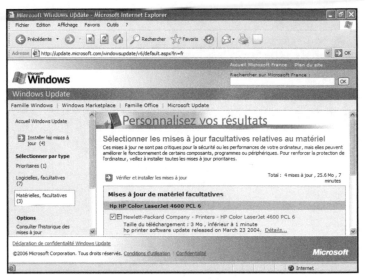

Figure 22-9 Mise à jour de pilotes de périphériques avec Windows Update.

8. Cliquez le bouton **Installer maintenant**.

9. Suivez les indications de l'assistant.

Sauvegarder et restaurer Windows

Si vous constatez des dysfonctionnements dans Windows, il est nécessaire de restaurer le système. Cela peut survenir après l'installation d'un logiciel ou le branchement d'un nouveau matériel.

Avant d'en arriver là, pensez à créer régulièrement des points de restauration.

Créer un point de restauration

Votre ordinateur fonctionne sans soucis ? C'est le moment de créer un point de restauration au cas où Windows se trouverait ultérieurement déréglé.

1. Cliquez le bouton **démarrer** → **Tous les programmes** → **Accessoires** → **Outils système** → **Restauration du système**.

2. Cochez l'option **Créer un point de restauration**.

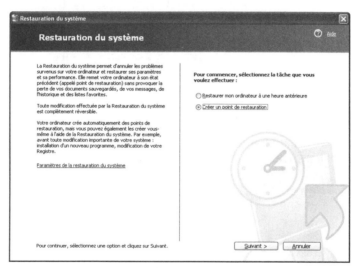

Figure 22-10 Assistant de restauration.

3. Cliquez le bouton **Suivant**.

4. Dans la zone **Description...**, tapez un nom pour le point de restauration.

5. Cliquez le bouton **Créer**.

> **Conseil** Windows crée périodiquement des points de restauration, mais il est plus prudent de choisir vous-même le moment.

6. Après la sauvegarde du système, cliquez le bouton **Fermer**.

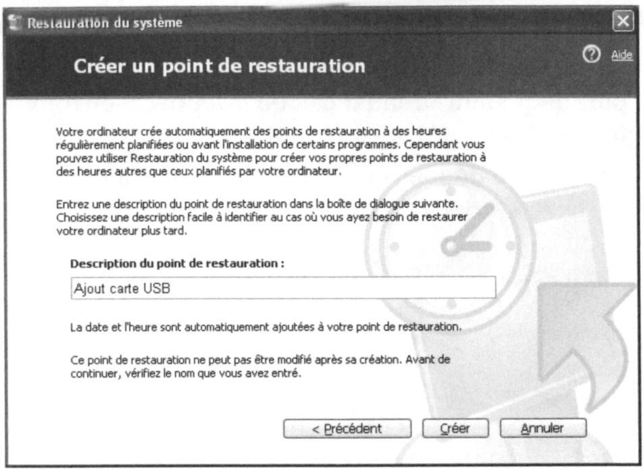

Figure 22-11 Création d'un point de restauration.

Restaurer Windows

Windows est subitement déréglé ? Restaurez-le avec des paramètres antérieurs.

Attention ! Windows supprime les programmes et les pilotes des matériels dont l'installation a été effectuée depuis le point de restauration. Ne restaurez donc votre ordinateur qu'en cas de gros problèmes. Vous serez peut-être amené à réinstaller certains logiciels.

1. Cliquez le bouton **démarrer** → **Tous les programmes** → **Accessoires** → **Outils système** → **Restauration du système**.

2. Cochez l'option **Restaurer mon ordinateur...** (figure 22-10).

3. Cliquez le bouton **Suivant**.

    Windows affiche les points de restauration sous forme de calendrier.

4. Cliquez une des dates en gras dans le calendrier.

5. Cliquez un des points de restauration dans la liste de droite.

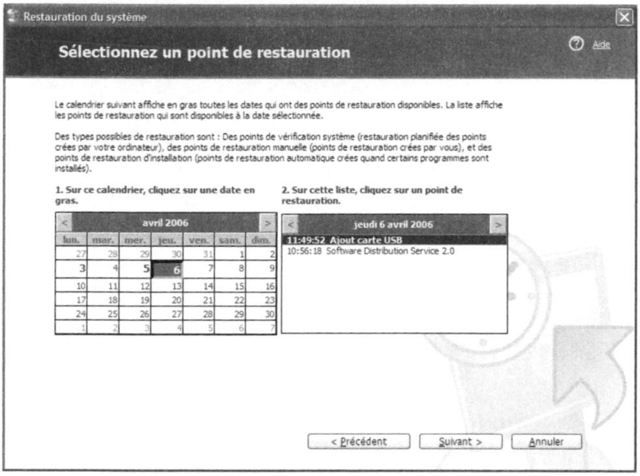

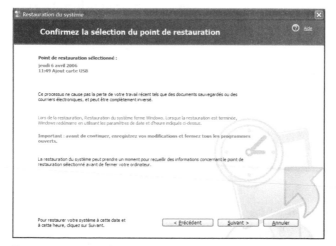

Figure 22-12 Restauration de Windows.

6.   Cliquez le bouton **Suivant**.

La boîte qui s'affiche vous informe sur les modifications apportées à votre ordinateur (figure 22-13). Lisez attentivement les recommandations avant de poursuivre la restauration de Windows.

Figure 22-13 Boîte d'avertissement avant la restauration.

7.   Cliquez le bouton **Suivant** pour lancer la restauration.

Après le redémarrage de l'ordinateur, cliquez simplement le bouton **OK** dans la boîte de dialogue qui vous indique que le système a été restauré.

> **Note** Vous pouvez annuler la restauration et retrouver vos paramètres actuels. Relancez tout simplement le programme de restauration. La première boîte de dialogue de l'assistant vous proposera l'option **Annuler ma dernière restauration.**

Vérifier l'intégrité du disque dur

Des erreurs peuvent apparaître après un arrêt brutal de l'ordinateur, suite à une coupure de courant, par exemple. Dans ce cas, Windows contrôle les disques au redémarrage. Effectuez cependant des vérifications régulièrement si vous avez des doutes.

1. Ouvrez le **Poste de travail**.
2. Cliquez avec le bouton droit de la souris le disque à vérifier.
3. Cliquez la commande **Propriétés** dans le menu contextuel.
4. Dans la boîte Propriétés, cliquez l'onglet **Outils** (figure 22-14).

Figure 22-14 Outils de maintenance des disques.

5. Cliquez le bouton **Vérifier maintenant**.

6. Dans la boîte Vérification du disque, cochez les options **Réparer automatiquement…** et **Rechercher et tenter…** (figure 22-15).

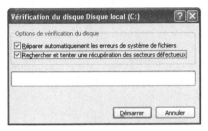

Figure 22-15 Vérification d'un disque.

7. Cliquez le bouton **Démarrer**.

   Si vous cochez l'option **Réparer automatiquement…**, la vérification sera effectuée au prochain démarrage de Windows car elle teste aussi des fichiers en cours d'utilisation.

Figure 22-16 Boîte d'avertissement avant vérification d'un disque.

8. Si la boîte de la figure 22-16 s'affiche, cliquez le bouton **Oui**. La vérification ne sera effectuée qu'au prochain démarrage de Windows.

Réorganiser les données d'un disque

À force d'ajouts, de suppressions et de modifications, les fichiers se trouvent répartis dans des blocs non contigus : votre disque est fragmenté et il a perdu en rapidité. Défragmentez-le régulièrement (consultez l'encadré suivant, « Pourquoi défragmenter un disque ? »).

1. Cliquez **démarrer → Tous les programmes → Accessoires → Outils système → Défragmenteur de disque**.

> **Note** Vous pouvez aussi lancer la défragmentation à partir du Poste de travail. Cliquez avec le bouton droit le disque, puis cliquez **Propriétés** dans le menu contextuel. Cliquez ensuite l'onglet **Outils** puis le bouton **Défragmenter maintenant** (figure 22-14).

2. Si vous avez plusieurs disques, cliquez celui à défragmenter dans la liste du haut.

3. Cliquez le bouton **Défragmenter**.

Figure 22-17 Défragmentation du disque dur.

La défragmentation commence. Si le disque est très fragmenté, elle peut prendre plusieurs heures. Pour éviter cela, lancez régulièrement ce programme.

4. Cliquez le bouton **Fermer** après la défragmentation. Cliquez le bouton **Afficher le rapport** pour obtenir des informations précises sur les fichiers non défragmentés.

POURQUOI DÉFRAGMENTER UN DISQUE ?

Un disque dur étant constitué de blocs (*clusters*), les nouvelles données sont enregistrées les unes à la suite des autres dans ces blocs.

Il est donc indispensable de réorganiser régulièrement les fichiers de vos disques durs. Le Défragmenteur de disque permet de reconstituer les fichiers fragmentés et de regrouper les blocs inoccupés. Par conséquent, il peut aussi faire apparaître des blocs libres.

Les documents modifiés créent des blocs libres si leur taille diminue, ou sont éparpillés dans des blocs non contigus si leur taille augmente. Prenons l'exemple d'un nouveau document enregistré sur le disque. Windows place le document dans les premiers blocs libres :

Anciennes données	Nouveau document	Blocs libres

Maintenant, si vous installez une nouvelle application, celle-ci vient à la suite du document :

Anciennes données	Document	Nouvelle application	Blocs libres

Si vous décidez de réduire la taille de votre document, un ou plusieurs nouveaux blocs libres apparaissent entre le document et l'application :

Anciennes données	Document	Bloc(s) libre(s)	Application	Blocs libres

Mais si vous décidez d'augmenter la taille du document, celui-ci sera scindé en deux parties. Le document est fragmenté :

Anciennes données	Début du document	Application	Suite du document	Blocs libres

Nettoyer un disque

Beaucoup de programmes utilisent des fichiers temporaires. C'est le cas, notamment, des fichiers Internet utilisés par Internet Explorer. Ces fichiers sont conservés sur le disque dur tant que vous ne demandez pas à les supprimer. Pour libérer de la place, vous devez régulièrement supprimer ces fichiers.

> **Note** S'il n'y a vraiment plus de place sur votre disque, Windows vous proposera automatiquement de le nettoyer.

1. Cliquez le bouton **démarrer** → **Tous les programmes** → **Accessoires** → **Outils système** → **Nettoyage de disque**.

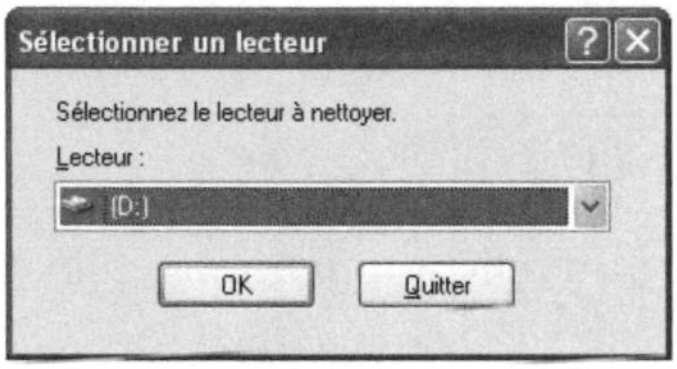

Figure 22-18 Sélection du disque à nettoyer.

2. Si vous avez plusieurs disques durs, choisissez dans la boîte **Sélectionner un lecteur** (figure 22-18) celui à nettoyer, puis cliquez le bouton **OK**.

   La boîte Nettoyage de disque affiche la liste des fichiers que vous pouvez supprimer.

3. Cliquez un type de fichiers pour afficher en bas de la boîte une description et des conseils.

4. Cochez les types de fichiers à supprimer (figure 22-19).

5. Cliquez le bouton **OK**.

6. Cliquez le bouton **Oui** dans la boîte Nettoyage de disque pour confirmer les suppressions.

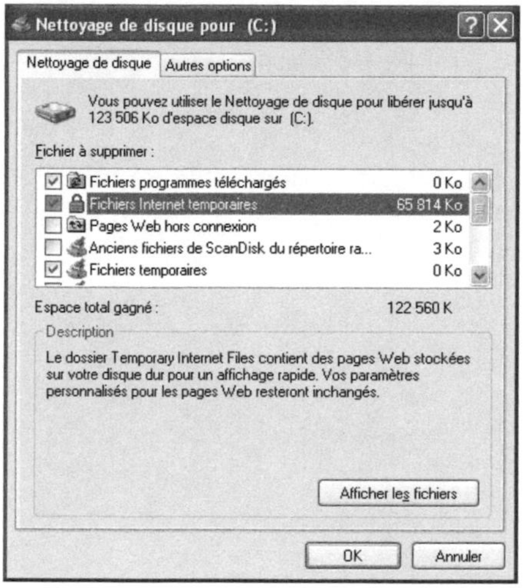

Figure 22-19 Choix des fichiers à supprimer du disque dur.

Sécuriser votre ordinateur

Les connexions à Internet ne sont pas sans danger : virus, accès à des données confidentielles, espionnage de votre navigation, publicités non désirées, *etc.* Pour éviter cela, il est nécessaire de se protéger. C'est d'autant plus vrai si vous êtes connecté en permanence par le câble ou une ligne ADSL, car cela laisse du temps à des personnes mal intentionnées pour accéder à votre ordinateur.

Si vous désirez utiliser Internet en toute quiétude, ce chapitre vous est destiné. Outre les protections indispensables comme un logiciel antivirus et un pare-feu, vous trouverez ici des solutions pour éliminer les spywares et les fenêtres pop-up, et apprendrez à utiliser le Centre de sécurité.

Dans ce chapitre

- Se protéger des virus
- Supprimer les logiciels malveillants
- Supprimer les spywares

- Bloquer les fenêtres pop-up
- Installer un pare-feu
- Sécuriser la navigation
- Gérer les cookies

Utiliser le Centre de sécurité

Avec le Service Pack 2 (SP2), Windows propose un Centre de sécurité pour gérer et vérifier l'ensemble des protections. Pour vous assurer que votre ordinateur est bien protégé, consultez-le.

> **Note** Pour savoir si le Service Pack 2 est installé sur votre ordinateur, consultez le début du chapitre 22 (encadré « Connaître la version installée de Windows XP »).

1. Cliquez le bouton **démarrer** → **Panneau de configuration**.

2. Cliquez ou double-cliquez l'icône **Centre de sécurité** (figures 21-1 et 21-2).

La fenêtre de la figure 23-1 indique l'état des trois points essentiels de sécurité de votre ordinateur : Pare-feu, Mise à jour et Antivirus. Tant que ces trois éléments ne sont pas actifs, l'icône ⊠ s'affiche dans la barre de notification (à côté de l'horloge).

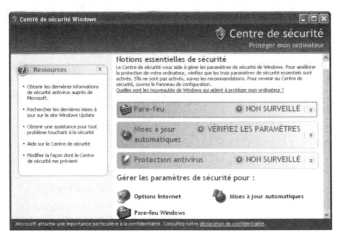

Figure 23-1 Centre de sécurité.

Activer le pare-feu

Le pare-feu évite que des personnes non autorisées prennent le contrôle de votre ordinateur *via* Internet. Vous pouvez utiliser celui proposé par Windows XP ou en installer un autre (voir plus loin dans ce chapitre).

1. Cliquez le lien **Pare-feu Windows** (figure 23-1).

2. Cochez l'option **Activer** pour utiliser le pare-feu de Windows XP (figure 23-2).

3. Si vous avez coché **Activé**, cochez **Ne pas autoriser d'exceptions** si vous utilisez un réseau public.

4. Cochez **Désactiver** si vous avez déjà un pare-feu.

Note Consultez aussi le paragraphe « Installer un pare-feu », plus loin dans ce chapitre.

Figure 23-2 Gestion du pare-feu.

5. Cliquez le bouton **OK**.

Si vous utilisez un autre pare-feu que celui de Windows XP, le Centre de sécurité considère que vous n'êtes pas protégé.

1. Cliquez le bouton 🛡 de la zone **Pare-feu**.
2. Cliquez le bouton **Recommandations**.
3. Cochez la case **J'ai une solution pare-feu...** (figure 23-3).

Figure 23-3 Gestion d'un autre pare-feu.

4. Cliquez le bouton **OK**.

Activer la mise à jour de Windows

Pour être toujours informé des nouvelles mises à jour, Windows peut se connecter directement au site de Microsoft pour télécharger les derniers correctifs et mieux protéger votre ordinateur.

1. Cliquez le lien **Mises à jour automatiques** (figure 23-1).

Note Les mises à jour sont effectuées *via* Internet. Vous devez être régulièrement connecté pour en bénéficier. Pour gérer les mises à jour, consultez le chapitre 22.

2. Cliquez une des trois premières solutions proposées. Ne cliquez pas la dernière option qui désactive les mises à jour.

3. Si vous avez coché **Installation automatique**, choisissez le jour et l'heure dans les zones au-dessous (figure 23-4).

4. Cliquez le bouton **OK**.

Figure 23-4 Activation des mises à jour.

Vérifier l'antivirus

Windows ne propose pas d'antivirus. Vous devez uniquement indiquer au Centre de sécurité que vous avez un antivirus à jour.

> **Note** Consultez le paragraphe « Se protéger des virus », un peu plus loin dans ce chapitre.

1. Cliquez le bouton ⊗ de la zone Protection antivirus (figure 23-1).

2. Cliquez le bouton **Recommandations**.

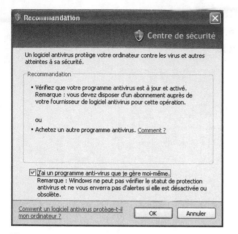

Figure 23-5 Gestion du logiciel antivirus.

3. Cochez la case **J'ai un programme anti-virus…**.

4. Cliquez le bouton **OK**.

> **Note** Si votre ordinateur est protégé, l'icône 🛡 ne s'affiche plus dans la zone de notification (à côté de l'horloge).

Se protéger des virus

À moins que vous n'utilisiez pas Internet ou un autre réseau, votre PC sera peut-être un jour confronté à des virus. Comme il en existe de nouveaux tous les mois, il est nécessaire d'installer un logiciel antivirus qui soit mis à jour périodiquement.

> **Définition** **Virus.** Programme qui modifie intentionnellement le contenu de votre ordinateur dans le but de l'empêcher de fonctionner normalement. Certains virus suppriment vos documents ou les expédient à d'autres personnes par voie de messageries.

Il existe principalement deux causes pour que votre ordinateur soit contaminé par un virus :

- **Les réseaux.** C'est le chemin préféré des virus, car ils peuvent contaminer une grande quantité d'ordinateurs en quelques minutes. Cela concerne tous les réseaux, que ce soit Internet ou celui d'une entreprise. S'il est plutôt rare d'être contaminé en naviguant sur le Web, la messagerie, par contre, subit des attaques très fréquentes et de grande ampleur.

- **Les disquettes et tous les supports amovibles en général.** Ce sont des supports auxquels on ne pense pas toujours. Même si vous connaissez la provenance d'une disquette, il est préférable de la vérifier avec un antivirus avant de l'utiliser. Le problème se pose moins avec les CD-ROM qui font l'objet de contrôle avant d'être mis sur le marché. Méfiez-vous cependant des CD-R (CD gravés) et des CD-RW (CD réinscriptibles).

Installer un antivirus

Nous vous conseillons donc vivement d'installer un logiciel antivirus, et particulièrement si vous utilisez Internet et la messagerie.

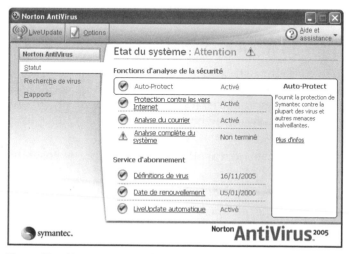

Figure 23-6 Norton AntiVirus de Symantec : sa mise à jour est automatique dès que vous vous connectez à Internet.

Il existe beaucoup d'antivirus sur le marché. Parmi les plus connus, citons Symantec Norton AntiVirus, McAfee VirusScan ou Kaspersky Antivirus.

Choisissez en priorité un antivirus qui se met à jour automatiquement dès que vous vous connectez à Internet. Ainsi, vous serez protégé en permanence.

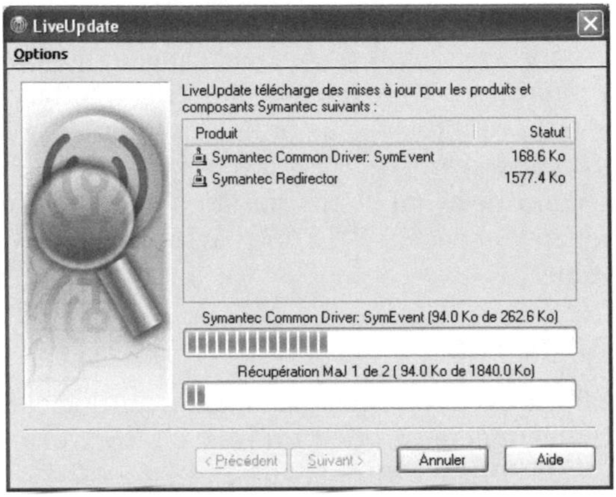

Figure 23-7 Mise à jour automatique de la liste des virus et de leurs antidotes *via* Internet.

Vérifier un fichier

Dès que vous enregistrez un fichier sur votre disque dur, soit à partir d'un téléchargement, soit provenant d'une pièce jointe d'un message électronique, il y a lieu d'être prudent. Si vous avez des doutes sur un fichier, vous pouvez le vérifier avec votre antivirus.

1. Ouvrez le **Poste de travail** (bouton **démarrer** → **Poste de travail**).

2. Sélectionnez le dossier qui contient le fichier.

3. Cliquez avec le bouton droit de la souris le fichier à vérifier (figure 23-8). Ne le double-cliquez pas !

4. Cliquez dans le menu contextuel la commande de vérification de fichiers de votre antivirus. Au besoin, consultez l'aide en ligne de ce dernier.

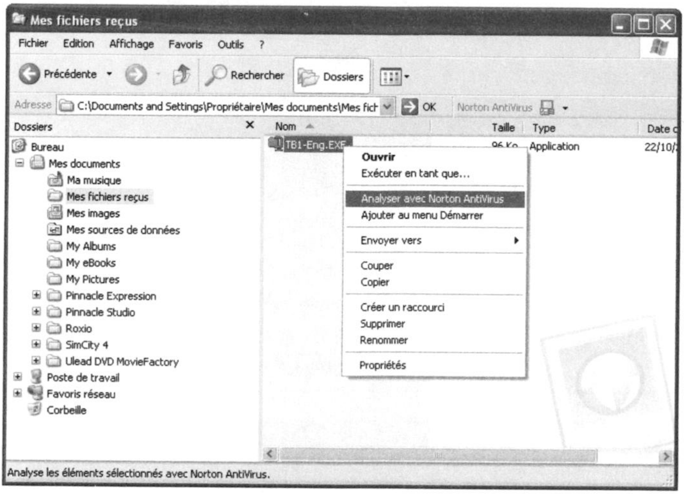

Figure 23-8 Vérification d'un fichier avec un antivirus.

Installer un logiciel à partir d'Internet

Lors d'une simple navigation sur le Web, il peut arriver qu'un site tente d'installer un programme sur votre ordinateur. Windows ouvre alors une boîte de dialogue comme celles de la figure 23-9 (version standard en haut et version SP2 en bas). Elle permet de vérifier l'origine du programme et, donc, de connaître son auteur. Pour une vérification approfondie, cliquez les liens proposés dans la boîte d'avertissement de sécurité.

Conseil Méfiez-vous des boîtes de dialogue qui ne correspondent pas à celles de la figure 23-9, même si elles vous proposent un bouton **Oui** et un bouton **Non** pour l'installation. Il est possible que le bouton **Non** effectue quand même l'installation. Le plus simple dans ce cas est de cliquer avec le bouton droit dans la barre des tâches le bouton correspondant à la boîte de dialogue, et de choisir la commande **Fermer**.

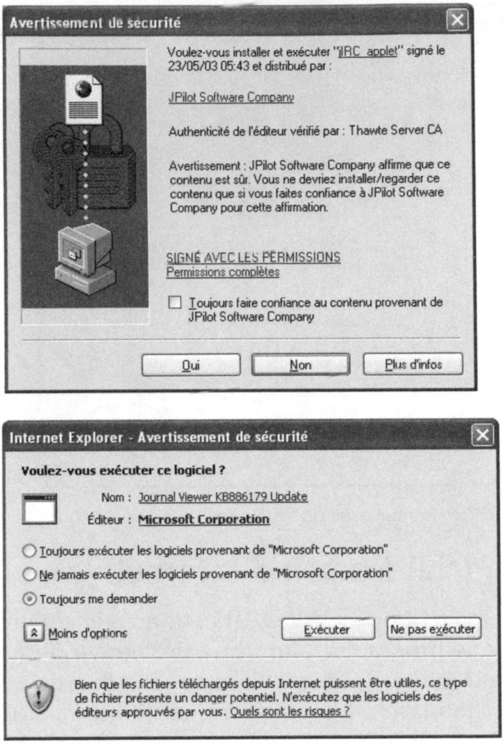

Figure 23-9 Boîte d'avertissement en cas d'installation ou d'exécution d'un programme (versions standard et SP2).

Supprimer les logiciels malveillants

Comme nous l'avons vu plus haut dans ce chapitre, Windows XP ne propose pas d'antivirus. Si vous n'en possédez pas, il est impératif d'installer l'outil de suppression des logiciels malveillants proposé sur le site de Microsoft. Il se charge de supprimer les logiciels qui attaquent les failles de sécurité de Windows XP, comme les virus Blaster, Sasser ou Mydoom.

Attention ! Cet outil n'est pas un antivirus. Il est à utiliser en complément d'un antivirus mis à jour régulièrement, voire quotidiennement.

Téléchargez cet outil à l'adresse `www.microsoft.com/france/securite/outils/malware.mspx`, ou faites une recherche avec le mot clé « malware » sur le site `www.microsoft.com/France/`.

Figure 23-10 Page de téléchargement de l'outil de suppression des logiciels malveillants.

Dans la page Web de la figure 23-10, cliquez le bouton **Vérifier si mon PC est infecté**, puis suivez les instructions de l'assistant d'installation.

Note Pour installer manuellement cet outil, allez dans la page de téléchargement du site de Microsoft.

Après l'installation, l'outil affiche un rapport sur les virus éventuellement détectés (figure 23-11).

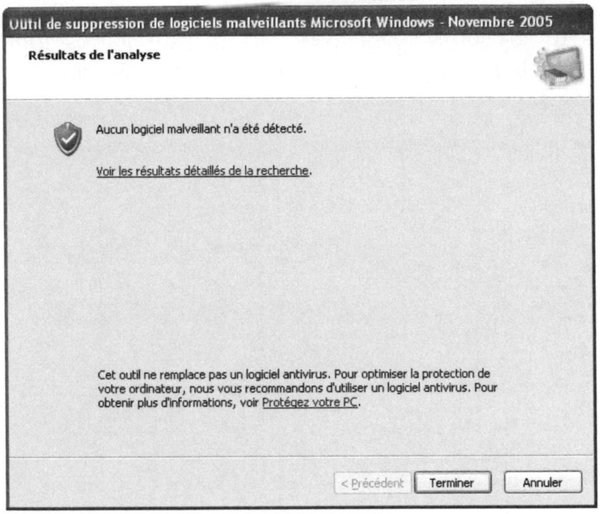

Figure 23-11 Rapport de l'outil de suppression de logiciels malveillants.

Supprimer les spywares

Bien qu'interdit par la loi « Informatique et liberté » (c'est une atteinte à votre vie privée), les spywares se répandent de plus en plus. Sachez que la plupart des logiciels de peer-to-peer installent un spyware.

Définition **Spywares.** Aussi appelés *trackwares,* ce sont des logiciels installés généralement à votre insu et qui espionnent votre navigation sur Internet dans un but commercial.

Même en prenant des précautions, on finit toujours par être victime des spywares. Ne vous êtes-vous jamais demandé pourquoi Internet Explorer affiche déjà des fenêtres de publicité avant même que vous ne commenciez à naviguer ? Pourquoi avez-vous systématiquement la même publicité, lors de votre navigation et, de surcroît, dans une langue étrangère ? La réponse est simple : vous êtes victime d'un spyware !

Comme les virus, ces logiciels gênants peuvent se supprimer. Nous vous conseillons de télécharger le freeware Ad-aware de

la société Lavasoft à l'adresse www.lavasoft.de/french/.
Téléchargez aussi le « Languagepack » pour franciser le logiciel.

Ad-aware ne se contente pas de supprimer les spywares. Ce
logiciel « nettoie » aussi la base de registre et efface les cookies indésirables (Pour connaître le rôle des cookies et leur
gestion, consultez la section « Gérer les cookies », plus loin
dans ce chapitre.)

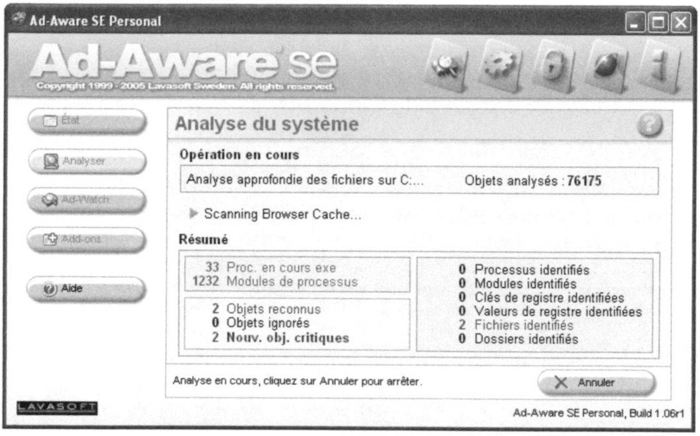

Figure 23-12 Suppression des spywares par Ad-aware.

Note Microsoft propose lui aussi un antispyware. En version de
test et en anglais au moment où nous écrivons ces lignes,
vous pouvez le télécharger sur le site www.micro-
soft.com en effectuant une recherche sur le mot clé
« antispyware ».

Bloquer les fenêtres pop-up

Les pop-up sont des petites fenêtres, généralement publicitaires, qui s'ouvrent quand vous naviguez sur le Web. Certains
sites abusent tellement de cette technique qu'il devient très
difficile de naviguer en toute sérénité.

Pour vous débarrasser de ces fenêtres, il existe bien sûr des logiciels. Nous vous proposons ici deux solutions.

Supprimer les pop-up avec Windows

Si vous avez installé le Service Pack 2 (voir début du chapitre 22), Internet Explorer intègre une fonction d'élimination des fenêtres pop-up.

1. Cliquez le menu **Outils → Bloqueur de fenêtre intempestive → Activer le bloqueur de fenêtres....**

> *Note* Si le bloqueur est déjà actif, le menu propose la commande **Désactiver le bloqueur....**

Dès qu'un site affiche une fenêtre pop-up, une barre d'information vous signale que cette dernière est bloquée. La première fois, une boîte indique son fonctionnement.

Figure 23-13 Suppression des pop-up avec Internet Explorer.

2. Cochez la case **Ne plus afficher ce message**.
3. Cliquez le bouton **OK**.
4. Si vous désirez quand même afficher la fenêtre pop-up, cliquez la barre d'information puis la commande **Autoriser temporairement....**

Afficher les fenêtres pop-up d'un site

Si vous ne désirez plus bloquer les fenêtres pop-up d'un site en particulier, suivez ces étapes.

1. Ouvrez le site.

2. Cliquez la barre d'information dès qu'une fenêtre pop-up est bloquée.

3. Cliquez **Toujours autoriser...** pour afficher toutes les fenêtres pop-up du site en cours.

Figure 23-14 Autorisation des pop-up d'un site.

4. Cliquez le bouton **Oui** pour confirmer l'autorisation dans la boîte qui s'affiche.

L'adresse du site est conservée dans une liste. Toutes ses fenêtres pop-up seront affichées.

Gérer les options des fenêtres pop-up

Internet Explorer propose plusieurs options pour gérer les fenêtres pop-up.

1. Cliquez le menu **Outils → Bloqueur de fenêtre intempestive → Paramètres du bloqueur....**

La liste **Sites autorisés** affiche les sites dont les fenêtres pop-up ne sont pas bloquées.

2. Pour ajouter un site, tapez son adresse dans la zone du haut puis cliquez le bouton **Ajouter**.

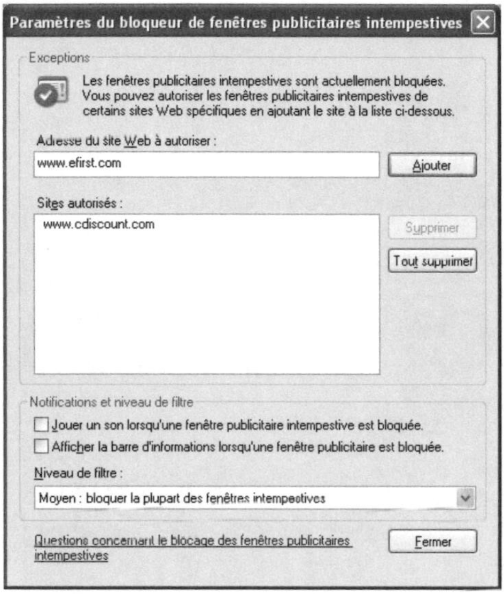

Figure 23-15 Options du bloqueur de pop-up.

3. Pour supprimer un site, cliquez-le dans la liste **Sites autorisés** puis cliquez le bouton **Supprimer**.

4. Pour être averti par un son qu'une fenêtre est bloquée, cochez la case **Jouer un son....**

5. Pour être averti qu'une fenêtre est bloquée, cochez la case **Afficher la barre....**

6. Cliquez le bouton **Fermer**.

Supprimer les pop-up avec la barre Google

La barre d'outils Google s'installe avec les autres barres d'outils d'Internet Explorer. En plus de la suppression des pop-up, elle permet d'effectuer des recherches, de surligner les mots clés dans les pages Web ou de remplir pour vous des zones de saisie (nom, prénom, *etc.*).

Vous pouvez la télécharger à l'adresse `toolbar.goo-gle.com/intl/fr/`.

Figure 23-16 Barre d'outils Google dans Internet Explorer.

Installer un pare-feu

Pour éviter que des personnes non autorisées accèdent aux données de votre ordinateur *via* Internet, vous devez installer un pare-feu (*firewall*). Cette protection est vivement conseillée si vous êtes connecté en permanence avec l'ADSL ou le câble.

Il existe deux types de pare-feu : la version matérielle et la version logicielle.

La version matérielle est placée dans un routeur (boîtier de partage d'une connexion Internet) ou dans un point d'accès sans fil (Wi-Fi) [figure 23-17]. Si vous devez opter un jour pour un de ces deux matériels, vérifiez qu'il possède bien un pare-feu intégré. La solution matérielle est généralement plus efficace que la solution logicielle.

Figure 23-17 Un routeur Wi-Fi pour partager une connexion Internet entre plusieurs ordinateurs : il contient un pare-feu matériel.

Vous trouverez, chez les différents éditeurs d'antivirus, des pare-feu logiciels (Symantec, McAfee, *etc.*). Avec Windows XP, vous disposez d'un pare-feu en standard. Si la version Service Pack 2 de Windows XP est installée sur votre ordinateur, reportez-vous à la section « Utiliser le Centre de sécurité » au début de ce chapitre pour activer le pare-feu. Si vous utilisez une ancienne version de Windows XP, voici comment procéder :

1. Cliquez le bouton **démarrer** ➜ **Connexions**.

2. Cliquez avec le bouton droit la connexion à protéger.

3. Cliquez la commande **Propriétés** dans le menu contextuel.

4. Cliquez l'onglet **Avancé**.

5. Cochez l'option **Protéger mon ordinateur...** (figure 23-18).

6. Cliquez le bouton **OK**.

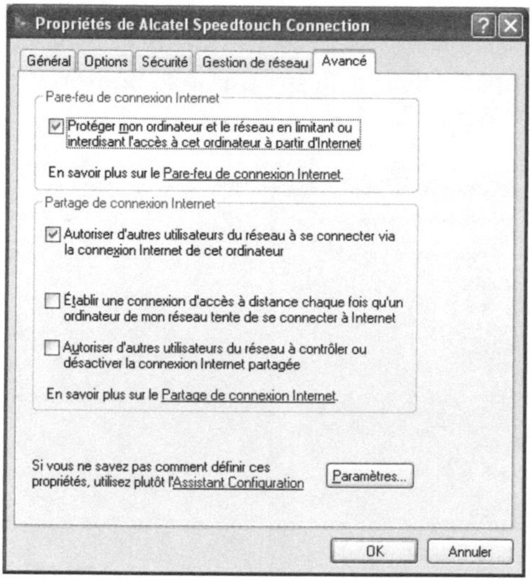

Figure 23-18 Installation du pare-feu de Windows XP.

Sécuriser la navigation sur le Web

Si vous craignez que la visite de certains sites endommage votre ordinateur ou donne accès à des renseignements confidentiels, réglez le niveau de sécurité pour vous protéger.

Définir le niveau de sécurité

Internet Explorer propose quatre niveaux de sécurité prédéfinis. Choisissez celui avec lequel vous désirez naviguer.

1. Ouvrez Internet Explorer (**démarrer** → **Internet**).

2. Cliquez le menu **Outils** → **Options Internet**.

3. Dans l'onglet **Sécurité**, cliquez l'icône **Internet** dans la liste du haut.

4. Cliquez le bouton **Niveau par défaut**.

5. Dans la zone **Niveau de sécurité**, faites glisser le curseur pour choisir le niveau de sécurité (voir tableau 23-1). Si le curseur n'apparaît pas, cliquez au préalable le bouton **Niveau par défaut** (figure 23-19).

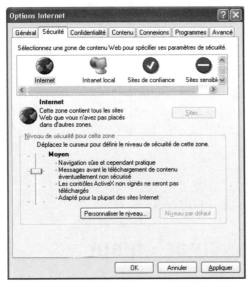

Figure 23-19 Sélection d'un niveau de sécurité pour la navigation sur Internet.

6. Cliquez le bouton **OK**.

Note Si vous choisissez un niveau trop bas, une boîte de dialogue s'affiche. Cliquez le bouton **Oui** pour accepter le niveau choisi.

Niveau	Sécurité
Élevé	Sécurité maximale. Les fonctionnalités les moins sûres sont désactivées. Les autres nécessitent une confirmation. Certains sites risquent de ne plus être accessibles. C'est la navigation la moins pratique.

Tableau 23-1 Niveaux de sécurité dans Internet Explorer

Niveau	Sécurité
Moyen	Sécurité par défaut d'Internet Explorer. Le chargement d'éléments non sécurisés nécessite votre approbation. Les contrôles ActiveX non signés sont refusés. C'est la navigation la plus pratique avec un minimum de sécurité. Niveau recommandé.
Moyennement bas	Identique au niveau moyen, mais les éléments non sécurisés ne demandent pas votre approbation. Les contrôles ActiveX non signés sont toujours refusés.
Faible	Aucune sécurité. La plupart des contenus sont chargés sans confirmation au préalable. Ce niveau est fortement déconseillé. À n'utiliser que si vous naviguez exclusivement sur des sites connus.

Tableau 23-1 Niveaux de sécurité dans Internet Explorer *(suite)*

Rétablir le niveau de sécurité par défaut

Si, après la modification du niveau de sécurité, certains sites ne sont plus accessibles, rétablissez les options par défaut.

Dans l'onglet **Sécurité** de la boîte **Options Internet**, cliquez le bouton **Niveau par défaut**.

Personnaliser un niveau de sécurité

Si les fonctionnalités proposées par défaut pour chaque niveau de sécurité ne vous conviennent pas, modifiez-les.

1.　Dans Internet Explorer, cliquez le menu **Outils → Options Internet**.

2.　Dans l'onglet **Sécurité**, cliquez l'icône **Internet** dans la liste du haut.

3.　Choisissez un niveau de sécurité avec le curseur.

4.　Cliquez le bouton **Personnaliser le niveau**.

5.　Cliquez le bouton ? en haut à droite, puis cliquez une option pour afficher une boîte d'information qui vous indiquera son utilité.

6. Modifiez les options souhaitées (figure 23-20).

Figure 23-20 Modification d'un niveau
de sécurité pour la navigation sur Internet.

7. Cliquez le bouton **OK**.

> **Note** Pour retrouver les valeurs par défaut, sélectionnez le
> niveau dans la liste **Rétablir**, puis cliquez le bouton **Réta-**
> **blir**.

Définir les sites sensibles et de confiance

Vous pouvez dresser la liste des sites potentiellement dange-
reux et ceux en lesquels vous avez toute confiance.

1. Dans Internet Explorer, cliquez le menu **Outils → Options
    Internet**.

2. Dans l'onglet **Sécurité**, cliquez l'icône **Sites de confiance**
    ou **Sites sensibles**.

3. Cliquez le bouton **Sites**.

4. Tapez l'adresse du site de confiance ou sensible.

    Dès les premières lettres, une liste propose les sites déjà
    visités (figure 23-21).

Figure 23-21 Liste des sites déjà visités.

5.   Cliquez le site dans la liste ou tapez l'adresse complète.

6.   Cliquez le bouton **Ajouter**.

> **Note** Si, dans la zone **Sites de confiance**, les sites ne sont pas sécurisés (leur adresse commence par le protocole https), décochez l'option **Nécessite un serveur sécurisé**.

7.   Répétez les étapes **4** et **5** pour les autres sites.

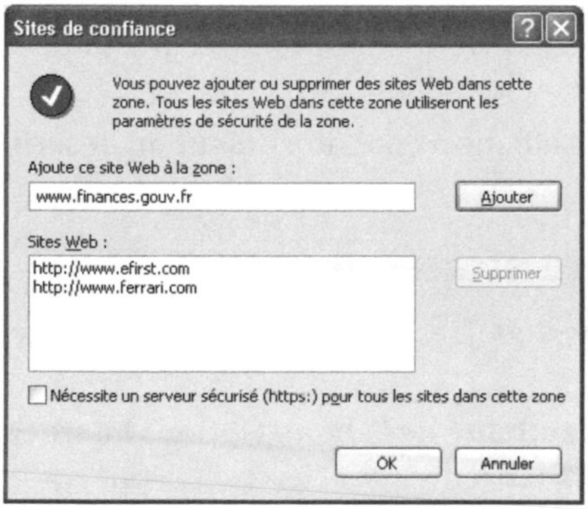

Figure 23-22 Liste des sites de confiance.

8.   Cliquez le bouton **OK**.

9. Éventuellement, cliquez **Personnaliser le niveau** pour choisir le comportement des sites de confiance ou sensibles.

10. Cliquez le bouton **OK**.

Gérer les cookies

Les cookies sont des fichiers enregistrés sur votre disque dur par les sites Web que vous consultez. Ils contiennent des renseignements à votre sujet, comme la date de votre dernière visite, les pages visitées, les produits que vous avez choisis, *etc*.

Définir le niveau de confidentialité des cookies

Vous ne souhaitez pas que les sites Web consultés abusent des cookies ? Contrôlez leur utilisation en personnalisant le niveau de confidentialité.

1. Dans Internet Explorer, cliquez le menu **Outils → Options Internet**.

2. Dans l'onglet **Confidentialité**, faites glisser le curseur pour choisir le niveau de confidentialité.

La boîte de la figure 23-23 affiche à côté du curseur un descriptif du niveau choisi.

Définir votre propre stratégie

Pour affiner la gestion des cookies, définissez vous-même les paramètres à suivre.

1. Dans l'onglet **Confidentialité** de la boîte Options Internet, cliquez le bouton **Avancé**.

2. Cochez la case **Ignorer la gestion des cookies**.

3. Cochez les options qui vous conviennent.

> **Note** Les cookies de session sont systématiquement effacés dès que vous fermez Internet Explorer. Vous pouvez donc les accepter temporairement puisqu'ils ne seront plus présents lors de votre prochaine visite sur les mêmes sites.

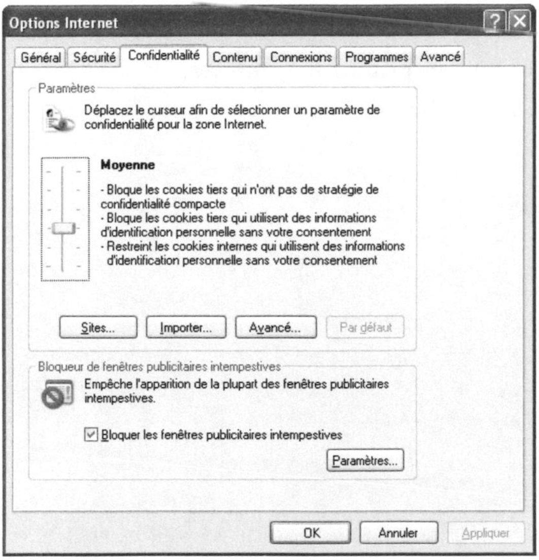

Figure 23-23 Niveau de confidentialité des cookies.

4. Éventuellement, cochez la case **Toujours accepter les cookies de la session** (figure 23-24).

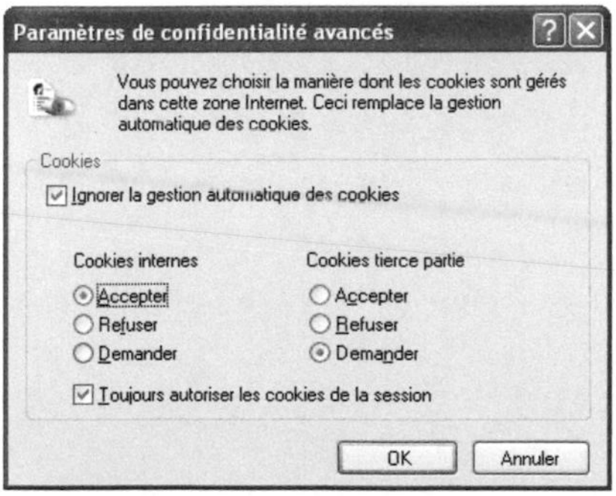

Figure 23-24 Gestion personnalisée des cookies.

5.   Cliquez le bouton **OK**.

Supprimer les cookies

Si vous ne souhaitez pas que les sites Web accèdent aux cookies stockés sur votre ordinateur, supprimez ces derniers.

1.   Dans la boîte **Options Internet** (figure 23-23), cliquez l'onglet **Général**.

2.   Cliquez le bouton **Supprimer les cookies**.

3.   Cliquez le bouton **OK** pour confirmer la suppression des cookies.

Raccourcis clavier essentiels de Windows

Raccourcis	Fonction
Ctrl+F4	Fermer la fenêtre en cours.
Alt+F4	Fermer l'application en cours.
Ctrl+C	Copier la sélection dans le presse-papiers.
Ctrl+X	Déplacer la sélection vers le presse-papiers.
Ctrl+V	Coller le contenu du presse-papiers à la position du curseur.
Ctrl+A	Tout sélectionner.
Alt+Entrée	Afficher les propriétés de l'élément sélectionné.
Suppr	Supprimer l'élément sélectionné.
Maj+Suppr	Supprimer définitivement l'élément sélectionné.
F2	Renommer l'élément sélectionné.
Echap	Annuler la tâche en cours.
Ctrl+Z	Annuler la dernière action.
Ctrl+Echap	Afficher le menu démarrer.
Alt+Tab	Passer à la fenêtre précédemment sélectionnée. Maintenez la touche **Alt** enfoncée et appuyez plusieurs fois sur **Tab** pour sélectionner une des applications ouvertes.

Raccourcis	Fonction
Alt+Echap	Parcourir les fenêtres ouvertes.
F1	Afficher l'aide de l'application en cours.
Maj+F1	Afficher l'aide de l'élément sélectionné d'une boîte de dialogue ou de certaines applications.
F3	Rechercher des fichiers (Poste de travail)
F5	Actualiser la fenêtre active.
F6	Parcourir les éléments d'une fenêtre ou du Bureau.
Maj+F10	Ouvrir le menu contextuel de l'élément sélectionné.
Alt+Espace	Afficher le menu système de l'application en cours.
Alt+-	Afficher le menu système du document en cours (applications multidocuments).
⊞	Ouvrir le menu démarrer.
⊞+B	Afficher la barre des tâches
⊞+E	Ouvrir l'Explorateur.
⊞+D	Afficher le Bureau (équivalent au bouton ⊡ de la barre d'outils Lancement rapide).
⊞+F	Ouvrir la boîte Rechercher (équivalent du menu **démarrer → Rechercher**).
Ctrl+⊞+F	Ouvrir la boîte Rechercher un ordinateur.
⊞+L	Verrouiller la session
⊞+R	Exécuter une application (équivalent du menu **démarrer @@····⟩Exécuter**).
⊞+U	Ouvrir le Gestionnaire d'utilitaires.
⊞+Pause	Ouvrir la boîte des Propriétés système.

Raccourcis clavier essentiels d'Internet Explorer

Raccourcis	Fonction
Ctrl+B	Ouvrir la boîte Organiser les favoris
Ctrl+D	Ajouter la page en cours aux favoris
Ctrl+E	Afficher le volet de recherche sur Internet
Ctrl+F	Rechercher un mot dans la page en cours
Ctrl+H	Afficher le volet de l'historique
Ctrl+I	Afficher le volet des favoris
Ctrl+N	Ouvrir une nouvelle fenêtre
Ctrl+O ou Ctrl+L	Ouvrir une page Internet ou un document
Ctrl+P	Imprimer la page en cours
Ctrl+S	Enregistrer la page en cours
Echap	Arrêter le chargement de la page en cours
F11	Passer en plein écran
F5 ou Ctrl+R	Actualiser la page en cours
Alt+Origine	Aller à la page de démarrage
Ctrl+Entrée	Ajoute www et .com à une adresse

Raccourcis clavier essentiels d'Outlook Express

Raccourcis	Fonction
Ctrl+D ou Suppr	Supprimer un message
Ctrl+F	Transférer un message
Ctrl+I	Afficher le dossier Boîte de réception

Raccourcis	Fonction
Ctrl+K	Vérifier les noms
Ctrl+M	Envoyer et recevoir des messages
Ctrl+N	Nouveau message
Ctrl+O	Ouvrir le message sélectionné
Ctrl+P	Imprimer le message sélectionné
Ctrl+R	Répondre à l'expéditeur du message
Ctrl+Maj+R	Répondre à tous
Ctrl+Maj+B	Ouvrir le carnet d'adresses
Ctrl+Maj+F	Rechercher un message
Ctrl+Maj+S	Insérer une signature
F3	Rechercher un texte

Raccourcis clavier du Lecteur Windows Media

Commandes globales

Raccourcis	Fonction
Ctrl+O	Ouvrir un fichier
Ctrl+U	Ouvrir une adresse
Ctrl+1	Afficher en mode complet
Ctrl+2	Afficher en mode apparence
Ctrl+M	Afficher la barre de menus
Ctrl+Maj+M	Masquer automatiquement la barre de menus

Lecture

Ctrl+P	Lire ou mettre en pause
Ctrl+S	Stopper la lecture
Ctrl+B	Lire le titre précédent
Ctrl+F	Lire le titre suivant
Ctrl+H	Lire aléatoirement
Ctrl+T	Lire en boucle
Ctrl+E	Éjecter le disque
F10	Augmenter le volume
F9	Diminuer le volume
F8	Supprimer ou activer le son

Ressources sur Internet

Adresses Internet

www.microsoft.com/france	Accueil Microsoft France
www.microsoft.com/France/windows/xp	Pages Windows XP
www.microsoft.com/France/windows/xp/home	Pages Windows XP Édition Familiale
www.microsoft.com/France/windows/xp/pro	Pages Windows XP Édition Professionnelle
www.windowsupdate.microsoft.com	Mise à jour de Windows
www.microsoft.com/France/support	Assistance
www.microsoft.com/enable/	Spécial accessibilité
www.microsoft.com/whdc/hcl/	Matériel compatible

www.microsoft.com/France/download/drivers/	Pilotes/Drivers
www.touslesdrivers.com/	Pilotes/Drivers

Groupes de discussion

alt.binaries.ms-windows

alt.os.windows-xp

alt.windows

fr.comp.windows

fr.comp.windows.divers

fr.comp.windows.drivers

fr.comp.windows.ms

fr.comp.os.ms-windows

msnews.microsoft.com

microsoft.public.fr.windowsxp

comp.windows

comp.ms-windows… (plus de 30 groupes)

comp.os.ms-windows… (plus de 90 groupes)